ちくま学芸文庫

色彩論

ゲーテ
木村直司 訳

JN275988

筑摩書房

目次

色彩論

科学方法論

近代哲学の影響

ほんらいの意味の哲学に対して私はなんらの器官をも有していなかった。ただ、私に迫ってくる現実の世界に抵抗し、これをわがものとする必要から絶えず行なわざるをえなかった精神的反作用によって私はある方法に導かれ、この方法によって私は哲学者たちのいろいろな見解を、それらがあたかも対象であるかのように把握し、それらにもとづいて自己を完成しようと努めた。ブルッカーの哲学史[*1]を私は青年時代に熱心に愛読したが、当時の私はあたかも、生涯を通じて星空が頭上に回転するのを眺め、多くのきわだった星座を見わけることはできても天文学については何も理解せず、大熊座を知っていても北極星を知らない人のようであった。

芸術とその理論的諸要求について、私はモーリッツとローマにおいて大いに議論した[*2]。印刷されたある小冊子が今日なお、われわれの当時の創造的混沌を如実に示している。さらに植物のメタモルフォーゼの試論[*3]を叙述するさいに、自然に即した方法が展開されなければならなかった。なぜなら、植物が私にその形成の仕方を一歩一歩あらわにしてくれたとき、私はもはや迷うことがなく、植物のなすがままにさせながら、植物がその奥深く包み込まれた状態を、徐々に完成へと推し進めていく道程と手段を承認せざるをえなかったからである。物理学的研究にさいしては次のような確信[*4]が執拗に私の脳裏に浮かんできた。すなわち、対象を考察するあらゆる場合の最高の義務は、現象が現われてくるさいの各条件を精確に探し求め、現象が可能な限り全部そろっているようにしなければならない。というのは、これらの現象は最終的にはつなぎ合わさるか、あるいはむしろ重なり合うことを余儀なくされ、研究者の直観のまえで[*5]一種の有機組織を形成し、その内部の全生命を明示するに違いないからである。とはいえ、この状態はいつまでも薄明のままにとどまり、私の意にかなった啓蒙を私はどこにも見出すことができなかった。各人は結局、自分自身の意味において啓蒙されるほかはないのである。

カントの『純粋理性批判』[*6]はもうずっと前に刊行されていたが、それはまったく私の関心事ではなかった。しかしながら私はこれに関する対話にしばしば同席した。そして少し注意することによって気がついたのは、われわれの自我と外界はわれわれの精神的存在に対して、それぞれどれほど寄与しているかという古い根本問題が改めて取り上げられているということであった。私は両者を分離したことはけっしてなかったし、私なりの仕方でいろいろな対象について哲学したときにはいつも無意識の素朴さでそれを行ない、自分の見解をほんとうに眼前に見ているものと信じていた。しかし、かの論争が話題になるやいなや、私は人間にもっとも敬意をはらう側に味方することを好み、カントとともに、われわれの認識がすべて経験とともに始まるにしても、それだからといってあらゆる認識が経験から生ずるわけではないと主張するすべての人たちに全面的に賛意を表した。ア・プリオリな認識を私はア・プリオリな綜合的判断と同様に容認した。私は生涯を通じて、詩作と観察を行ないながらまず綜合的に、次に再び分析的なやり方をしたからである。人間精神の収縮と弛緩[*7]は私にとって、あたかも第二の呼吸のように、けっして分離することなく、つねに脈動をつづけていた。しかしながら、これらすべてに対して私は表現すべき言葉、まして用語をもたなかったが、いまや初めて一つの理論が私にほほえみかけてきたように思われた。ただ私の意にかなったのは入口であって、迷路そのものに私はあえて踏み入ることができなかった。それを妨げたのは私の詩才であったこともあれば、健全な常識のこともあった。こうして私はどこへ行ってもよりよきものが得られたようには感じなかった。

不幸なことにヘルダー[*8]は、カントの弟子ではあったが、同時に反対者であった。さらに悪いことに、私はヘルダーに同意することもカントに従うこともできなかった。しかし私は有機体の形成と変形[*9]を真剣に追究しつづけ、そのさい、私が植物を研究するために用いた方法は信頼すべき道しるべとして役立った。自然が絶えず分析的なやり方、すなわち神秘的な生きた全体からの発展ということを遵守するのを私は見逃さなかったが、自然はそれからまた再び綜合的なやり方をするようにみえた。というのは、まったく異質にみえる諸関係が相互に接近させられ、それらがすべて一つに結び合わされたからである。それゆえ私は繰り返しカントの学説へ戻っていき、個々の章をほかのよりもよく理解したように思い、ひじょうに多くのものを自家薬籠中のものにした。

そうこうしているうちに『判断力批判』が手に入り、そのおかげで私は最高に楽しい生涯の一時期を過ごすことができた。ここで私は、自分の種々雑多な研究が整然と並べられ、芸術の所産と自然の産物が同等に取り扱われているのを見た。美的判断力と目的論的判断力は互いに照らし合っていたのである。

私のものの見方では必ずしもつねに著者についていくことはできず、ところどころ何かが不足しているように思われたにせよ、この著作の偉大な根本思想は私のこれまでの創作、活動および思索とまったく類似していた。芸術ならびに自然の内的生命、両者の内面からの相互作用はこの書物の中ではっきり言い表わされていた。これら二つの無限な世界の産物はほんらいそれ自身のために存在すべきであり、並び合って存立するものも、互いに相対しているのではあっても、意図的に相互のためにあるのではなかった。

目的因に対する私の反感[*10]はいまや規制を受け正当化された。私は目的と作用の結果をはっきり区別することができたし、常識的な人間がなぜ両者をしばしば混同するのかということもわかった。私にとって喜ばしかったのは、文学と比較博物学がかくも近い関係にあるのは、両者が同一の判断力のはたらきのもとにあるからだということであった。熱情的な刺激を受けて私はただひたすらわが道を歩みつづけたが、それは、私自身この道がどこに通じているかを知らず、また私がどうにかしてわがものにしたものに対してカント主義者たちのもとでほとんど共鳴を見出さなかったからである。なぜなら私が言い表わしたものは、私の受けた精神的刺激だけであって、私が読んだものではないからである。自分自身につき戻されて、私は再三再四かの書物を研究した。いまでもその古い冊子の中に当時自分でしるしを付けた個所を見るのは愉快である。『純粋理性批判』についても同様であり、私はこの著作の深奥にも入っていくことができたように思っていた。なぜなら両方の著述は、一つの精神から生じたものとしてつねに互いに指示し合っているからである。同じようにはうまくいかなかったのは、カント主義者たちに接近することであった。彼らは私の言うことを聴いてくれはしたが、私に対して何も言葉を返すことができなかったし、またなんら裨益《ひえき》することもなかった。一再ならず私は次のようなことに出会った。すなわち、彼らのうちのある者は不思議そうな微笑を浮かべながら、それはもちろんカントのもの見方と類似したものではあるが、じつに奇妙な類似物だ、と率直に認めたのである。そもそもこれがいかに奇異な状況であったかは、私とシラーの関係[11]が活発になったときに初めて明らかになった。われわれの対話はきわめて生産的ないし理論的であり、通常はそのいずれでもあった。彼は自由の福音を説き、私は自然の権利が縮小されないことを欲した。私に対する友誼的な配慮から、たぶん自分の確信以上に、彼は『美的人間教育論[12]』の中では、母なる自然を、『優美と尊厳について[13]』の論文を私に大きらいにさせたあの手きびしい表現で取り扱うことをしなかった。しかし、私が私の側から執拗かつ頑固にギリシアの文学様式およびそれにもとづき、それに由来する詩歌の長所を賞揚しただけでなく、もっぱらこの様式を唯一の正しい願わしいものとして認めたために、彼はいっそう鋭く思索することをしいられ、まさにこの理論的葛藤のおかげで『素朴文学と情感文学について[14]』の論文が生まれたのである。両方の文学様式は対立し合いながら互いに同等の地位を認め合うべきものとされた。

これによって彼はまったく新しい美学全体の最初の基礎をおくことになった。なぜなら、ギリシア的とロマン主義的[15]、およびその他それ以後に見出されたいかなる同意語であれ、それらはすべて、現実的または理念的取り扱い方の優勢いかんが最初に論じられたところに帰着するからである。

こうして私は徐々にそれまでまったくなじみのなかった言語になれていったが、この言語によって培《つちか》われた学問と芸術に対する高次の観念のおかげで、私は自分自身がより高貴により豊かになったように思われたので、それにいっそう容易に親しむことができた。これに反して、以前われわれは通俗哲学者たちから、またなんと呼んでよいのかわからない別の一派の哲学者たちからきわめて不当な取り扱いを受けなければならなかったのである。

このほかの進歩を私は特にニートハマー[*16]に負うている。彼はきわめて好意的にしんぼうづよく私に主要な謎をとき、個々の概念と表現を説明しようと努力した。私が同時にまたその後フィヒテ、シェリング、ヘーゲル、フンボルト兄弟およびシュレーゲル兄弟に何を負うにいたったかは、私にとってかくも重大な時期である十八世紀の最後の十年間を私の立場から、叙述するとはいわないまでも、暗示し略述する機会に恵まれるならば、将来いつか感謝の念をもって述べたいと思う。

直観的判断力

私がカントの学説を徹底的に研究しないまでもできるだけ利用しようと努めたとき、私には、この優れた人物はいたずらっぽくイロニーを弄《もてあそ》んでいるのではないか、とたびたび思われてしかたがなかった。というのは、彼は認識能力をきわめて狭く制限しようとしているようにみえるかと思うと、みずから設けた限界の彼方を横目を使って示唆していたからである。彼がむろん気づいていたように、人間が安易にわずかばかりの経験をそなえただけで直ちに無思慮に判断をくだし、軽率に何かを確定したり、脳裏に浮かんできた気まぐれな考えを対象に押しつけようとしたりするのは、僭越かつ生意気なやり方である。それゆえわれわれの大哲学者は思索する人間を反省的推論的判断力に限定し、人間に規定的判断力を認めることを断固拒否するのである。しかし、われわれを充分に窮地に追い込み、絶望にさえ駆りたてたあとで、次に彼はきわめてリベラルな発言を行なう決心をし、彼があある程度まで容認する自由をいかに用いるかをわれわれに任せる。この意味で次の個所は[*17]

私にとってひじょうに意味深長であった。

「われわれは次のような悟性を考えることができる。すなわちそれは、われわれの悟性のように推論的ではなく直観的であるために、綜合的普遍から、全体そのものの直観から特殊へと、つまり全体から部分へ進んでいく。——そのさい、このような原型的知性(intellectus archetypus)が可能であることを論証する必要はまったくない。ただ、われわれが、われわれの推論的で形象を必要とする悟性、すなわち派生的知性(intellectus ectypus)とこのような性質の偶然性を対比させたときに、かの原型的知性の理念に導かれ、この理念がなんらの矛盾をも含まないことを論証すれば足りるのである」。

もとより著者はここで神的な悟性を示唆しているようにみえる。しかしながら、われわれが道徳的なものにおいて、神や徳や不死に対する信仰によって高次の領域へと進み太初の存在に近づくべきであるとすれば、知的なものの場合もおそらく同様であろう。すなわちわれわれは、不断に創造する自然を直観することによって、その生産の営みに精神的に参加するのにふさわしい者となるべきである。私は最初は無意識のうちに、内的衝動に駆られてかの原像的なもの[18]、原型的なものをひたすら追求し、自然に即した叙述を築き上げることにさえ成功したので、ケーニヒスベルクの老碩学がみずからそう呼んでいる「理性の冒険[19]」を敢行するのを妨げるものはもはや何もなかった。

省察と忍従

宇宙をその最大の延長において、またその最小の分割部分において考察するとき、われわれは全体の根底に一つの理念があり、それに従って神は自然の中で、[20]自然は神の中で永遠から永遠へと創造し活動をつづけているという観念を禁じえない。直観と考察と思索はわれわれをかの神秘に近づける。われわれは僭越にも種々の理念をあえて試み、謙遜になり、かの始原に類似していると思われる諸概念をつくる。

ここでわれわれは、必ずしもいつも明瞭に意識されるとは限らない特有の困難に遭遇する。すなわち、理念と経験の間には一定の間隙が厳然として存在しているように見えて、われわれがそれを飛び越えようといかに全力を尽くしてもむだである。それにもかかわらず、われわれが永遠に努力してやまないのは、この深い間隙を[21]理性・悟性・想像力・信仰・感情・妄想をもって、もしほかにできることがなければ荒唐無稽をもってしても克服することである。

誠実な努力をつづけたあと最後にわれわれが思うのは、いかなる理念も経験とは完全に一致しないと主張しながらも、理念と経験は類似していることがありうるばかりでなく類似しているに違いないと認める哲学者[*22]がおそらく正しいのではないかということである。

理念と経験を互いに結びつけることの困難は、すべての自然研究にさいしてひじょうに妨げとなることがわかる。理念は時間と空間に依存せず、自然研究は時間と空間の中に限定されている。それゆえ、理念においては同時的なものと継起的なものが緊密に結びついているのに反して、経験の立場においてはつねに分離している。われわれが理念に即して同時的かつ継起的であるような自然作用のことを考えると、一種の狂気に陥りそうな気がする。悟性は、感性が分離して提供するものを合一したものと考えることはできず、したがって、知覚されたものと理念化されたものとの不一致はいつまでも未解決のままである。

それゆえわれわれとしては、いくらかでも満足するために詩歌の世界に逃れ、ある古い小曲[*23]をいくらか変更して内容を一新することにしたい。

つつましい眼差しで見るがよい、
永遠の織女の絶妙のわざを。
踏む一足で動く千の糸、

かなたこなたへ梭《ひ》が飛び、
糸と糸は相会して流れ去り、
一打ちは千の結び目を作る。
織女はそれを乞い求めてきたのではない。
彼女は永劫の日から経《たていと》を張っていた、
永遠の織匠が心やすく
緯《よこいと》を打ち込むことができるようにと。

形成衝動

標題の重要問題において、なされたことについて、カントは『判断力批判』の中で次のように言明している。[*24]「この個体新生説[*25]に関しては、その証明のためおよびその真の適用原理の基礎づけのために、またそのあまりに不当な使用を制限することによっても、ブルーメンバハ氏以上に寄与した人はいない」。

良心的なカントのこのような証言に刺激されて、私は以前読んだことはあるが徹底的には研究していなかったブルーメンバハの著作[*26]を再び繙《ひもと》いてみた。ここで私が見出したのは、わがカスパル・フリードリヒ・ヴォルフがハラーおよびボネーとブルーメンバハの中間に位置しているということであった。[*27]ヴォルフは彼の個体新生説のために一つの有機的要素を前提にせざるをえなかったが、有機的生活を営むように定められた個体はそこから栄養を得るはずであった。彼がこの物質に認めた本源力（vis essentialis）は、自分自身を生み出そうとするすべてのものに適合し、それによってみずから生み出す者の地位にまで高まることになった。

ただ、この種の表現にはなお改善の余地があった。なぜなら、有機的物質といわれるものには、それをいかに生き生きしたものと考えるにしても、つねに何か素材的なものが付着しているからである。力という言葉はまず単に物理的なもの、機械的なものをさえ表示するのであって、かの物質から有機的に生じてくるといわれるものは、われわれにとって依然として不可解なあいまいな点である。そこでブルーメンバハは最高の決定的な表現を獲得した。彼は謎の言葉を擬人化して、問題になっていたところのものを形成衝動(nisus formativus)、すなわち形成を惹き起こす衝動ないし激しい活動と呼んだのである。

これらすべてをより精密に考察するならば、次のことを容認するほうが簡単明瞭かつおそらく徹底的ということになるであろう。すなわちわれわれは、現にあるものを考察するためには先行した活動を認めなければならず、またある活動を考えようとするならば、その活動の根底に作用のおよぶことのできた適当な要素があるとみなす。そして最後にわれわれは、この活動がこの根底要素とつねに共存し永遠に同時に存在していると考えざるをえない。

この途方もないものが人格化されると、[*28] われわれには神、創造者、維持者として現われてくるのであり、この神を崇拝し敬愛し讃美するよう、われわれはあらゆる仕方で促されているのである。

哲学の領域に戻って展開説[*29]と個体新生説をもう一度考察するならば、これらは、われわれがいたずらに解決を遅らせる言葉のようにみえる。入れ子説は教養の高い人にはもちろんすぐいやになるものであるが、摂取ないし受容説の場合にも依然として摂取するものと摂取されるものが前提にされている。そしてわれわれが前成説というようなことを考えたくないにしても、あらかじめなされた輪郭・決定・予定その他いかなる表現であれ、われわれが何かを知覚できるようになる以前に、先行していなければならないあるものにつき当たるのである。

しかし次のことだけは私はあえて主張したいと思う。すなわち、ある有機体が現われてくる場合、形成衝動の統一と自由はメタモルフォーゼの概念なしには把握できないのである。

最後に思索をさらに促す手がかりとして図式[*30]を一つ添えることにする。

素材
能力
力
強制力
内的欲求
衝動
形式

生命

種々の問題

自然的体系とは[31]矛盾した表現である。

自然は体系などというものをもたない。自然は生命をもつというよりは生命であり、未知の中心から認識不可能な限界にいたる経過である。自然考察はそれゆえ、もっとも個別的なものにまで分析的に研究しようと、全体においてその広がりと高さを追究しようと無限である。

メタモルフォーゼの理念は天からのきわめて貴重な賜物《たまもの》であるが、同時にきわめて危険な賜物である。それは無形式のものに通じ、知識を破壊し解消させてしまう恐れがある。それは遠心力（vis centrifuga）と同じで、もしそれに拮抗《きっこう》する力が加えられなければ、無限の中に失われてしまうであろう。私が言わんとしているのは特殊化の衝動[32]、すなわち、いったん現実となったものの執拗な固執能力のことである。それは求心力（vis centripeta）であり、その最深の根底に対してはいかなる外的なものも手出しをすることができない。たとえばエリカ属を見よ。

さてしかし、これら二つの力は同時に作用するので、われわれもそれらを教示的論述にさいして同時に叙述しなければならないであろうが、これは不可能なようにみえる。おそらくわれわれがこの困惑から救われるには、またしても人為的なやり方[*33]によるほかはないであろう。

自然的に絶えず進行していく音響[*34]と、オクターヴの中に閉じ込められた平均律との比較。これによってほんらい初めて、自然に対抗する有力な高次の音楽が可能となる。われわれは人為的な論述を創始しなければならないであろう。象徴的表現を行なわなければならないとしても、いったいだれにできるだろうか。なされたものをだれが認めてくれるだろうか。

植物学において属（genera）と呼ばれるものを考察し、それらを分類されているとおりに通用させるとしても、私にはやはりいつも、ある属を他の属と同じ仕方で取り扱うことはできないように思われた。私は次のように言いたいと思う。すなわち、属の中には特性を有するものがあり、この特性をそれらの属はそのすべての種の中で再現するので、それらを合理的な方法で見分けることができるのである。これらの属は自性を失って容易に変種となることがないので、特別扱いをされる価値があるであろう。その好例はリンドウ属であるが、注意深い植物学者ならばその数種を示しうるであろう。

これに対して特性のない属があり、これらの属は自性を失って無限の変種になるので、それらには種を認めることさえできないと思われる。これらの変種を学問的に本気で研究してもきりがない。それらはいかなる規定、いかなる法則からも逃れ出てしまうので、むしろ混乱するばかりである。これらの属を私はしばしば大胆にも放蕩者と呼び、バラにこの綽名《あだな》をつけることをあえてしたが、もちろんそれによってバラの優美さがそこなわれるわけではない。特にイヌイバラ[*35] (rosa canina) はこの非難を招くかもしれない。――

人間は重大な場面においては立法者的にふるまう。まず第一に道徳的なものにおいては義務の承認によって、さらに宗教的なものにおいては神と神的なことがらに関する特別な内的確信を表明し、次にこの確信にふさわしい特定の外的儀式に限定することによって。統治においても、平和なときであれ戦争中であれ、同じことが起こる。行為と活動に意義があるのは、人間がそれらを自己および他人に課する場合のみである。芸術においても同様である。人間精神がいかにして音楽を支配したかは上述のとおりであるが、それが最盛期の造形美術に対して偉大な天才たちの活躍をとおしていかに影響をおよぼしたかは、今日、公然の秘密[*36]である。科学においては体系化および図式化の無数の試みがそれを示唆している。われわれのすべての注意はしかし自然のやり方を窺い知ることに向けられていなければならない。それは強制的な指図によってわれわれが自然をかたくなにしてしまわないようにする一方で、自然の恣意《しい》によってわれわれも目的から遠ざけられてしまうことがないようにするためである。

適切な一語による著しい促進

ドクトル・ハインロート[*37]はその著書『人間学』――われわれはしばしばこれに立ち返るであろう――の中で、私の本質と活動について好意的な発言をしているだけでなく、私の研究方法が一種独特のものであると述べている。すなわち、私の思考能力は対象的に働いているというのであるが、彼の言わんと欲することは、私の思考が対象から分離せず、対象の諸要素、つまり直観されたことがらが私の思考の中に入り込み、これによって緊密に浸透され、私の直観それ自体が一つの思考、また私の思考が一つの直観であるということであり、このやり方に対して上述の友は賞讃を惜しもうとはしない。

このような是認に伴われた対象的という一語が私を鼓舞してどのような省察を行なわせたかは、以下の短い文章に言い表わされているとおりである。関心のある読者があらかじめ上述の書物の三八七ページを繙《ひもと》き委細を知っておられるならば、一読をおすすめしたい。

『形態学』誌の本分冊においても以前の分冊においても私の追求していた意図は、私が自然をいかに観ているかを言い表わすと同時に、ある程度まで私自身を、私の内面、私の存在のあり方を可能な限り明らかにすることであった。このためには特に、私のやや古い論文[*38]『主観と客観の仲介者としての実験』が役立つことと思われる。

このさい告白しておきたいのは、私には以前から、「汝みずからを知れ[*39]」というかの深遠な響をもつ大きな課題が、人間をいろいろな達成しがたい要求によって混乱させ、外界に対する活動から誤った内的観想へ誘惑しようとする秘密結社の僧侶たちの策略のようにつねにいかがわしく思われていたことである。人間は世界を知る限りにおいてのみ自己自身を知り、世界を自己の中でのみ、また自己を世界の中でのみ認識する。いかなる新しい対象も、深く観照されるならば、われわれの内部に新しい器官を開示するのである。

しかしもっともよく促進してくれるのは、われわれの身近な人々である。彼らは自分の立場からわれわれを世界と比較し、それゆえ、われわれについてわれわれ自身が獲得するよりも詳しい知識をもてるという利点を有している。

それゆえ私は成年に達してからは、他人がどの程度まで私を認識してくれるものかということに大きな注意を払った。そうすることによって私は、彼らの印象をもとに、あたかも多数の鏡に向かうように、自分自身と自分の内面をより明確に知ることができたからである。
敵対者のことはいま考慮しない。なぜなら、私の存在は彼らから憎まれており、彼らは私の活動の目標を否認し、それに達するための手段も同じく誤った努力であるとみなしているからである。それゆえ私は彼らを拒絶し無視する。というのは、彼らは私をなんら促進できないからであるが、これこそほんらい人生において決定的に重要なことである。しかし友人たちからは、制約されることも無限を志向することも、私は喜んで受け入れる。私は純粋な信頼の念をもって絶えず彼らの言葉に留意し、いつも大きな精神的利益を得ている。

ところで、私の対象的思考について言われていることを、私は同様に対象的詩作というものに関係させたいと思う。ある種の大きなモティーフ、聖譚、太古の伝承などは私の心にひじょうに深い印象を与えたので、私はそれらを四十年も五十年も生き生きと活発に心の中に保持していることができた。このような貴重な形象がしばしば想像力の中で甦ってくるのを見るのは、私にとってきわめてすばらしい所有と思われたが、実際これらの形象は、絶えず変形したとはいえ本質的には変ることなく、より純粋な形式、より明確な叙述に向かって成熟していった。これらのうち私が特に名を挙げたいのは、[*40]「コリントの花嫁」「神と娼婦」「伯爵と侏儒」「歌びとと子どもたち」、それから近く発表する予定の「パーリア」である。

上述のことからまた機会詩[*41]というものに対する私の愛着が説明される。何かある状態の特殊なものはすべてさからいがたく私の心を動かして機会詩へ向かわせたのである。そのようなわけで人々が私の小曲を読んですぐ気がつくのは、どの小曲の根底にも何か独自のものがあり、多かれ少なかれ意義深い果実の中にある核心が内包されていることである。私の小曲、特に性格のはっきりしたものが何年間も歌われなかったのも、それらが歌い手に次のようなことを要求しているからである。すなわち歌い手は、ほんらい、彼自身のごく一般的な状態から他人の特殊な直観の内容と気分に身を移し替え、何が語られているのかわかるように語句の抑揚を明確にしなければならないのである。これに対して憧憬的な内容の詩はやや好評を博し、同じような種類の他のドイツ語の作品とともに人口に膾炙《かいしゃ》するようになった。

ここで考察されたことがらと直接関連しているのは、私の精神が多年にわたりフランス革命に向けられていたことである。このあらゆる事件の中のもっとも恐ろしい事件の原因と結果をきわめ、それをなんとか詩的に克服しようとする際限のない努力は、ここから説明される。過ぎ去った多くの年月を振り返ると、この見きわめがたい素材に執着していたために、私の詩作能力が永い間ほとんど無駄づかいされてしまったことがはっきりとわかる。しかしながら、あの印象は私の心にひじょうに深く刻み込まれているので、私が依然として『かくし娘《ご》』[42]の続編を書くことを考えており、個々の叙述に取りかかる勇気はないにしても、この不思議な作品の構想を絶えず頭の中で練っていることを否定できない。

私に対して容認された対象的思考というものに再び話題を転ずると、まさにこのやり方が種々の博物学的対象の場合にも守られる必要があったように思う。いかに多くの直観と思索を[43]重ねたあとで初めて、植物のメタモルフォーゼの理念が私の脳裏に浮かんできたことだろうか。それは私の『イタリア紀行』が友人たちに打ち明けているとおりである。

頭蓋が脊椎骨から[44]成り立っているという概念についても同様であった。後頭部の三つの骨を私はまもなく認識することができた。しかし、一七九〇年、ヴェネツィアの砂浜にあるユダヤ人墓地の砂の中から一個の打ち砕かれた羊の頭を拾い上げたときに初めて、私は瞬間的に、顔面部の骨も同じく脊椎骨から導き出しうることを悟った。というのは、前蝶形骨から篩骨《しこつ》および甲介骨に移行する状態を私はまったく明確にまのあたりにしたからである。つまり私は全体をもっとも普遍的な形で集めもったのである。以前なしとげたことを解説するのは今回はこれで充分と思われるが、あの好意的で洞察に富む学者の用いた表現が私の思索を現在でもいかに促進しているかについて、なお少し簡略に述べておきたい。

数年前からすでに私は私の地球構造学的研究[45]を再検討しようと努めている。それは特にこれらの研究とそれから得られた確信を、いたるところで広まっている新しい火成論にどうすれば少しでも接近させることができるかということを考慮してのことであるが、これまでそれは私にはとうてい不可能であった。しかし対象的という言葉によって私は思いがけず蒙を啓《ひら》かれ、いまや次のことがはっきりとわかった。すなわち、私が五十年このかた考察し研究してきたすべての対象がまさに、私がいまさら放棄することのできない観念と確信を私の内部に喚起せざるをえなかったのである。しばしの間ならば私も火成論の立場に身を移すことができる。しかし、多少とも思うようにやりたいと思うならば、私はやはりいつも自分の昔からの思考方法に再び返らざるをえない。

私はこれらの考察に刺激されて反省をつづけた結果、私の全方法が導出[*46]にもとづいていることを見出した。私は含蓄深い点を発見し、そこから多くのことが導き出されるか、あるいはむしろその点が多くのものを自発的に自分の内部から生み出し、私に差し出してくれるまでは休らうことがない。私は探し求めるさいも受け取るさいも、慎重かつ忠実に仕事をするからである。私が導き出すすべを知らない現象が何か経験の中で見出されるならば、私はそれを問題として残しておくのであるが、このやり方は永い生涯のあいだにひじょうに有利であることがわかった。なぜなら、何かある現象の由来と結合の謎を私が永いこと解くことができず、その現象をわきにのけておかなければならなかったような場合でも、何年かたったあとで突然すべてが見事な関連のうちに解明されたからである。それゆえ私は今後もあえて、私のこれまでのいろいろな経験や所見、またそこから生じてくるものの考え方をこの分冊誌の中で歴史的に叙述していくつもりである。そのさい私が少なくとも目的としているのは一つの特徴ある信仰告白であり、それは敵対者たちには理解を、考えを同じくする人々には促進を、後世の人々には知識をもたらし、首尾よくいけばいくらかでも和解をもたらしてくれるであろう。

客観と主観の仲介者としての実験

人間は自分のまわりの種々の対象を知覚するやいなや、それらを自分自身との関係において考察するものであるが、それは当然なことである。なぜなら、彼の全運命は、それらの対象が彼の気に入るか入らないか、それらが彼を引きつけるか反発させるか、彼にとって有益か有害であるかにかかっているからである。事物を眺めて判断を下すこのごく自然なやり方は、必然的であると同じく容易であるようにみえる。しかしながら人間はそのさいいくたの誤謬にさらされており、そのために彼は恥辱を味わったり人生がいやになったりすることもある。

はるかに困難な日常の仕事を引き受けるのは、知識欲に駆られて自然の諸対象そのものとそれらの相互関係を観察しようと努める人々である。一面で彼らは、人間として事物を自分との関係で眺めたときに助けとなった尺度を失う。すなわち、気に入るか入らないか、引きつけるか反発するか、有益か有害であるかという尺度である。この尺度を彼らはほんらいまったく断念し、[*47] 利害を超越したいわば神的な存在として、気に入るものではなく現にあるものを探求し研究しなければならない。そこで真の植物学者はある植物の美とか有用性などに心を動かされるべきではない。彼のなすべきことはその植物の形成、残りの植物界との親近関係を研究することである。そして植物がすべて太陽によって誘い出され照らされるように、彼は同じ静かな眼差しですべての植物を部分的かつ全体的に眺め、この認識の尺度、判断のためのデータを自分自身からではなく、彼が観察している事物の領域から取ってこなければならない。

この自己放棄が[*48]人間にとっていかに困難であるかは、科学の歴史が教えている。人間はこうしていろいろな仮説・理論・体系その他、われわれが無限なるものを把握しようと努めるさいの種々のものの見方を案出するにいたり、またそうせざるをえないのであるが、それについてはこの小論文の第二部において論ずることにする。その第一部を私は、人間が自然の諸力を認識しようと努力するときどのようなやり方をするかということの考察に捧げる。私が現在くわしく研究する必要に迫られている物理学の歴史[*49]は、私にこの問題について考える機会をしばしば与えてくれる。こうして書かれたこの小論文の中で私は、優れた学者たちがいかにして自然科学に裨益《ひえき》しまた害をおよぼしたかを、ごく一般的に明らかにしたいと思う。われわれがある対象をそれ自身との関係および他の対象との関係において考察し、その対象を直接に欲求したり嫌悪したりしないならば、われわれは冷静に注意することにより、それについて、またその諸部分と諸関係についてまもなくかなり明確な理解を得られるであろう。われわれがこのような考察をつづけ、いろいろな対象を相互に結合すればするほど、われわれの内部の観察能力はそれだけ多く訓練される。これらの認識を実際の行動においてわれわれ自身と関係づけることができるならば、われわれは賢明であると呼ばれるに値する。生まれつき節度のある、あるいは環境によって制約され節度を保たざるをえない天賦の資質に恵まれたどの人間にとっても、賢明とはけっしてむずかしいことではない。なぜなら、人生が一歩ごとにわれわれの誤りを正してくれるからである。しかしながら、観察者みずからこの鋭い判断力を自然の秘められた諸関係を検証するために用い、いわば自分一人しかいない世界で自分自身の歩調に留意し、急ぎすぎたりしないように気をつけ、目標を絶えず眼中におきながら、しかも途中でなんらかの有益あるいは有害な助力を気づかずにやり過ごしてしまうことなく、またたれからもそう簡単にはコントロールされえないところでも自分自身のきわめて厳格な観察者であり、いかに仕事に熱中していてもつねに自分自身に対して不信の念を抱いていなければならないとすれば、これらの要求がいかにきびしいものであり、他人に対してなされるにせよ自分に対してであれ、完全に成就されることはほとんど望みえないことは、だれにでもわかるであろう。しかしこの困難、こう言ってさしつかえなければ仮定的不可能に妨げられて、われわれは可能な限りのことを行なうのを怠ってはならない。われわれは少なくとも次のようにすればかなりのところまで前進することができるであろう。すなわち、優れた学者たちが科学を発展させることができた手段を全般的に心に思い浮かべ、次にいろいろな邪路を明確に示す場合である。これらの邪路で彼らが迷ったばかりでなく、しばしば数世紀にわたって多数の弟子たちが彼らのあとに追随し、後代のいろいろな経験によって初めて観察者は再び正しい道に導かれたのである。

経験が、人間が企てるすべてのことにおけると同様、現在私が主として論じている自然科学においても、絶大な影響を有しかつまた有すべきであるということを否定する人はいないであろう。またこれらの経験が把握され、総括され、整然と配列され、仕上げられる精神力に対して、だれもその高いいわば創造者的に独立した力を否認しないであろう。しかしながら、これらの経験をいかにして行ない、それらをいかに利用し、われわれの精神の力をいかに完成し使用するかということは、それほど一般に知られておらず、また承認されているわけではない。

聡明な人というものは言葉を適度に用いてもふつう考えられている以上にはるかに多くいるものであるが、彼らは種々の対象に注意を向けられるやいなや、観察が好きになりまた熟達する。私がこのことにしばしば気づくようになったのは、光学と色彩学を熱心に研究し始め、よくあるように、このような観察にふだんはなじみのない人々とも、私がかくも興味をもっていることについて話をするようになってからである。彼らの注意がひとたび喚起されてしまいさえすれば、彼らは私が知らなかったり見すごしたりしていた諸現象を認め、そうすることによって早まった先入見を訂正してくれることがじつにしばしばあった。それればかりでなく、彼らは私に、研究の歩調を早め、苦労して研究しているときにわれわれがつい陥りがちな偏狭さから抜け出るきっかけを与えてくれた。

このように、他の多くの人間の企ての場合と同様にここでも当てはまるのは、幾人ものの人々の興味が一点に向けられると優れたものを生み出すことができるということである。ここで明白になるのは、他人を新発見の名誉から閉め出したがる嫉妬心と、発見されたものを自分のやり方にだけ従って研究し仕上げようとする過度の欲望が研究者自身にとって最大の障害だということである。

これまで私は幾人かの人々とともに研究する方法からひじょうによい成果をあげてきたので、今後もぜひそれをつづけていきたいと思っている。研究の途上において私がこのこと、あのことでだれのおかげをこうむっているかはよく知っているので、将来それを公表することは私の大きな喜びである。

ところで、単に生まれつき注意深い人々でさえ、われわれにかくも多く裨益することができるのであれば、教育を受けた人々が互いに手をとって研究する場合に、その利益はいかに広く一般におよぶことであろうか。科学それ自体がすでにひじょうに大きな規模のものなので、たとえ個人がそれを担うことはできなくても、科学が多くの人々を担っているのである。私の見るところ、知識はあたかも閉じ込められた、しかし流動する水のように、しだいにある水準にまで高まり、もっともすばらしい発見の数々は、人間によってよりもむしろ時代によってなされたと言っても過言ではない。[*50] ひじょうに重要なことがらが、同時に二人あるいはそれ以上の篤学《とくがく》の士によってなされたりするのはそのためである。前者の場合にわれわれは社会と友人たちにひじょうに多くのものを負うているのであるが、後者の場合はむしろ世界と世紀のおかげであり、両方の場合にわれわれがいくら承認してもしすぎることがないのは、報告・助力・勧告・異論などが、われわれを正しい道に保ち前進させるためにいかに必要であるかということである。

それゆえ科学的なことがらにおいては、芸術作品の場合と正反対のやり方をしなければならない。なぜなら、芸術家は自分の芸術作品を、それが完成するまでは公開しないほうがよいからである。助言したり協力したりできる人はそうたやすくいないからである。これに反して、作品がいったん完成したならば、芸術家は非難あるいは賞讃をよく考慮して心にとどめ、それを自分の経験と結びつけ、そうすることによって新しい作品のために自己を完成し準備しなければならない。これに反して科学的なことがらにおいては、個々の経験をすべて、推測さえすべて公に発表するだけですでに有益である。そればかりでなく、きわめて得策といえるのは、科学という建物を、その設計図と材料が一般に知れわたり、判断を下され、選択されないうちは築き上げてしまわないことである。

さてここで、私はきわめて注目に値する問題に向かうことにする。それは、いかにすればもっとも有利にかつ安全確実に仕事にかかれるかという方法論の問題である。

われわれのまえになされた、そしてわれわれ自身または多くの人々がわれわれと同時になす諸経験を、われわれが意図的に繰り返し、偶然的に生じたり人為的に生じた諸現象を再現させる場合、われわれはそれを実験と呼ぶ。

実験の価値は主として次の点にある。すなわち、それが簡単であるにせよ複雑であるにせよ、一定の条件のもとで既知の装置を用いて、また必要な熟練があれば、条件となる諸事情が一つにまとめられうる限りいつでも反復されうるということである。人間の悟性がこの最終目的のために行なった種々の組み合わせを、単に表面から眺め、そのために発明された、そして現に毎日のように発明されていると言ってさしつかえない種々の機械を見るだけでも、われわれが人間の悟性に驚嘆するのは当然である。

それぞれの実験は個別的に見ても大いに尊重すべきものであるが、しかしそのほんらいの価値を得るのは、他のいろいろな実験との結合一致によってのみである。しかし相互に類似している二つの実験を一つに結合することこそ、鋭い観察者がみずから自分に対して要求した以上に厳格な注意を必要とするのである。二つの現象が互いに親近関係にありながら、われわれが信ずるほど近接していないことがある。二つの実験の間になお一連の実験系列があり、両者をきわめて自然な結合にもたらすために必要な場合、それらの実験は相分かれていくようにみえる。

それゆえ、いくら用心してもしすぎることがないのは、実験からあまり急いで結論を引き出さないこと、実験から何かを直接に証明しようとしたり、なんらかの理論を実験によって確証したりしようとしないことである。なぜなら、経験から判断へ、認識から適用へと移行するこの隘路《あいろ》でこそ、人間のすべての内面の敵が彼を待ち伏せているからである。想像力は、人間が相変らず地面に触れていると思っているときにもう彼をその両翼で高い所へ連れ去っているし、性急・早計・自己満足・強情・思考形式・先入見・怠惰・軽率・無定見その他さまざまな名前の敵たちがここで待ち伏せていて、行動する人間だけでなく、すべての激情から守られているようにみえる冷静な観察者をも不意打ちするのである。

この危険は人が考えるよりも大きく近いのであるが、それに対する警告として私はここで一種のパラドックスを提出し、いっそう活発な注意を喚起したいと思う。すなわち、私はあえて次のように主張する。一つの実験だけでなく結合されたいくつかの実験も何ものをも証明しないし、何かある命題を直接に実験によって証明しようとすることほど危険なことはない。種々の最大の誤謬はまさに、人々がこの方法の危険と不充分さを洞察しなかったことから生じたのである。私はわざと懐疑を惹き起こそうとしているのではないかという疑いをかけられないために、私の言うことをもっと明瞭にしなければならない。われわれがなすどの経験も、われわれがそれを繰り返すどの実験も、ほんらいわれわれの認識の孤立した一部であり、たびかさなる繰り返しによりわれわれはこの孤立した知識を確実なものにする。同一の専門分野における二つの経験がわれわれに知られていることがありうる。それらは親近関係にあるかもしれないが、もっと近い関係にあるようにみえることがある。ふつうわれわれは、それらが実際よりも近い親近関係にあるとみなしがちである。これは人間の本性にもとづくことであって、人間の悟性の歴史はわれわれに数多くの例を示している。私自身もこの誤りをほとんど毎日犯していることに気づいている。

この誤りはもう一つの誤りと密接な関係があり、前者はまたたいてい後者から生ずるものである。すなわち人間は事物そのものよりも観念のほうを喜ぶのである。あるいはむしろ次のように言わなければならない。人間が事物を喜ぶのはそれを表象する限りにおいてのみであって、事物は彼の考え方に適合しなければならない。彼が自分のものの見方をいかに日常卑近なもの以上に高め、またいかに純化しようとも、それはただ一つのものの見方にしかとどまらないのがふつうである。すなわち、多くの対象に、厳密に言えばそれら相互のあいだにはないある種の理解しやすい関係をつけようとする試みにとどまる。ここから仮説・理論・術語・体系などに対する傾きが生ずるのであるが、それらはわれわれの本性の有機体制から必然的に生ずるものなので、われわれはそれらを否認することができない。

一方でいかなる個別の経験も実験もその本性に従って孤立したものとみなされ、他方で人間精神の力は、自分の外部にあり自分の知るところのものとなるすべてのものを巨大な力で結合しようと努める。そこで容易にわかるのは、ある個々の経験を先入見を抱いて結合したり、完全には感性的ではないがしかし精神の形成力がすでに言い表わしたなんらかの関係を、個々の実験によって証明しようとする場合の危険が、いかに大きいかということである。

このような努力によって成立するたいていの理論と体系は、慧眼な著者たちの名誉とはなるが、正当以上の賞讃を博したり不当に長く保持される場合には、ある意味で促進した人間精神の進歩を直ちにまた阻害するのである。

ここですぐ気づくことができるように、頭のよい人は、自分のまえにあるデータが少なければ少ないほど、ますます技巧を用いるものである。彼はいわば自分の支配権を示すために、現存するデータの中からさえごく少数のお気に入りの追従者だけを選び出し、残りのものたちは異論を唱えたりしない程度にうまく整理し、最後に敵対者たちを適当に陰謀に巻き込んで片づけてしまうすべを心得ているので、全体はいまや本当にもはや自由に活動する共和国ではなく、専制君主の宮廷に似てくるのである。

功成り名を遂げた学者に、崇拝者や弟子たちができないわけがない。彼らはこのような仕組みでできたものを歴史的に学んで感嘆し、可能な限り、師のものの見方を自分のものにする。このような学説はしばしばひじょうに優勢になるので、もしそれに対して疑いを抱くようなことをあえてすれば、厚顔不遜とみなされるほどである。後代の世紀のみがこのような聖遺物にあえて手を触れ、考察の対象を再びふつうの人間の感覚に取り戻すよう要求し、ことがらをやや気楽に考えて、一つの分派の創始者について、ある才人がかつて一人の自然科学の大家について述べたことを繰り返すであろう。この人はあんなにいろいろなことを考え出さなかったならば偉大な人間であっただろう、と。

しかし、危険を指摘しそれに対して警告するだけでは充分ではないかもしれない。少なくとも自分の意見を披瀝《ひれき》し、このような邪路をみずからいかにして避けうると信ずるか、あるいは自分よりまえにだれか別の人がそれを避けていくのを見出したかどうか、知らせるのは正当である。

先に私は何かある仮説の証明のために実験を直接用いることを有害とみなすと述べたが、それによって示唆したのは、私が仮説の間接的な適用[*51]を有益とみなしていることである。この点はもっとも重要なので、私の見解を明確にする必要がある。

生きた自然の中では[*52]、全体と結びついていないものは何も起こらない。いろいろな経験が孤立したものとしてしか現われず、種々の実験をわれわれが孤立した事実としかみなさざるをえない場合でも、それによってまだ、それらの経験や実験が孤立しているとは言えない。問題はただ、われわれがこれらの現象、これらのできごとの結びつきをいかに見出すかということである。

われわれが前に見たように、ある孤立した事実を自分の思考力と判断力で直接結びつけようとした人々は、とかく誤謬に陥りがちであった。これに対してわれわれの見るところでは、ただ一つの経験、ただ一つの実験のあらゆる側面と様相をすべての可能性に従って徹底的に検討し、研究することを怠らない人々がもっとも多くのことをなしとげたのである。

将来、独自の考察に値するのは、この方法で悟性がいかにわれわれの助けになりうるかということである。ここでは、それについて次のことだけを述べておきたい。自然の中のすべてのもの、特に低次の諸力と諸元素は永遠の作用と反作用のうちにあるので、どの現象についても、それが他の無数の現象と結びついていると言うことができる。それは、空中に浮かんでいる発光点がその光線を四方八方に放射するのと同様である。したがって、このような実験を行ない、このような経験をしたとき、われわれは、それに隣接するものが何であり、そこから最初に生じてくるのが何であるかを、いくら綿密に研究しても綿密に過ぎることはない。これこそわれわれが、それに関係するもの以上に注意しなければならないものである。それぞれの個別の実験を多様化することは、それゆえ自然研究者のほんらいの義務である。それは人を楽しませようとする著述家の義務と正反対である。後者は考える余地を残しておかなければ退屈を惹き起こすであろうが、前者は自分の後継者たちにあたかも何もやる余地を残そうとしないかのように、倦むことなく研究しなければならない。われわれの悟性が事物の本性と不均衡なために、たとえ彼がほどなく、何かあることがらにおいて完成する能力をもった人間はいない、ということを思い知らされるにしてもである。

私が『光学への寄与』[*53]の最初の二集において提示しようとした一連の実験は、互いに隣接し直接に触れ合うばかりでなく、それらを精確に知り見渡す場合には、いわばただ一つの実験を構成し、ただ一つの経験をきわめて多種多様な観点から示すものである。

他のいくつもの経験から成り立っているこのような経験は、明らかに高次のものである。それは、無数の個々の計算問題が表現される公式を表わしている。このような高次の経験をめざして研究することを、私は自然研究者の義務とみなしているのであるが、実際、この専門分野で研究したもっとも優れた学者たちの実例は、われわれにそれを指し示している。慎重にもっとも近くのものだけを隣接のものに連結したり、あるいはむしろもっとも近くのものから隣接のものを推論するやり方を、われわれは数学者たちから学ばなければならない。計算をあえてしようなどと思わないところでさえ、われわれはつねに、あたかももっとも厳格な幾何学者に解答の手順を示す義務があるかのように仕事にかからなければならないのである。

なぜなら、ほんらい数学的方法こそ[*54]、その慎重さと純粋さのゆえに論理のいかなる飛躍をも直ちに明らかにするのであり、その種々の証明はほんらい、結合して提示されるものがもともとその単純な諸部分とその完全な連続性において存在し、その全範囲において見渡され、あらゆる条件のもとでまったく正確かつ明確であると見出されたことを詳述したものにすぎない。そこで、数学的方法の証明はいつも論証であるよりもむしろ説明ないし再説である。私はここでこの区別をするので、これまで述べたことを振り返ってみることをお許しいただきたい。

容易にわかるように、最初の諸要素をたびたび結合することによって行なう数学的証明と、賢明な演説家が種々の論拠にもとづいて行なう証明とのあいだには大きな違いがある。論証はまったく孤立した諸関係しか含まないにもかかわらず、才知と想像力によって一点に集められ、正不正、真偽の外見が驚くほど簡単に生み出されることがある。同様に仮説あるいは理論のために個々の実験を論証と同じようにまとめて並べ、多かれ少なかれ眩惑的な証明を行なうことができる。

これに対して、自分自身および他人と誠実に仕事をすることに重きをおく人はだれでも、個々の実験をできるだけ綿密に仕上げることによって高次の経験をつくり上げようとするであろう。これらの経験は簡潔な命題によって言い表わされ、並置され、それらのより多くがつくり上げられれば上げられるほど、それらは整然と配列され、数学の定理と同様に、個々にあるいは総括されても微動だにしないような関係にもたらされることができる。多くの個々の実験であるこれらの高次の経験の諸要素は、そこで各人によって研究され検証されうるようになり、多くの個々の部分が一つの普遍的な命題によって言い表わされうるかどうかについて、判断を下すのはむずかしいことではない。なぜなら、ここでは恣意は起こらないからである。

他の方法においては、われわれは自分が主張するあることを孤立した実験によって、いわば論拠をとおしてするように証明しようとするのであるが、その場合、判断は、あえて疑問の枠内にとどまらないならば、しばしば詐取されるだけである。しかし一連の高次の経験をひとまとめにしたあとならば、悟性も想像力も才知もそれらを用いて自分の力を試してもよいのである。これは有害でないばかりでなく、有益とさえなるであろう。かの最初の仕事は綿密に、勤勉かつ厳格に、ペダンティックにさえ行なわれてもそれに過ぎることはない。なぜなら、それは現代および後世の人々のために企てられるからである。しかし、これらの材料は整然と配列されてとっておかれなければならないのであって、仮説的な仕方でいっしょに並べられたり、体系的な形式のために用いられてはならないのである。それからならば、それらの材料を自分のやり方で結合し、人間のものの見方全般に多かれ少なかれ好都合かつ快適であるような、一つの全体をそこから形成することは各人の自由である。このようにして区別すべきものは区別され、経験の集積は、あとからの実験を建築が終わったあと運び出される石材のように使わずに片づけてしまわなければならない場合よりも、はるかに速くかつ純粋に増大されることができるのである。

きわめて優れた学者たちの意見と彼らの実例は、私が正しい道にあるという希望を抱かせてくれる。私の友人たちはしばしば、私の光学研究の意図がほんらい何なのかと尋ねたが、彼らがこの説明で満足してくれることを願ってやまない。私の意図は、この専門分野におけるすべての経験を集め、すべての実験をみずから行ない、これらをできるだけ多様化し、そうすることによってこれらの実験が反復しやすいものとなり、多くの人々の視野から遠ざけられないようにすることである。次に、高次の経験が言い表わされる諸命題を提起し、これらがまたどの程度までさらに高次の原理に従属させられるかを期待することである。それにもかかわらず想像力と才知がときおり性急に先を急ぐことがあったとしても、このやり方そのものが、それらの再び戻るべき点の基準を示してくれるのである。

一七九二年四月二十八日

経験と科学

われわれが事実とも呼ぶ諸現象は、その本性に従えば確実に規定されたものであるが、これに反して、それらが現われてくる限りにおいては、しばしば不確実で動揺している。[*55] 自然研究者は諸現象の確実なものを捉え、しっかり保持しようと努める。彼は個々の場合において、諸現象がいかに現われてくるかだけでなく、それらがほんらいいかに現われるべきであるかにも注意を向ける。私が研究している専門分野において特に観察できるように、経験的な端数のようなものが多数あり、純粋な恒常的現象をえるためにはそれらを棄て去らなければならない。しかしながら、あえてそうすることによって、私は直ちにもう一種の理想を立てることになる。

それにもかかわらず大きな違いがあるのは、理論家たちがよくやるように仮説のために端数を切り上げてしまうか、それとも、経験的な端数を純粋な現象の理念のために犠牲にするかということである。

なぜなら、観察者は純粋な現象を眼で見ることはけっしてなく、多くのものが彼の精神状態、その瞬間における視覚器官の状態、光・空気・天候・物体・取り扱い方その他いろいろな事情に依存しているため、現象の個性にしがみついて、これを観察し、測定し、計量し、記述しようとするのは、海を飲み干すようなものだからである。

私は自然観察と考察にさいして、次のような方法に、特に近年はできるだけ忠実に従ってきた。

諸現象の恒常性と首尾一貫性をある程度まで経験したとき、私はそこから一つの経験的法則を引き出し[*56]、将来の諸現象にそれに従うように命ずる。この法則と諸現象が引きつづきまったく合致するならば、私の勝ちである。それらが完全には合致しないならば、私は個々の場合のいろいろな事情に注意を促され、矛盾する諸実験をより純粋に提示できるような新しい条件を探すことを余儀なくされる。しかし、同じ事情のもとで私の法則と一致しない場合が何度も現われるならば、私は、研究全体を一歩推し進めて高次の立場を探さなければならないことを知る。

したがって、私の経験によれば、これこそ、人間精神が対象の普遍性にもっとも接近し、対象を自分に近づけ、それと（われわれがふだん卑近な経験においてやるように）合理的な仕方でいわばアマルガム法的に融合する[*57]ことができる立場である。

それゆえ、われわれの研究について明示しておくべきであると思われるのは次のようなことがらである。

一、経験的現象　これはどんな人でも自然の中で認めるもので、後に

二、学的現象　へ実験によって高められる。これは、それが最初に知られたときとは異なる事情と条件のもとで、多かれ少なかれまとまった連続性のうちにそれを提示することによって行なわれる。

三、純粋現象　はあらゆる経験と実験の帰結として最後に生じてくるものである。それは孤立していることはけっしてありえない。それが現われるのは諸現象の絶えざる連続性[*58]のうちにおいてである。それを提示するために人間精神は経験的に動揺するものを確定し、偶然的なものを排除し、不純なものを分離し、混乱したものを解きほぐし、そればかりでなく未知のものさえ発見する。

人間がもし分に安んずることを心得ているならば、ここにおそらくわれわれの力の究極の目標があるであろう。なぜなら、ここで問われるのは原因ではなく、現象が現われてくるさいの条件だからである。諸現象の首尾一貫した連続性、数限りない事情のもとでのそ

れらの永遠の回帰、それらの同一性と可変性が直観され是認される。そしてそれらの確定性が承認され、人間精神によって再び確定に規定される。

この小論はほんらい思弁的と呼ばれたくはない。なぜなら私の思うに、結局それは、高次の領域で自分の力をあえて試そうとするふつうの人間悟性の実践的かつ自己修正的な作業[*59]にほかならないからである。

ヴァイマル、一七九八年一月十五日

分析と綜合

ヴィクトル・クーザン氏[*60]は第三回めの本年度の哲学史講義において十八世紀を賞讃しているが、それは主として、この世紀が科学研究において特に分析に専念し、はやまった綜合、すなわち仮説に対して用心したためとのことである。しかしながら、このやり方をほとんど独占的に是認したあとで、彼はなお最後に、綜合をあくまでもないがしろにせず、ときおり慎重にまた綜合に向かうべきであると述べている。

これらの発言を考察したときまず最初にわれわれの念頭に浮かんできたのは、この見地からだけでも十九世紀にはなお重大なことが残されているということである。というのは、科学の愛好者と信奉者は次のことによくよく注意しなければならないからである。すなわち人々は、誤った綜合、つまりわれわれに伝えられてきた仮説を再検討し、解明し、明瞭にし、人間精神に直接自然に立ち向かうという古来の権利を再び得させることをないがしろにしているのである。

ここで、このような誤った綜合の名を二つ挙げておこうと思う。それは光の分解と偏光[*61]ということである。両者とも空虚な言葉であって、思索する人間にとってなんの意味もないにもかかわらず、学者たちによってひじょうにしばしば繰り返し用いられている。

自然を観察するさいに分析的なやり方を適用すること、すなわち、何かある所与の対象からできる限りの個々のことがらを展開させ、それらをこのようにして知るだけでは充分ではない。われわれはこの同じ分析を既成の綜合に適用して、果たして正しく、真実の方法に従って仕事にかかったかどうか見きわめなければならない。

それゆえわれわれはニュートンのやり方[*62]を詳細に説明した。彼の犯した誤りは、唯一の、しかも人為的な現象を根底に据え、そのうえに仮説を築き、この仮説からきわめて多種多様な無際限の現象を説明しようとしたことである。

われわれは『色彩論』において分析的なやり方を用い、知られている限りのすべての現象をある種の連続性において提示し、ここでどの程度まである普遍的なものが見出され、それらの現象が果たしてこれに従属させられうるかどうかを試みたので、十九世紀のかの義務に先鞭をつけたものと信じている。

われわれは、同じことを二重反射のさいに[*63]生起するかの諸現象をすべて提示するためにも行なった。両者を近いあるいは遠い将来に委ねながら、われわれは、これらの研究を再び自然のもとに返らせ、それらに真の自由を取り戻してやったという自信をもっている。

われわれは別のより一般的な考察に向かうことにする。ひたすら分析に没頭し、綜合をいわば恐れるような世紀は正しい道にあるとは言われない。なぜなら、呼気と吸気のように、両者がいっしょになって初めて科学の生命をなすからである。

誤った仮説も全然ないよりはましである。なぜなら、ある仮説が誤りであることは、恥でもなんでもない。しかし、それが固定化され、広く承認され、一種の信仰告白となり、だれもそれを疑ったり研究することが許されなくなることが、ほんらい禍であって、幾世紀もその被害を受けるのである。

ニュートンの学説が論述されるのはなんらさしつかえなかった。当時すでにこの学説のいろいろな欠陥に対して反対意見が出された。しかし、この学者の他の偉大な功績、市民社会および学界における彼の地位のために、あえて異論が唱えられることはなかった。しかし特にフランス人が、この学説を普及させ固定化させたことに最大の責任がある。したがって、彼らこそ、かの過ちを償うために、十九世紀においてあの錯綜し硬化した仮説を思いきって分析するよう奨励すべきである。

われわれがもっぱら分析を適用するさいにあまり考えないようにみえる大事なことは、いかなる分析も綜合を前提にしていることである。砂の堆積は分析されえない。しかし、もしそれが種々異なった部分、たとえば砂と金から成り立っているとすれば、洗鉱することは一種の分析であり、軽いものが洗い流され、重いものはあとに残される。

このように近代化学は、主として、自然が結び合わせたものを分離することにもとづいている。われわれは、自然を分離された諸要素において知るために、自然の綜合を廃棄してしまうのである。

生物以上に高い綜合があるだろうか。われわれが解剖学・生理学・心理学などといってさんざん苦労するのも、いかに多くの部分に分解されても絶えずもとどおりになる複合体を多少なりとも理解するためにほかならない。

分析論者が陥りやすい大きな危険は、それゆえ、なんらの綜合も根底にないところで彼の方法を用いることである。そのとき彼の仕事はダナオスの娘たち[*64]のようにまったくのむだぼねおりであり、そのきわめて悲しむべき例がいくつも見受けられる。なぜなら、究極において彼が研究を行なうのはほんらい再び綜合に達するためである。しかし、彼の研究対象の根底になんらの綜合が最初からなければ、これを発見しようとする彼の努力は徒労である。個々の観察はすべてその数が増せば増すほど、分析論者にとって邪魔になるだけである。

したがって分析論者がとりわけ検討しなければならない、あるいはむしろ注意しなければならないのは、自分がほんとうに秘められた綜合とかかわっているのか、それとも自分の研究しているものが単なる堆積、すなわち並存、共存その他いろいろ言い替えられうるものにすぎないかどうかということである。このような嫌疑を起こさせるのは、少しも進歩しようとしない学問の諸領域である。この意味で[*65]地質学および気象学についてひじょうに有益な考察を行なうことができるであろう。

自然哲学

ダランベールの『フランス百科全書』への序論の中のある個所は――その翻訳をここに挿入する余地はないのであるが――われわれにとってひじょうに重要であった。それは四つ折版のXページから「数学的諸学に関しては」(A l'égard des sciences mathématiques)という言葉で始まり、XIページの「その領域を拡大した」(étendu son domaine)で終わる。この個所の終わりは、その始まりと再び関連しながら、次のような偉大な真理を含んでいる。すなわち、諸科学においてはすべて、最初に立てられた原則の内容・実質・有効性および研究の意図の純粋さにかかっているというのである。われわれの確信によれば、この重大な要請は数学の場合においてだけでなく、学問・芸術・人生のあらゆるところで起こらなければならないであろう。

いくら繰り返してもそれに過ぎることはないのであるが、詩人も造形芸術家もまず第一に、自分が取り扱おうと企てている対象が[66]、多様で完全な充足した作品がそこから展開されうるような性質のものであるかどうかということに留意しなければならない。これがなおざりにされるならば、他のすべての努力はまったくむだである。韻律と押韻も、絵筆のタッチも彫刻のノミさばきも浪費されるだけである。卓越した仕上げが才気豊かな観賞者をたとえしばし欺くことができたとしても、すべての虚偽の通弊である精神のなさを、彼はほどなく感じるようになるであろう。

このように、芸術の取り扱い方の場合と同様、自然科学および数学の研究の場合にも、なにより重要なのは根本的真実[*67]であるが、この根本的真実の展開は思弁においてよりはむしろ実践において示されやすい。なぜなら実践こそ、精神によって受け取られたもの、内的感覚によって真実とみなされたものの試金石だからである。学者が自分の研究意図に実質があることを確信して外部に向かい、世の人々から、彼らが彼のものの見方と一致するというようなことだけでなく、彼に従い彼のものの見方を実現することを要求するときに初めて、彼の企てが誤っていたか、あるいは彼の時代が真実を認めようとしないかどうかという重要な経験を彼は味わうからである。

しかし、真実がまやかし物ともっとも確実に区別される主要な目じるしはあくまでも次の点にある。すなわち、真実がつねに実り豊かに作用し[*68]、それを所有し培《つちか》う者を助成するのに対して、虚偽はそれ自体死んだもので不毛のままである。そればかりでなく、徐々に死んでいく部分が生き残っている部分の快癒を妨げる壊疽《えそ》のようなものとみなすことさえできる。

自然——断章

自然！　われわれは彼女によって取り巻かれ、抱かれている——彼女から脱け出ることもできず、彼女の中へより深く入っていくこともできない。頼まれもせず、予告することもなしに彼女はわれわれを彼女の輪舞の中へ引き入れ、われわれとともに踊りつづけるが、そのうちにわれわれは疲れ果て、彼女の腕からすべり落ちる。

自然は永遠に新しいもろもろの形態を創る。いまあるものは、かつてけっして存在しなかった。かつてあったものが再び来ることはない——すべては新しく、しかもつねに古いものである。

われわれは自然のただ中に生きていながら、彼女のことを知らない。彼女は絶えまなくわれわれと話しながら、われわれに自分の秘密を打ち明けない。われわれは絶えず彼女に向かって働きかけながら、彼女に対してなんらの支配力をももたない。

自然はすべてを個性にもとづかせたように見えるが、個体など少しも重んじない。彼女は建設と破壊を繰り返し、彼女の仕事場にはだれも近づくことができない。

自然は子どもたちとばかり生活している。しかし母親はいったいどこにいるのだろうか——彼女は比類のない芸術家である。いとも単純な素材から最大の対照物をつくり上げ、苦労のあともなく最大の完成にいたる——緻密な確実さを有しながらつねに何か柔弱なものでおおわれている。彼女の作品はいずれも独自の存在をもち、彼女の現象はいずれもはっきりと孤立した現実ではあるが、すべては一つをなしている。

自然は一つの芝居を演じている。彼女がそれを自分で見ているかどうか、われわれは知らない。しかしながら彼女はそれをわれわれのために演じ、われわれは片隅に立っている。

自然のうちには永遠の生命・生成・運動がある。しかし彼女は先へ進んでいくわけではない。彼女は永遠に変化し、一瞬も静止することはない。停滞ということに彼女はなんら理解をもたず、静止に対して彼女は呪いをかけた。彼女は決然としている。彼女の歩調はしっかりと定まり、彼女の例外は稀で、彼女の法則は永劫不変である。

彼女は思考した。そして絶えず思念している。しかし人間としてではなく自然としてである。彼女はすべてを包括する独自の思念を自分だけに取っておいたので、だれもそれを彼女から窺い知ることはできない。

人間はすべて自然のうちにあり、彼女はすべての人間のうちにある。すべての人々と彼女は好意的な一種の賭けごとをし、彼らが彼女から多くのものを手に入れれば入れるほど喜ぶ。彼女はその賭けごとを多くの人々とひじょうにこっそりやるので、彼らが気づかないうちに、もうそれをやめてしまっている。

もっとも不自然なものも自然である。彼女をいたるところに見ない者は、どこでも彼女を見きわめられない。

自然は自分自身を愛し、数限りない眼と心で永遠に自分自身に執着している。彼女が自分を無数に分かったのは、自分自身を享受するためである。彼女はつねに新しい享受者たちを成長させ、飽くことなく自分を分かち与える。

自然は幻想を喜ぶ。幻想を自分自身および他人の中で破壊する者を、彼女は苛酷きわまりない暴君として罰する。彼女に信頼して従う者を、彼女は子どものように抱き締める。

自然の子どもたちは数限りない。どの子どもに対しても彼女はいたるところで物惜しみをしない。しかし彼女には寵児たちがおり、彼らに彼女は多くのものを浪費し、彼らのために多くのものを犠牲にする。偉大なものに彼女は自分の保護を結びつけた。

自然は自分の被造物を無からほとばしり出させ、彼らに、どこから来てどこへ行くのかを告げない。彼らは走りさえすればよいのであって、走路は彼女が知っている。

自然は少数のバネしかもっていない。しかしそれらはけっして使い減らされたものではなく、つねに効果的で、つねに多種多様である。

自然の演ずる芝居はつねに新しい。なぜなら彼女はつねに新しい観客をつくり出すからである。生命は彼女のもっともすばらしい発明であり、死は多くの生命を生み出すための彼女の技巧的手段である。

自然は人間を暗い状態の中へ包み込んでおいて、永遠に光を求めるよう彼を駆りたてる。彼女は人間を地上に依存させ、重く不活発なものにさせておきながら、彼を繰り返し奮い起こさせる。

自然が種々の欲求を与えるのは、運動を愛するためである。彼女がこれらすべての運動をかくもわずかのもので達成したのは驚くべきである。いかなる欲求も恩恵である。欲求はすぐに充たされ、すぐにまた生じてくる。彼女が欲求を一つ余計に与えてくれるならば、それは新しい快楽の源である。しかし彼女はほどなく平衡を取り戻す。

自然はあらゆる瞬間に最長距離をおきながら、あらゆる瞬間にゴールに到達している。

自然は空虚そのものである。しかしわれわれにとっては、彼女は最大の重要性をもったものである。

自然はどの子どもにもわが身を飾らせ、どの愚か者にも自分を裁かせ、幾千の者に自分の上を無感覚に越えていかせ、何も見させない。そして彼女はすべての者のやることに喜びを見出し、すべての者に満足する。

人間は自然の法則にさからうときにもそれに服従し、彼女に反抗して活動しようと思うときにも彼女とともに活動している。

自然は彼女の与えるすべてのものを恩恵として与える。なぜなら、彼女はまずそれを必要不可欠のものとするからである。彼女が怠るのは人々に自分を熱望させるためであり、彼女が急いで行ってしまうのは、人々が彼女に飽きてしまわないためである。

自然は言語も話す言葉ももたない。しかし彼女はもろもろの舌と心臓をつくり、これらを通じて感じたり話したりする。

自然の冠は愛である。愛によってのみ人間は彼女に接近する。彼女はすべての個物のあいだに間隙をもうけたにもかかわらず、すべてのものは互いにからみ合おうとする。彼女がすべてのものを孤立させたのは、すべてのものを引き寄せるためである。愛の酒杯からほんの少し飲むだけで、彼女は労苦に充ちた生活の償いをする。

自然はすべてである。彼女は自分自身を報い、自分自身を罰し、自分自身を喜ばしめたり苦しめる。彼女は粗野でしかも優しく、愛らしくしかも恐ろしく、無力でしかも全能である。すべてのものは彼女のうちにある。過去と未来を彼女は知らない。現在が彼女にとって永遠である。彼女は善意に充ちている。私は彼女をそのすべての作品とともに讃美する。彼女は賢く寡黙である。彼女から明言を奪い取ることはできず、彼女が進んで与えてくれるのでなければいかなる贈り物も無理じいすることはできない。彼女ははかりごとを用いるが、よい目的のためであり、いちばんよいのは彼女のはかりごとを何も知らないことである。

自然は全体でありながらつねに未完成である。現にやっているように彼女はいつもやることができる。

各人に自然は独自の姿をとって現われる。彼女は幾千の名称と術語の中に身を隠すが、つねに同一のものである。

自然は私を引き入れたので、また私を連れ出すであろう。私は彼女に身を委ねる。彼女は私を思うように扱ってかまわない。彼女は自分の作品を憎まないであろう。私が彼女について語ったわけではない。そうではなく、真実のことも誤ったことも、すべて彼女が語ったのである。すべては彼女の責任であり、すべては彼女の功績である。

箴言的論文『自然』への注釈

敬愛する故アンナ・アマーリア大公妃[*69]の遺された書簡類の中にかの論文が含まれているとの知らせを、先日私は受け取った。それは一七八〇年代に私が書記として使っていた人間のよく見覚えのある筆跡で書かれていた。

これらの考察をみずから著述したことを私は実際に思い出すことはできないが、それらは確かに、私の精神が当時つくり上げていたいろいろな観念と一致している。私は当時の洞察の段階を、まだ到達されていない最上級への方向を表出せずにはおれない比較級と呼びたいと思う。そこには一種の汎神論への傾きが見られ、世界のいろいろな現象の根底に、きわめることのできない、絶対的かつユーモラスな、自己矛盾に富む存在があると考えられている。それはひじょうに真摯な思考のたわむれ[*70]として認められてよいものであろう。

ところで、この論文に欠けている最高の成就は、あらゆる自然の二大動輪の直観、すなわち分極性と高進性の概念である。分極性はわれわれ[*71]が自然を物質的と考える限りにおいて物質の属性であり、高進性はわれわれが自然を精神的と考える限りにおいて自然の属性である。前者は不断の牽引と反発、後者は絶えず高昇しようとする内的欲求にある。しかし、物質は精神なしには、精神は物質なしにはけっして存在せず、また作用することができないので、物質もまた高進することが可能である。同様に精神もまた牽引し反発することをやめない。結合するために充分に分離し[72]、充分に結合したあと再び分離できる者だけが真に考えることができるのと同じである。

上述の論文が書かれたと思われる時期に、私は主として比較解剖学の研究に従事しており、一七八六年には、人間にも顎間骨の存在が否認されてはならない[73]という私の確信に、なんとかして他の人々の関心を起こさせたいと言うに言われぬ苦労をしていた。この主張の重要性はひじょうに有能な人々でさえ認めようとせず、その正しさをもっとも優れた観察者たちさえ否定した[74]。そこで私は、他の多くのことがらにおけると同様、黙々としてわが道を一人歩みつづけざるをえなかった。

植物界における自然の融通性を私は絶えず追求しつづけたが、一七八七年、ついにシチリアにおいて[75]、植物のメタモルフォーゼを直観的にも概念的にも獲得することに成功した。動物界のメタモルフォーゼもこれと密接な関係があり、一七九〇年にはヴェネツィアにおいて、脊椎骨からの頭蓋の起源[76]が私にこつぜんとして明らかになった。私はますます熱心に原型の構造を追求し、図式を一七九五年にイェーナのマックス・ヤコービに口述し、[*77] やがてドイツの自然研究者たちが私に代わってこの専門分野で活躍してくれるのをうれしく見守っていた。

すべての自然現象が人間精神のまえで鎖のようにつなぎ合わされていった[*78]高度の研究を心に思い浮かべたのち、この小文の出発点となった上記の論文をもう一度熟読するならば、私が比較級と呼んだものを、ここで完結される最上級と比べて微笑を禁じえず、五十年間の進歩[*79]に大きな喜びを見出すであろう。

ヴァイマル、一八二八年五月二十四日

訳注

近代哲学の影響（Einwirkung der neueren Philosophie）

以下の三つの論文『直観的判断力』、『省察と忍従』、『形成衝動』とともに、同じ順序で、ゲーテの個人的な分冊誌『形態学のために』（Zur Morphologie）の第一巻第二冊（一八二〇年）に発表された。この第二冊の冒頭には詩集『神と世界』の中の詩「始原の言葉・オルフェウスの教え」と「エピレマ」の詩が掲載され、つづいてこれらの論文を公表する意図が次のように、まえがきの形で簡潔に述べられていた。

「後出の諸論文は、すでに発表されたものと同様、まとまった著作の一部とみなすべきものではない。見方がいろいろ変わっただけでなく、正反対の気分の影響のもとで執筆され、さまざまな時期に書き記されたので、これらの論文はけっして統一あるものとなることができなかった。年号を付け加えることができないのは、それが必ずしも記されていなかったためと、また私が自分自身の草稿にたいして編集者の立場をとりながら、余計なことと多くの不適当なことをそれらから追放することができたためである。それにもかかわらず、私に責任のない若干のことが残ってしまった。いろいろな矛盾や繰り返しは、それらと切り離しがたく結びついているものを完全に破壊してしまわないために、どうしても避けられなかったのである。

しかしながら本分冊も人間生活の一部とみなされ、実生活の必要以上に多面的に自己を完成せずにいられ

ない者がいかにさまざまな体験と苦労をしなければならないかということの証拠となるであろう。彼の信奉していたモットーは、

無限の中へ歩み入ろうと欲するならば
有限の中をあらゆる方向に歩め

というのであるが、ラテン語ではふつう次のように言われている。

Natura infinita est,
sed qui symbola animadverterit
omnia intelliget
licet non omnino.」

ゲーテがここで引用しているトマーゾ・カンパネッラ（一五六八―一六三九）の格言（一六二〇年）は、「自然は無限である。しかし象徴に気づく者は、完全ではないにしても、すべてを認識するであろう」という意味である。『近代哲学の影響』においてカントの認識論の意義を強調しているゲーテが、自然観においてはルネサンス思想と深いかかわりがあることを暗示した注目すべきモットーである。なおこの二行詩は詩集『神と心情と世界』の中に収録されている。

*1　ブルッカーの哲学史――Johann Jakob Brucker（一六九六―一七七〇）の『哲学史提要』（一七五六年）がゲーテの蔵書のなかにある。

*2　モーリッツとローマにおいて――『イタリア紀行』の「第二次ローマ滞在」一七八八年三月の「報告」に挿入されている Karl Philipp Moritz（一七五七―九三）の論文『美の造形的模倣について』

（一七八八年）を参照。

＊3　植物のメタモルフォーゼの試論――論文『植物変態論』第五章「花冠の形成」を参照。なお『神と世界』の中の教訓詩「植物の変態」を参照。

＊4　物理学的研究にさいしては……――後出の論文『客観と主観の仲介者としての実験』および『経験と科学』を参照。

＊5　研究者の直観のまえで――「直観」（Anschauung）とは、肉眼をとおして心眼で見るというきわめてゲーテ的な概念である。『箴言と省察』の「思考と行為」を参照。

＊6　カントの『純粋理性批判』――ゲーテの日記および『年代記』によれば、彼は一八一七年に特に熱心にカントを研究している。なお『実践理性批判』のことは晩年の思想詩「遺言」の第三節のなかで暗示されている。

＊7　人間精神の収縮と弛緩――対立するものの相関関係を表現するために、ゲーテは心臓の脈動や呼吸の比喩を好んで用いた。たとえば後出の『色彩論』の第一部「教示編」第三八節および第七三九節を参照。これらの比喩の自然哲学的基礎は、『詩と真実』の第二部第八章の終わりに叙述されているゲーテの宇宙発生論である。またその詩的表現はたとえば『神と世界』の中の「世界の魂」である。

＊8　不幸なことにヘルダーは……――ゲーテとヘルダー（Johann Gottfried Herder 一七四四―一八〇三）の関係には紆余曲折があったが、ゲーテが本格的な自然研究を始めた一七八〇年代にヘルダーは主著『人類歴史哲学考』を執筆し、自然および歴史に関する両者の思想交換はこの時期に特に活発であった。

＊9　有機体の形成と変形――この表現はゲーテの『形態学』誌の副題でもあった。『形態学序説』として

まとめられた三つの小論文（「計画の動機」「研究の意図」「内容の紹介」）を参照。また『神と世界』の「パラバーゼ」の詩および『ファウスト』第二部六二八七行を参照。

＊10 目的因に対する私の反感——究極原因とも訳される「目的因」(Endursache) について詳細は論文『普遍的な比較理論の試み』を参照。また『箴言と省察』の「神と自然」を参照。

＊11 私とシラーの関係——詳細は論文『シラーとの出会い』を参照。

＊12 『美的人間教育論』——芸術による人間形成の理想を説いたシラーの重要な書簡体の論文（一七九五年）。

＊13 『優美と尊厳について』——優美と尊厳の概念をきびしく対立させたシラーの美学論文（一七九三年）。

＊14 『素朴文学と情感文学について』——シラーがほんらい自己の詩人性を基礎づけるために天成の詩人ゲーテをつよく意識して書いた一七九五年の論文。「素朴的」(naiv) および「情感的」(sentimentalisch) という対概念は、文芸学の基礎概念として、今日でもしばしば用いられる。

＊15 ギリシア的とロマン主義的——ゲーテの論文『ヴィンケルマン』の「古代的なもの」の章を参照。

＊16 ニートハマー——Friedrich Immanuel Niethammer（一七六六—一八四八）はイェーナ大学の哲学教授で、主として一八〇〇年頃にゲーテと交際があった。

直観的判断力 (Anschauende Urteilskraft)

おそらく『近代哲学の影響』との関連から書かれた一八一七年の論文。ここでもゲーテはカントの哲学を自由に解釈しながら、自己の自然研究を言葉のほんらいの意味で自然の形而上学として基礎づけようとしている。

＊17　この意味で次の個所は……――『判断力批判』第七七節参照。棒線のところに比較的長い省略がある。

＊18　かの原像的なもの――ゲーテは「原像」または「原形象」(Urbild) という言葉をどちらかといえば植物研究において、「原型」(Typus) という言葉を動物学、特に骨学研究において用いている。しかし『神と世界』の中の教訓詩「動物の変態」における「原型」にはUrbildが使われている。

＊19　「理性の冒険」――『判断力批判』第八〇節を参照。

省察と忍従 (Bedenken und Ergebung)

一八一八年のこの論文において、理念と経験というゲーテの自然研究における根本問題が明確に提起されると同時に、彼が哲学的な問題をいかに詩的に解決してしまうかということが示されている。自然科学者ゲーテと詩人ゲーテの内的関係を知るための好例である。

＊20　神は自然の中で……――このような自然観の詩的表現の例は、『神と心情と世界』に収められている通常「プロエミオン」の後半部分として知られている「ただ外側から」の詩あるいは『神と世界』の中の「序詩」や「パラバーゼ」である。なお理念については、『箴言と省察』の「神と自然」を参照。

＊21　この深い間隙を……――以下に挙げられているもののうち、理性・悟性・想像力・感情ないし感性は

ゲーテにとって人間の基本的認識能力である。

＊22　類似しているに違いないと認める哲学者――一八一七年四月五日のゲーテの日記から、カントであることがわかる。なお『シラーとの出会い』における有名な対話を参照。

＊23　ある古い小曲――『ファウスト』第一部においてメフィストが新入生を愚弄して論理の仕組を説明する個所（一九二二―二七行）をさしている。次に引用される詩は「アンテピレマ」と同一である。なお、経《たていと》と緯《よこいと》の比喩をゲーテは好んで用いている。

形成衝動（Bildungstrieb）

カント関係のこの最後の論文（一八一八年）において、ゲーテは有機体の生成に関する在来の諸説を自己のメタモルフォーゼの思想によって抜本的に解決しようと試みている。

＊24　次のように言明している――『判断力批判』第八一節を参照。

＊25　個体新生説――「後成説」とも訳される「個体新生説」（Epigenesis）は、個々の器官がその器官の形態をまだとっていない原基から多様な細分化のプロセスをへて一定の場所に成立する、と考える。

＊26　ブルーメンバハの著作――ゲーテがゲッティンゲンの解剖学者 Johann Friedrich Blumenbach（一七五二―一八四〇）の著書『形成衝動について』（一七八九年）を読んだのは、一八一七年四月のことである。なお形成衝動は「形成本能」と訳されることもある。

＊27　中間に位置している――Caspar Friedrich Wolff（一七三三―九四）はゲーテが自己の植物研究の優

れた先駆者として認めた学者であるが、ハラーとボネーが前成説の立場から生物の発生過程をすでにでき上がった胚子の拡大ないし展開と考えたのに対して、ブルーメンバハの形成衝動が各器官の形態を操作する機能をも有しているので、ある特定の有機的要素を前提にするヴォルフの個体新生説は両者の中間項に当たるわけである。

＊28　この途方もないものが人格化されると……――これはゲーテ青年時代の自然体験を反映している。『若きヴェルターの悩み』の第一部五月十日および八月十八日の書簡を参照。

＊29　展開説――すべての生物が最初の創造のときから萌芽的につくられていて、いわば世代から世代へと順々に取り出されてくると考える「展開説」(Evolution) は、「入れ子説」(Einschachtelungslehre) とも呼ばれる。キリスト教の古い自然観にもとづくこのような「前成説」(Präformation) をゲーテがいみ嫌ったのは当然である。『形態学序説』の第三の論文「内容の紹介」を参照。

＊30　図式――このような「図式」(Schema) はゲーテが自然科学的論文を執筆するさいに好んで用いたものである。全体の要点をまず図式的にとらえ、充分な考察ののちに執筆するというのが、彼の仕事の仕方であった。なお図示されたSchemaは「模式図」とも訳される。論文『骨学にもとづく比較解剖学総序説第一草案』を参照。

種々の問題 (Probleme)

『形態学』誌第二巻第一冊（一八二三年）に発表されたが、もともと植物学者エルンスト・マイアー (Ernst Meyer 一七九一―一八五八) 宛の一八二三年二月二日付書簡に同封する目的で書かれた。まえがきとしてゲーテは次のように書いている。

「以下の断片的な文章は、夏の旅行中のいろいろな対話や孤独な思索のあとで、また最後にある若い友人の才気溢れる書簡に刺激されて、私が時々メモしたものである。

ここで暗示されたことを執筆し、互いに結びつけ、いろいろ現われてくる矛盾を調整するためには、その後、私には精神の集中が欠けていた。これがあって初めて首尾一貫した思考が可能になるのである。それゆえ私が適当と考えたのは、草稿を関心のある友人の許へ送り、これらのパラドックス的な文章をテクストあるいはその他の自己の考察へのきっかけとみなし、それについて私に何か報告してくれるようにお願いすることであった。希望どおりになったいま、私はそれを純粋な精神的共同体のしるしとしてここに挿入したいと思う。」

これによれば、『種々の問題』のテクストも拡大された一種の図式にすぎない。しかし、鋭い問題提起がすでに深い洞察を内包している一つのよい例である。

＊31　自然的体系――ゲーテは「体系」(System) という言葉を「仮説」や「理論」などとともに、たいてい、人間による恣意的な概念的構成の意味で用いる。ただしゲーテは仮説・理論・体系などを必ずしもつねにネガティブに考えているわけではない。『箴言と省察』の「認識と学問」を参照。

＊32　特殊化の衝動――ここでは植物の種の自性、すなわち種の特性を保持しようとする衝動をさしている。なお遠心力と求心力の概念は『ヴィルヘルム・マイスターの遍歴時代』第三巻第十四章においても言及されている。

＊33　人為的なやり方――その反対は前出の論文『近代哲学の影響』において指摘されている「自然に即し

た方法」であろう。本書九頁を参照。

＊34　自然的に絶えず進行していく音響——ゲーテは音響論に関する独自の論文の構想をもっていたが、これは未完に終わった（一八二六年）。『色彩論』の「教示編」第七四七節以下でも彼は音響の問題に少し触れている。

＊35　イヌイバラ——野ばらの一種で生垣にする。エルンスト・マイアーは一八二三年三月十三日付の返信の中で、それについて具体的に記述しているとのことである。

＊36　公然の秘密——ゲーテが好んで用いた表現。「冬のハールツの旅」、「エピレマ」、「厳粛な納骨堂のなかだった」などの詩を参照。『ヴィルヘルム・マイスターの遍歴時代』の第二巻第七章および『西東詩集』「ハーフィスの書」の中の詩「公然の秘密」を参照。また『ファウスト』第一部六七二行を参照。

適切な一語による著しい促進（Bedeutende Fördernis durch ein einziges geistreiches Wort）

『形態学』誌第二巻第一冊（一八二三年）に発表された論文。ゲーテはハインロートの著書に必ずしも満足していたわけではないが、同書三八七頁の次の個所から、この重要な論文を書くきっかけを得たのである。「最も円熟した思考の立場であるように思われるこの研究者の立場を、かの同化作用の本質をさらに明確にする名称で表わそうとするならば、それは対象的思考の立場である。われわれはこの立場を方法そのものとともに一人の天才に負うているのであるが、彼は大多数の人々によって詩人としかみなされず、思想家とはみなされていない。それはゲーテである。」

なお、ゲーテはその後「対象的」（gegenständlich）という言葉をそれほどしばしば用いているわけではない。

＊37 ドクトル・ハインロート——Johann Christian Heinroth（一七七三—一八四三）はライプツィヒ大学の精神病学教授であった。彼の主著『人間学教科書』（一八二二年）をゲーテは同年十月二十九日に受け取っている。

＊38 私のやや古い論文——後出の論文の表題では主観と客観が入れ替わっている。

＊39 「汝みずからを知れ」——デルフォイのアポロン神殿に掲げられているキロンの格言。『箴言と省察』の「思考と行為」を参照。

＊40 私が特に名を挙げたいのは——「コリントの花嫁」、「神と娼婦」、「婚礼の歌」と改題された「伯爵と侏儒」、「バラード」と改題された「歌びとと子どもたち」、それに「パーリア」はいずれも物語詩としてのちに完成されている。

＊41 機会詩——バロック時代の冠婚葬祭用のものと異なり、特定の生活体験から生まれた詩。

＊42 『かくし娘《ご》』——フランス革命との関連から書かれたゲーテの一連の戯曲の中でもっとも優れた未完の作品。

＊43 いかに多くの直観と思索を……——『イタリア紀行』の「第二次ローマ滞在」に挿入されている「煩わしい自然観察」を参照。

＊44 頭蓋が脊椎骨から……——詳細は論文『頭蓋が六つの椎骨からできていること』を参照。

＊45 私の地球構造学的研究——ゲーテは「地球構造学」（Geognosie）と「地質学」（Geologie）という二つの言葉をはっきり区別して用いている。地球構造学はすでにでき上がった個々のものを研究対象とし、

地質学は岩石生成のプロセスを問題にする。論文『地質学、特にボヘミアの地質学のために』および『箴言と省察』の「認識と学問」を参照。

＊46　導出――「導出」(Ableiten) とは、直観によって得られた原理ないし原則から個々の現象を説明するゲーテ独特の演繹法。このような認識方法は高次の意味で「発明」と呼ばれる。『箴言と省察』の「思考と行為」を参照。

客観と主観の仲介者としての実験 (Der Versuch als Vermittler von Objekt und Subjekt)

一七九二年四月二十八日の日付のあるこの論文は、『形態学』誌と並行して刊行された分冊誌『自然科学一般のために』(Zur Naturwissenschaft überhaupt) の第二巻第一冊（一八二三年）において初めて公表された。ゲーテは、色彩学研究の方法論といえるこの論文を一七九八年一月十日にシラーに送り、同年七月十八日付のシラー宛の書簡でそれを「観察者の予防措置」と呼んでいる。ゲーテの論旨は、一七九四年十二月二十九日付ヤコービ宛の書簡のなかで的確に要約されている。

「私が私の光学研究を放棄してしまったと君に言った人は、私のことを何も知らず、私をよく知っていない。私の光学研究は他の仕事と同じ歩調で進んでおり、私はこれまでおそらく集められたことがなかったような実験装置を徐々に取り揃えている。君がよく知っているように、研究題目は最高に興味深く、研究そのものは、他の方法ではたぶんとうてい得られなかったような精神の鍛練である。いろいろな現象をすばやく捉え、それらを実験へと固定し、いろいろな経験を整然と配列し、それに関するさまざまなものの見方に精通すること、第一の場合にはできるだけ注意深く、第二の場合にはできるだけ精確に、第三の場合には完璧を期し、第四の場合にはあくまで多面的にとどまること、そのためには自分の貧しい自我を鍛練する必要がある。これが可能であることを私はほかのやり方では夢想だにすることができなかった。」

＊47 まったく断念し……——ここで用いられているentsagenという動詞は『ヴィルヘルム・マイスターの遍歴時代』や『親和力』において決定的な意味をもっている「諦念」あるいは「断念」とまったく同じ言葉である。

＊48 この自己放棄が……——「自己放棄」(Entäußerung)、すなわち、事物を観察するさいのこのような無私の態度は、イタリアにおけるゲーテの眼の修練によって培われた。『イタリア紀行』一七八六年九月十一日朝トレントあるいは同年十一月十日ローマの記述を参照。

＊49 物理学の歴史——本書において訳出することができなかった『色彩論』の第三部『歴史編』のための予備的研究をさしている。

＊50 むしろ時代によって……——時代環境と個人の関係を、ゲーテはより一般的なかたちで『詩と真実』の序文において叙述している。

＊51 仮説の間接的な適用——仮説の意義についてはさらに、後出の論文『分析と綜合』および地質学との関連から書かれた『仮説の必要について』を参照。

＊52 生きた自然の中では……——これはゲーテの自然研究における存在論的大前提である。前出の論文『近代哲学の影響』の中の「神秘的な生きた全体」としての自然（本書一二頁）を参照。

＊53 『光学への寄与』——第一集は一七九一年に、第二集は一七九二年に出版された。『客観と主観の仲介者としての実験』はゲーテのこの最初の色彩学研究書の序論として書かれたものと推定されている。彼

はさらに第三集の刊行を計画していたが、最初の二集が専門の物理学者たちから黙殺されてしまったため中止し、『有色の陰影について』および『色彩論の諸要素を発見する試み』という二つの論文を書き遺した。ゲーテが『光学への寄与』の中で行なっている観察は、大部分、現在の『色彩論』第一部「教示編」の第二編「物理的色彩」の諸章に再録されている。

＊54　ほんらい数学的方法こそ……——数学嫌いであったといわれるゲーテがここで数学をこのように高く評価しているのは注目に値する。ゲーテと数学の関係について詳しくは、『箴言と省察』の「認識と学問」および『色彩論』第七二二節以下を参照。

経験と科学（Erfahrung und Wissenschaft）

一七九八年一月十七日付のシラー宛書簡に添付された小論文。同年一月十五日の日付があるが、ゲーテの死後、ヴァイマル版全集において初めて印刷された。表題はそのときにつけられたものである。シラーに『客観と主観の仲介者としての実験』の論文を送ってから一週間後、ゲーテはいかにして高次の経験ないし現象に到達すべきかがまだ充分に言い表わされていないことを感じて、この小論文を書いたと思われる。

＊55　動揺している——この動詞は、『ファウスト』巻頭の「献詞」の一一行めの「ゆらぐ姿のものたち」（schwankende Gestalten）、あるいは「天上の序曲」の終わりの三四八行「現象としてゆらいでいる」（in schwankender Erscheinung）という表現においても用いられている。

＊56　一つの経験的法則を引き出し……——前出の論文『適切な一語による著しい促進』の中の「含蓄深い

点」（本書三四頁）を参照。

＊57　アマルガム法的に融合する――金属鉱から水銀を用いて銀を抽出するさいの化合のプロセスを、緊密な結合の比喩に用いている。

＊58　諸現象の絶えざる連続性――「絶えざる連続性」(in einer stetigen Folge) は、ゲーテの一七九六年七月三十日付シラー宛の書簡においては、「連続性の原理」(der Grundsatz der Stetigkeit) と呼ばれている。これはカントにおいても自然研究の大前提である。

＊59　自己修正的な作業――「自己修正的」(rektifizierend) とは、もともと錬金術において、蒸留による純化・精留を意味していた。

分析と綜合 (Analyse und Synthese)

『色彩論』と密接な関係のある最晩年の論文。一八二九年二月十三日付のエッカーマンの『ゲーテとの対話』に、この論文の主旨にそった地質学に関する対話がある。個々の立論に問題はあるにしても、科学方法論に関する原理的考察は、分析偏重の弊害が叫ばれる現代科学の状況に対しても大きな意義があると思われる。

＊60　ヴィクトル・クーザン氏――Victor Cousin（一七九二―一八六七）の哲学史講義は一八二九年に行なわれた。『箴言と省察』の「認識と学問」および『ヴィルヘルム・マイスターの遍歴時代』第三巻巻末の「マカーリエの文庫から」を参照。

＊61　光の分解と偏光――前者はニュートン以来のプリズムによる光の屈折をさしているが、後者の現象をゲーテは誤解していたといわれる。ゲーテは『箴言と省察』の「認識と学問」においてもこの問題に言及している。

＊62　ニュートンのやり方――本書では訳出できなかった『色彩論』の第二部『論争編』において、ゲーテはニュートンの著書『光学』（一七〇四年）を逐条反駁している。

＊63　二重反射のさいに……――ゲーテは重屈折する媒質に二つの鏡で二重反射された（偏光）光線の中で特殊な色彩現象が生ずるのを観察し、これを「分極光線による色彩」ないし媒質内部の「内視的色彩」(entoptische Farben) と呼んだ。なお『色彩論』第一四〇節「光には三様の条件が……」の注93を参照。

＊64　ダナオスの娘たち――アルゴスの王ダナオスの五十人の娘たちは、婚姻の夜におのおのその夫を殺した罰として、穴だらけの桶で絶えず水を汲まなければならなかったといわれる。

＊65　この意味で……――ゲーテの自然研究において科学方法論が確立されていたのは形態学および色彩学の領域であり、大きな努力にもかかわらず地質学と気象学においては方法論的な困難が克服されなかった。それだけにゲーテは、種々の雲に初めて科学的な名称を与えたイギリス人ルーク・ハワード (Luke Howard) の研究成果をいっそう高く評価した。論文『ハワードによる雲形』（一八二〇年）および『神と世界』の中の詩「ハワードの名誉を記念して」を参照。

自然哲学（Naturphilosophie）ゲーテの機関誌『美術と歴史的遺品について』の第六巻第一冊（一八二七年）に発表された。この論文は、一八二六年十一月に書かれた『数学とその濫用について』と密接な関係があり、出発点となっているダランベールの『フランス百科全書』序論からの引用個所は、ここでゲーテによって一部省略されてドイツ語に翻訳されている。なおこの小論文は『箴言と省察』の「認識と学問」の中の文章と部分的に重複している。

＊66　自分が取り扱おうと企てている対象――芸術における対象と取り扱い方の問題は、『イタリア紀行』においてしばしば論じられている。たとえば、一七八六年九月十七日ヴェローナあるいは一七八七年五月十七日ナポリの記述を参照。また『「プロピュレーエン」への序言』および『箴言と省察』の「芸術と芸術家」を参照。

＊67　根本的真実――一八三〇年二月十五日のツェルター宛の書簡においてゲーテは、自叙伝を書くさいに「根本的真実」（das Grundwahre）を追求したことを伝えている。

＊68　真実がつねに実り豊かに作用し……――『神と世界』の中の詩「遺言」第六節の「そして生み出す力あるもののみが真実だ」という言葉は、この前提があって初めて正しく理解される。『ヴィルヘルム・マイスターの遍歴時代』第三巻第十四章および「マカーリエの文庫から」と『箴言と省察』の「思考と行為」を参照。

自然——断章（Die Natur. Fragment）

この有名な断章は、多くの精緻な文献学的研究の結果、ゲーテの作品でないばかりでなく、トーブラー（Georg Christoph Tobler 一七五七―一八一二）が後期ヘレニズムの第十のオルフェウス讃歌をドイツ語で散文訳したものにすぎないことが判明している。それにもかかわらず、この断章はこれまでのゲーテ解釈において、あたかもゲーテの自然観そのものであるかのように過大評価されてきたきらいがある。年代のちがいがあるにしても、『神と世界』の中の詩「個と万象」一つと比べてみても、両者の思想的そして何よりも言語的なちがいはほんらい一目瞭然である。この論文はここではたんに一七八〇年当時の時代思潮の現われとして、またそれにつづくゲーテの注釈との関連から訳出されているだけである。

箴言的論文『自然』への注釈（Erläuterung zu dem aphoristischen Aufsatz „Die Natur"）

ほんらいミュラー官房長への返信であって、表題はハンブルク版の編者が付けたもの。成立のいきさつも日付も本文から明確であるが、問題はゲーテが最上級と呼んでいるものが晩年の最終段階を意味しているのかどうか、そして比較級のまえの原級はどのような第一段階であったかということである。ゲーテがここで「自然の二大動輪」と呼んでいる「分極性」（Polarität）および「高進性」（Steigerung）の概念が、彼の青年時代の自然体験の中に含まれているかどうかが、この問題を解く鍵である。

＊69 故アンナ・アマーリア大公妃——Anna Amalia（一七三九―一八〇七）はカール・アウグスト公の

母であり、ヴァイマル文壇の保護者であった。

*70 真摯な思考のたわむれ――この矛盾する表現を晩年のゲーテは「公然の秘密」と同様、好んで用いた。一八三二年三月十七日付のヴィルヘルム・フォン・フンボルト宛の書簡においてもゲーテは、『ファウスト』を「このひじょうに真剣な諧謔」と呼んでいる。

*71 分極性はわれわれが……――以下の論旨の展開は、『詩と真実』第二部第八章の終わりに叙述されているゲーテの宇宙発生論を顧慮することなしに理解することはできない。論文『植物変態論』第六節、第六三節および第一一三節における「精神的」という表現、また『ヴィルヘルム・マイスターの遍歴時代』第三巻第十五章に述べられているマカーリエの本質を参照。

*72 結合するために充分に分離し……――ゲーテの語法において、「結合する」とは綜合の意味であり、「分離する」とは分析のことである。なお論文『著者は自らの植物研究の由来を伝える』に述べられているゲーテの自然科学者としての素質を参照。

*73 人間にも顎間骨の存在が否認されてはならない――論文『上顎の顎間骨は他の動物と同様人間にもみられること』を参照。

*74 もっとも優れた観察者たちさえ否定した――詳細は論文『動物哲学の原理』の後半部を参照。

*75 ついにシチリアにおいて……――『イタリア紀行』一七八六年九月二十七日パードヴァ、一七八七年四月十七日パレルモおよび同年五月十七日ナポリにおいて報告されているのは、植物のメタモルフォーゼの概念よりもむしろ原植物の発見である。論文『著者は自らの植物研究の由来を伝える』を参照。

*76 脊椎骨からの頭蓋の起源――前出の論文『適切な一語による著しい促進』を参照。

*77 マックス・ヤコービに口述し……――当時イェーナに在住のフンボルト兄弟の懇望で、ゲーテが青年

時代の友人ヤコービの息子でイェーナ大学の医学生であったMax Jacobiに口述筆記させたのが、論文『骨学にもとづく比較解剖学総序説第一草案』である。

＊78　鎖のようにつなぎ合わされていった――「鎖」の比喩はゲーテの科学方法論からの必然的帰結である。このほかにも、たとえば『くさぐさの歌』の中の詩「人間の限界」の第五節および「神性」の詩の第六節を参照。また『箴言と省察』の「思考と行為」および「認識と学問」を参照。

＊79　五十年間の進歩――ゲーテは論文『動物哲学の原理』の前半部の終わりにおいても、ドイツの若い研究者たちの擡頭を率直に喜ぶと同時に、自分の五十年の研究歴を誇らしげに振り返っている。なお『神と世界』の冒頭にモットーとして掲げられている同じ深い感概をこめた詩は、『自然科学一般』誌の第一巻第一冊（一八一七年）の巻頭に掲載されたものである。『箴言と省察』の「思考と行為」を参照。

色彩論——教示編

ザクセン＝ヴァイマル・アイゼナハ公国
摂政大公妃殿下
ルイーゼ妃殿下に捧ぐ

大公妃殿下

本書の内容は必ずしも妃殿下のご一覧に供するにふさわしいものではなく、また題材の取り扱いも厳密に検討すればはなはだ不充分なものではございますが、これら二巻の書物[*1]はほんらいまったく妃殿下の所有に帰するものでありまして、その成立の初めから妃殿下に捧げられておりました。

と申しますのは、妃殿下がかたじけなくも色彩論および隣接の自然現象に関するご進講[*2]にもし耳を傾けてくださらなかったならば、私自身いろいろなことを明らかにし、多くのばらばらなものを一つにまとめ、私の研究を完成するとまでゆかなくても少なくとも完結することは[*3]、とうてい不可能であったからでございます。

講演の場合ですと種々の現象をすぐさまお目にかけ、多くのことがらをいろいろな見地から繰り返し提示することもできるのですが、この大きな長所はもちろん、文字で書かれ印刷された書物には残念ながらありません。しかしながら、紙上でお伝えできるようになりましたことが、私にとって忘れがたいあの日々を妃殿下に楽しく思い出していただくよすがともなれば幸いに存じます。それにつきましても、私が久しきにわたり、また私の生涯のきわめて意義深い年月において他の人々とともに、他の人々にもまして妃殿下からお受けした数々のお恵みのすべてが私の脳裏に絶えず浮かんでくるのでございます。

心からの尊敬の念をもって
妃殿下の
恭順なる

ヨハン・ヴォルフガング・v・ゲーテ
ヴァイマル、一八〇八年一月三十日

まえがき[*4]

色彩について話そうとするならば、まず何よりも光のことに言及すべきではないかということは、しごく当然な疑問であるが、これに対してわれわれは簡明率直に次のように答えるほかはない。すなわち、光についてはこれまですでにじつに多くのことが語られてきたので、先人の言を繰り返したり、しばしば繰り返されたことをさらに増大したりするのは考えものであると。

なぜなら、われわれが事物の本質を言い表わそうとするのは、ほんらい徒労だからである。われわれが知覚するのは種々の作用であり[*5]、これらの作用をもし全部記述すれば、その事物の本質をどうにか包括することになるであろう。われわれがある人間の性格を叙述しようとしても、むだな努力をするだけである。これに対して、彼のいろいろな行為や活動を寄せ集めてみると、その性格のイメージが浮かび上がってくるであろう。

色彩というものは光のはたらき[*6]、その能動的な作用と受動的な作用によって生じたものである。この意味でわれわれは、色彩から光に関する解明を得ることも期待できる。色彩と光は相互にきわめて厳密な関係を保っているのであるが、しかし両者はともに自然の全体[*7]に属していると考えられなければならない。なぜなら、それらを通して自己を眼という感覚にとりわけ啓示しようとしているのは、自然全体にほかならないからである。

同様に自然の全体は他の感覚に対しても[*8]自己の内部を開示する。眼を閉じ、耳を開いて傾聴してみるがよい。いともかすかな気息から荒々しい騒音にいたるまで、きわめて簡素な単音から最高の和音にいたるまで、激しい激情の叫びから穏やかな理性の言葉にいたるまで、そこで語っているのは自然そのものである。自然はこのようにその存在、その力、その生命、その諸関係を啓示しているので、無限の可視的世界を拒まれている盲人も、聴覚の世界の中に無限の生命あるものを捉えることができるのである。

このように自然は他[*9]の下位の感覚器官にまで、すなわち既知の、誤認された、未知の諸感覚にも語りかけ、そうして自己自身と、またもろもろの現象を通してわれわれと語っている。注意深く観察する者にとって、自然はいかなるところでも生命のないものではなく、また黙して語らないということはない。それればかりでなく、動きのない大地にさえ自然は一人の親密な仲間を与えた。それは一つの金属[*10]であって、その最小の破片においてさえ、われわれは地球全体の内部で起こっていることを知覚できることになっているのである。

自然の語るこの言語はひじょうに多種多様で錯綜をきわめ、われわれにはしばしば不可解に見えるかもしれないが、その基本的要素はつねに同じである。自然は天秤の分銅をほんの少し変えるだけで微妙にゆれ動き、そうして生じた此方《こなた》と彼方《かなた》、上と下、前と後の関係によって、時間と空間の中で生起するあらゆる現象は制約を受けるのである。

これらの普遍的に規定されたもろもろの運動を、われわれは種々異なったかたちで知覚する。すなわち、あるときには単純な反発および牽引として、またあるときには閃く光および消滅する光として、また空気の運動、物体の振動、酸化および還元として。しかしながら、それらはつねに結合するか分離するかのいずれかであり、存在に運動を与えながらなんらかの生命を促進するものである。[11][12]

しかし、かの二つの分銅が異種の作用を及ぼしているように思われたので、この関係をも表示することが試みられた。そこでプラスとマイナス、作用と反作用、能動と受動、前進的なものと後退的なもの、強烈なものと緩和するもの、男性的なものと女性的なものがいたるところで観察され、また実際そのように呼ばれた。こうして一つの言語、一つの象徴性が生じたが、これは類似の場合に比喩として、密接な関係のある表現として、また直接に当てはまる言葉として適用され利用されてしかるべきものである。

これらの普遍的な記号、この自然の言語を色彩論にも適用するということ、この言語を[13]

色彩論によって、その多種多様な現象によって豊富にし、かつ拡大し、そうすることによって高次の直観の伝達を自然愛好者のあいだで容易にすることこそ、本書の主要な意図であった。

この著述そのものは三部に分かれている。第一部は色彩論草案である。この草案においては無数の現象がある種の主要現象のもとへ統括され、これらはある一定の順序に従って提示されるのであるが、この順序の正当さを論証することは序論に譲らなければならない。しかしここで述べておかなければならないのは、いつでも経験を重んじ、いたるところで経験をもとにしたとはいえ、理論的見解というものを秘めておくことができなかったということである。この見解こそかの配列と順序をとることを促したものなのである。

実際、しばしばなされる次のような要請は奇妙きわまりないもので、そうする人々によってさえ実行されることはない。すなわち、個々の経験はなんらの理論的紐帯なしに論述[*14]し、読者あるいは弟子に、自分で好きなように何かある確信を形成するよう任せたほうがよいというのである。しかしながら、ある物事をたんに眺めるだけでは、われわれは裨益《ひえき》されることはない。あらゆる熟視は考察へ、あらゆる考察は思念へ、あらゆる思念は結合へと移行し、それゆえ、われわれは対象世界を注意深く眺めるだけですでに理論化しているといえるのである。これをしかし明確な意識、自己認識、自由、そして思いきった言葉

き生きとした有用なものにしようとする場合にそうである。われわれの恐れる抽象[*15]を無害なものにし、われわれの望む経験からの帰結をほんとうに生を用いるならばイロニーをもって行なうためにはひじょうな熟練が必要である。とりわけ、

第二部においてわれわれが行なうのは、ニュートン理論の暴露である。この理論は、色彩現象に対する自由な見方をこれまで圧倒的な勢いで妨げてきたが、われわれは、もはや不用となったことがわかっている仮説が依然として従来どおりの尊敬を人々のあいだで保持していることに異論を唱える。仮説とはほんらいいかなるものかということが明確にされなければならず、また色彩論がこれまでのように他の多くのよりよく研究された自然科学部門におくれを取るべきでないとすれば、古い誤謬は取り除かれなければならない。

しかし本書の第二部は、内容の面からは無味乾燥、叙述の面からはもしかして激情にとらわれすぎているかもしれないので、あのむずかしい素材の準備をし、あの激しい口調の取り扱い方を多少とも弁解するために、ここで一つの愉快な比喩をお許しいただきたい。

われわれはニュートンの色彩理論を古い城塞になぞらえたいと思う。それは設立者によって初めは若気の性急さで設計されたのであるが、時代と状況の必要に応じてしだいに拡張整備され、またそれに劣らずいろいろな戦闘や敵の攻撃をきっかけにますます強固に装備されていった。

ニュートンの後継者とそのまた追随者たちも結局これと同じやり方をしたのである。彼らは建物を拡大し、ここかしこでさまざまな形の増築をすることを余儀なくされたが、それは内部からの欲求の増大、外部の敵対者からの執拗な反論その他多くの偶然的なことがらに迫られたからである。

他方でまた、これらすべての異質の部分と付加物はいとも奇妙な回廊・大広間・廊下によって結び付けられなければならなかった。すべての破損個所は、敵の手によるものであれ時の抗じがたい力によるのであれ、すぐに修復された。必要に応じて深い堀がめぐらされ、城壁も高くされて、塔や櫓や銃眼も欠けることはなかった。そして、このような配慮、このような努力によって、この城塞には高い価値があるのだという偏見が生まれ、時がたつにつれて建築術や築城術が大いに進歩し、他の場合にははるかに立派な邸宅や要塞をかまえるすべを学んだにもかかわらず、この偏見は保たれてきた。しかしあの古い城塞が特に尊敬されたのは、それが一度も陥落したことがなく、たび重なる攻撃を打ちしりぞけ、いくたの交戦を挫折させ、難攻不落を誇っていたからである。この名声、この評判は現在までもなおつづいている。ただ、あの古い建物がもはや人の住むに耐えなくなったことに気づく者はいない。いつも話題になるのは、そのすぐれた耐久性と見事な設備のことだけである。巡礼者たちはそこへ向かって敬虔な旅をし、全国いたるところの学校ではその略図を回覧して、感受性のつよい青少年たちに尊敬の念を惹き起こさせようとしている。ところがその建物はすでにあき家になっていて、大まじめで自分が武装していると思い込んでいる数人の廃兵によって守られているにすぎないのである。

したがってここでは、長期にわたる包囲攻撃とか不確かな挑戦などは問題にならない。われわれはむしろあっさり、この世界の第八番めの謎を打ち棄てられ壊滅に瀕した廃墟とみなし、直ちにそれを破風と屋根から遠慮なしに撤去し始める。というのも、この古い鼠と梟の巣窟についにまた太陽の光が射し込み、驚きあきれた巡礼者の眼にあの迷路のように支離滅裂な建築様式、一時しのぎの窮屈なもの、偶然に押しつけられたもの、故意にわざとらしいもの、かろうじてつぎはぎされたものなどを明るく見えるようにしてほしいと思うからである。しかし、このように覗き込むことができるのは、壁と円天井が次々に倒れ落ち、瓦礫《がれき》ができる限りその場で片づけられる場合のみである。

取りこわし作業を行ない、できれば敷地を平らにするだけでなく、手に入れた材料を新しい建物のために再利用できるように整理することは、われわれがこの第二部においてみずからに課したやっかいな義務である。もとより、われわれが全力を傾注し技量の限りを尽くしてかの城塞を取り払い、広々とした敷地を獲得することに成功したとしても、その上にまたすぐ新しい建物を建てて煩わすことなどはけっして意図していない。われわれはむしろ、この跡地を利用して、一連の多種多様な人物像を観覧に供したいと思うのである。

それゆえ第三部は歴史的研究および予備的研究に捧げられている。先にわれわれは、人間の歴史、すなわち人となりのすべてがその人間にほかならないと述べたが、同様にここでも、学問の歴史は学問そのもの[*16]であると主張してさしつかえないであろう。現在自分が所有しているものの価値を、われわれは、先人たちの所有していたものを評価できるようになったときに初めて正しく理解することができる。自分の時代の長所を真に心から喜ぶことができるのは、過去の時代の長所を正当に評価できる場合のみである。しかし、色彩論の歴史を書くこと、ないしその予備的研究をすることさえ、ニュートンの理論が存続している限り不可能であった。なぜなら、貴族主義的な傲慢が自分のギルドに属さない人々をこれまで耐えがたいほどの不遜さで蔑視することがあったにしても、ニュートン学派が昔から、自分たちより以前に、また自分たちと同時代になされたすべてのことを酷評した厚かましさにすぎることはなかったからである。ひじょうに腹立たしいことに、プリーストリ[*17]はその『光学の歴史』の中で、彼の前後の多くの著述家たちと同様、色彩の世界における救済の年は光の分解説[*18]のときに始まるとみなし、古代および中世の人々を傲然と見くだしている。しかしこれらの人々こそ、正しい道をゆっくりと歩み、個々の点に関しては、われわれもそれ以上よくはできない観察や、またそれ以上正しくは把握できないような着想を遺していったのである。

ところで、何かある知識の歴史を伝えようとする者から、われわれが次のことを要求するのは当然である。すなわち彼は、いろいろな現象がいかにして徐々に知られるようになったか、それについて人々がどんな空想・妄想・意見あるいは思想を抱いたかをわれわれに報告すべきである。しかし、これらすべてを相互に関連させて論述することはきわめて困難であり、歴史を書くということはつねに大きな問題をはらんでいる。なぜなら、誠実であろうとする最善の意思をもってしてもなお、人間は不誠実になる危険[*19]に陥るからである。そればかりでなく、このような叙述を企てる者は、それだけですでに、多くのものに照明を与え、他の多くのものを陰におくことを宣言しているのである。

それにもかかわらず、著者はこのような著作を執筆したいと永いあいだ念願していた。しかし、たいてい企画だけは一つの全体としてわれわれの脳裏に浮かんできても、完成はふつう少しずつしか行なわれないので、色彩学史の代わりにその資料を提供することで満足したいと思う。これらの資料の内容は種々の翻訳と抜粋、自分および他人の判断、思いつきや覚書などであり、この資料集はたとえすべての要求に応じることはできないにしても、少なくとも愛と真摯をもって作成されたという賞讃に浴さないことはないであろう。なお、このような資料はまったく手を加えていないわけではないが、とにかく仕上げがなされていないので、思索する読者にとってはおそらく、みずから自分のやり方に従ってそこから一つの全体を思うように造り出せるだけに、かえって好ましいかもしれない。

しかしながら、この第三部の歴史編で万事をなし終えたというわけではない。それゆえわれわれはさらに第四部の補遺[*20]を付け加えた。ここに含まれているのは改訂であって、もっぱらそのために各節に番号を付したのである。というのは、このような著述の編集にさいしては何かが忘れられるかもしれないし、注意をそらさないために削除されなければならないものもあり、またあとになって初めて経験されたり明確な規定や訂正を必要とすることが出てきたりするので、追加・補足・修正の文章はどうしても欠かすことができないからである。この機会に引用文を補ったのもそのためである。それからこの補遺の巻はなお二、三の独立の論文を収録している。たとえば大気の色彩に関するものであるが、第一部でところどころにしか現われてこなかったこれらの色彩は、ここでひとまとめにされて想像力にゆだねられる。

この論文が読者を戸外の生活へ連れ出すのに対して、もう一つの論文は技術上の知識を促進することをめざし、色彩論のために将来必要な実験装置を詳細に記述している。

最後にわれわれがなお言及しておかなければならないのは、この著述全体に添えられている図版のことである。もちろんここで、われわれは、本書がこの種のすべての著作と共有している不完全さを痛感せざるをえない。

なぜなら、よい芝居というものはほんらい半分も書き下ろされることがなく、むしろそれ以上に、舞台の光輝、俳優の個性、その声の魅力、その独特の動作、それればかりでなく観客の精神と気分に依存しているのであるが、自然現象を扱った書物の場合にはなおさらそうだからである。それがよく読まれ利用されるためには、自然は読者の眼のまえに実際に存在しているか、あるいは生き生きとした想像力の中で現存していなければならない。ほんらい著述家のつとめは書くというより話すことであり、その聴衆に自然現象を、ひとりでに生起してくるがままに、あるいは実験装置によって一定の目的と意図に従って提示されるとおりに、テクストとしてまず一目瞭然とさせなければならない。そうすれば、いかなる解説・説明・注釈にも所期の効果が欠けることはないであろう。

このためのきわめて不充分な代用品にすぎないのは、このような著述に添えられるのがつねである図版類である。あらゆる方面に作用する戸外の物理現象は、直線や曲線で描いたり、断面図で暗示したりすることはできない。化学的実験を図形で解説しようなどと考える者はいない。ところが、それと近い関係にある物理的実験の場合には、図形を用いるのがならわしである。なぜなら、そうすることによって、いろいろなことが説明されうるからである。しかし、これらの図形が概念を表わしているにすぎないことがひじょうにしばしばある。それらは象徴的な補助手段、象形文字的な伝承様式であるが、しだいに現象あるいは自然そのものにとって代わり、真の認識を促進するよりはむしろ妨げるようになる。われわれも図版なしですますことはできなかった。しかしながらわれわれは図版の作成にあたり充分に配慮し、それらを教示および論争の用途のために安んじて手に取り、それればかりでなく、それらのあるものを必要な実験装置の一部とみなすことができるようにした。

こうして最後にわれわれに残されているのはただ、読者に著述そのものを繙《ひもと》かれるよう希望し、あらかじめなお一つの願いを繰り返すことである。それはこれまですでに多くの著者たちが言い表わしたにもかかわらず叶えられることがなく、特に近代ドイツの読者たちがめったに聴きとどけることをしてくれなかった願いである。

汝、もしこれより正しく認識[*21]したることあれば、
そを誠実に伝えよ。もしなくば、われとともにこれを利用されんことを。
(Si quid novisti rectius istis,
Candidus imperti ; si non, his utere mecum.)

色彩論草案

われらの書きもの[*22]、正誤いずれにせよ、
　われら生くる限り、そを弁護してやまず。
われらの死後、いま遊び戯れる子らが裁き手とならん。
(Si vera nostra sunt aut falsa, erunt talia, licet
　nostra per vitam defendimus. Past fata nostra
　　pueri qui nunc ludunt nostri iudices erunt.)

序論

知識に対する欲求[*23]が人間の心の中で最初に惹き起こされるのは、彼の注意を引く顕著な現象を知覚することによってである。ところで、この欲求が持続的なものとなるためにはいっそう深い関心が生じなければならず、これによってわれわれはしだいに種々の対象を知悉《ちしつ》するようになる。そのとき初めてわれわれは、群をなして押し寄せてくるものの大きな多様性に気がつく。そこでわれわれは分離し、区別し、再び集成することを余儀なくされるのであるが、それによって最終的に、多少の満足をもって見渡されうるような一つの秩序が成立する。

これを何かある専門分野においてある程度まで達成するためだけでも、しんぼう強い厳密な研究が必要である。だからこそ人間は、むしろ一般的な理論的見解や何かある説明の仕方で現象を片づけてしまい、個をよく見きわめ全体を構築しようとする労を惜しむのである。

色彩現象を集大成しようとする試みは、これまで二度しか行なわれなかった。最初はテオフラストス[*24]によって、次はボイル[*25]によってである。本書が三番めであることに異論を唱えることはできないであろう。

詳しいことは歴史編が物語ってくれる。ここでわれわれがいいたいのは次のことだけである。すなわち、前世紀においてこのような集大成が考えられなかったのは、ニュートンがその仮説の根底に錯綜した派生的な実験をおき、後代の人々がそれに他のいろいろな新しい現象を、それらを黙殺して片づけてしまうことができない場合、人為的に関連させ、不安定な状況のまま放置したからである。それは、たとえば月を気まぐれから太陽系の中心にすえようとする天文学者のやり方に似ている。彼は強引に、地球と太陽と他のすべての遊星をこの従属的な天体のまわりに回転させ、わざとらしい計算と思考法によって、彼の最初の仮定が誤っていることを隠蔽し言いつくろわねばならないであろう。

さてわれわれは、まえがきにおいて述べたことを思い出しながら先へ進むことにしよう。そこでわれわれは光を既知のものとして前提にしたが、ここでは眼についても同様のことをしたい。前述のように、自然の全体は色彩を通して眼という感覚に自己を啓示する。しかしいまやわれわれが主張するのは、たとえそれがある程度まで奇妙に聞こえようとも、眼が形を見ない[*26]ということである。というのは、明と暗と色彩が合わさって初めて、対象と対象を、また対象の諸部分を相互に眼に対して区別するものを構成するからである。こうしてわれわれは、これら三つのものから可視的世界を築き上げ、それによって同時に絵画を可能にする。絵画はカンヴァスの上で[*27]、現実の世界よりはるかに完全な可視的世界をつくり出すことができるのである。

眼が存在するのは光のおかげである。未決定の動物的補助器官から、光は光と同じようなものとなるべき一つの器官を呼び起こし、こうして眼は光にもとづいて光のために形成される。それは内なる光が外なる光に向かって現われ出るためである。[*28]

このさいわれわれが思い出すのは古代のイオニア学派[*29]である。この学派は、等しいものは等しいものによってのみ認識されるということを、きわめて意味深長に繰り返し述べていた。またもう一人の古代の神秘家[*30]の言葉も思い出されるが、それをドイツ語の韻文で次のように表現してみたいと思う。

もし眼が太陽のようでなかったら、
どうしてわれわれは光を見ることができるだろうか。
もしわれわれの内部に神みずからの力が宿っていなければ、
どうして神的なものがわれわれを歓喜させることができるだろうか。

光と眼のかの直接的な親近関係を否定する者はいないであろう。しかし両者を同時に同一のものとして考えることは、ずっと困難である。とはいえ、次のように主張すればわかりやすくなるであろう。すなわち、眼の中には静止した光が潜在していて、内部あるいは外部からのほんのちょっとした刺激がきっかけで誘発されるのである。われわれは暗闇の中で、想像力の要請によって著しく明るい像を呼び起こすことができる。われわれの夢の中でいろいろな対象は白日の下におけるように現われてくる。目ざめている状態においては、われわれはほんのかすかな外光の作用にさえ気づくことができる。そればかりでなく、視覚器官が機械的な衝撃を受けただけで、光と色彩が飛び出してくる。

しかしおそらくここで、一定の順序に従って研究を行なうことになれている人々は、われわれがまだ一度も色彩とは何かということをはっきり説明していない、と注意を促すであろう。この疑問をわれわれはここで再び回避して、色彩がいかに現われてくるかを詳細に示している本論の叙述がそれに答えていることを指摘したい。なぜなら、ここでも、色彩とは眼という感覚に対する自然の規則的な現象である、ということを繰り返すほかないからである。ここでもわれわれが想定しなければならないのは、だれかある人がこの感覚をもっており、この感覚に及ぼす自然の作用を知っているということである。盲人は色彩について語ることができないからである。

しかし、われわれが小心翼々として説明を避けているように見えないために、いま述べたばかりのことを、次のように言い換えてみたいと思う。すなわち、色彩とは眼という感覚に対する初源的な自然現象であって、この現象は、他のすべての自然現象と同様、分離と対立、混合と一致、高進と中和、伝達と分配等を通して顕著に現われ、これらの普遍的な自然公式[*31]のもとで最もよく直観され把握されることができる。

このようなものの見方を、われわれはだれにも押しつけることができない。われわれと同じくそれを適当と思う人は、それを喜んで受け入れるであろう。われわれはまた、この見方を将来論争までして弁護するつもりはない。なぜなら、色彩について論ずることは昔から少し危険なところがあり、われわれの先駆者の一人はおりにふれて、「牡牛は赤い布を広げて見せられただけで狂暴になるが、哲学者は色彩のことが話題になるだけで逆上し始める」とまで公言してはばからなかったからである。

しかしながら、このへんで本論におけるわれわれの論述について弁明のようなことをすべきであるというのであれば、われわれは何よりも、色彩が現われてくるさいの種々異なった条件をいかに分類したかを示しておかなければならない。われわれが見出したのは三様の現象の仕方、三種類の色彩、あるいはこう言ってよければ、色彩に対する三様の見方であり、それらの違いははっきりと言い表わされることができる。

それゆえわれわれは色彩をまず、それらが眼に属し、眼の作用と反作用にもとづいている限りにおいて考察した。次にわれわれの注意を引いた色彩は、われわれが無色の媒体にもとづき、あるいはその助けを借りて知覚するものである。そして最後にわれわれが注目したのは、対象そのものに属していると考えることのできる色彩であった。第一のをわれわれは生理的色彩、第二のを物理的色彩、第三のを化学的色彩と名づけた。最初の色彩は絶え間なく消失し、その次の色彩は一時的とはいえとにかく継続的であり、最後の色彩はいつまでたっても変わらないほどの持続性がある。

色彩をこのような自然に即した順序で、しかも教示を目的とする論述のためにできるだけ截然《せつぜん》と分けたことにより、われわれは同時に、色彩を整然とした連続性において提示し[*32]、消失するものを継続するものと、継続するものをまた持続性のあるものと結びつけ、念入りにもうけたばかりの各編の区分を高次の直観のために再び放棄することに成功したのである。

これにつづいてわれわれは本論の第四編において、それまで色彩について多種多様な特殊な条件のもとで観察されたものを一般論として言い表わし、それによってほんらい、将来の色彩論の輪郭を描いたのである。とりあえず最小限のことを述べるならば、色彩を生み出すためには光と闇、明と暗、あるいはより一般的な公式を用いれば、光と光ならざるもの[*33]が要求される。光の最も近くには黄と呼ばれる色彩が生じ、闇に最も近い他の色彩は青という言葉で表わされる。これら二つの色彩は、その最も純粋な状態のままでまったく均衡を保つように混合されるならば、緑という第三の色彩を生み出す。最初の二つの色彩はしかしまた、濃度ないし暗度を高められることにより、それぞれ独自に新しい現象を生み出すことができる。それらは赤味を帯びるのであるが、この赤味は、もともとの青と黄がもはやその中に認められないほど高進させられることができる。しかしながら最高の純粋な赤は、特に物理的色彩の場合に、橙と菫のそれぞれの末端が一致させられることによって生み出される。これは色彩現象と色彩生成の躍動する光景である。しかしまた特殊化による既成の青と黄のほかに既成の赤を仮定し、われわれが前進的に強度化することによって惹き起こしたものを、逆行的に混合によって生じさせることもできる。これら三つないし六つの色彩はたやすく環状に配列されうる[*34]のであるが、基本的色彩論が問題にするのはこれらの色彩に限られる〔図①〕。他のすべての無限の変化を有する個々の色彩は、どちらかといえば応用面に、すなわち画家や染物師の技術に、生活そのものに属しているのである。

次にもう一つ一般的性質を言い表わすならば、色彩というものはあらゆる点で半ば光、半ば陰影のようなものとみなすことができる。[*35]種々の色彩が混ぜ合わされてその特殊な性質を相互に消し合う場合、陰影のようなもの、灰色がかったものを生み出すのは、まさにそのためである。

次に第五編においては隣接諸領域との関係を叙述するつもりであるが、ここでわれわれの色彩論は他の学問および実生活と関連を保ちたいと願っている。本編はひじょうに重要ではあるけれども、まさにそれゆえに完全に成功しているとはいえないかもしれない。しかしながら、隣接諸領域との関係というものがほんらいその成立を待って初めて言い表わされうることを考慮するならば、このような最初の試みの失敗にそれほど気落ちすることもないであろう。なぜなら、われわれが奉仕したいと努力し、何か好意的なこと、有益なことを実際に示したいと思った人々が、われわれによってできうる限りなされたことをいかに受け入れてくれるかということ、すなわち、彼らがそれをわがものとし、それを利用して発展させるかどうか、あるいはそれを拒否したり排斥したりして窮地に追いやるかどうかは、もちろん刮目《かつもく》して待たなければならないからである。いずれにしても、われわれはみずから信じ希望していることを述べてもさしつかえないであろう。

哲学者からわれわれは感謝されてしかるべきであると思われる。[*36]われわれは種々の現象をその根源まで、すなわち、それらがまさに現象として現われかつ存在し、それらについてもはや説明の余地がないところまで追求しようと努めたからである。哲学者にさらに歓迎されると思われるのは、われわれが種々の現象を、たとえ彼の全面的な同意を得られないとしても、とにかく概観しやすい順序に配列したことである。

医者、特に、視覚器官を観察し、それを保護し、その欠陥を取り除き、その疾病を癒す使命を有する眼科医を、われわれは必ずや味方にしうるものと信じている。生理的色彩編および病理的色彩の基本を扱った付録の分野に彼はまったく通暁しているからである。現代においてこの専門分野を研究し大いに成果を上げている学者たちの努力によって、色彩論のこれまでなおざりにされてきたとはいえ最も重要と言ってさしつかえないこの第一編は、将来きっと詳細に論じられるようになるであろう。

最も親しくわれわれを迎えてくれるはずなのは、ほんらい物理学者である。というのは、われわれは彼の便宜を考えて、色彩論を他のすべての基本的現象との系列の中で[*37]論述し、そのさいこれらと一致する言語だけでなく、他の領域におけるのとほとんど同一の言葉と記号が用いられるようにしたからである。もちろん、彼が教師である限り、われわれは彼に前より少し苦労をさせる。なぜなら、色彩の章は今後これまでのようにごくわずかの節や実験で片づけられないからである。生徒のほうも、いつものとおりわずかばかりのもので文句も言わずに簡単にまるめ込まれることはなくなるであろう。これに対して、あとで別の利点が現われてくる。ニュートンの理論は学びやすかったけれども、その応用にさいしては打ち勝ちがたい困難が生じた。われわれの学説はおそらくより理解しにくいかもしれないが、しかし一度理解してしまいさえすればそれでよいのである。なぜなら、それはその応用を必然的に伴っているからである。

化学者は、物質のひそかな性質を発見するために色彩を基準にするのであるが、これまで色彩の命名ないし表示にさいして多くの障害に出会った。そればかりでなく、よくよく考察した結果、色彩を化学的操作のさいの不確実で当てにならない特徴とみなすようにさえなった。しかしながらわれわれは、われわれの叙述とわれわれの提案する命名法によって色彩の名誉を回復し、生成しつつあるもの、成長しつつあるもの、躍動しているもの、変転しうるものが人目を欺くものではなく、むしろ自然の微妙きわまりない種々の作用を啓示するのに適しているという確信をめざましたいと希望している。

しかしながら、さらに周囲を見まわすと、われわれは数学者から好まれないのではないか[*38]という危惧の念に襲われる。いろいろな事情が奇妙に結びついたことによって色彩論は数学者の領域へ、いわばその裁判官席まで引きずり出されてしまったが、色彩論はほんらいこのようなところに属していないのである。このような事態になったのは、数学者が取り扱う使命を担っていた視覚の他の法則と色彩論の親近関係のためである。そうなったのはさらに、ある偉大な数学者が色彩論を研究し、彼が物理学者として誤りを犯したので、この誤謬になんとかして信憑性を与えるために、その才能の全力を尽くしたためである。この二つのことが認められるならば、すべての誤解はすぐに解消するに違いない。そして数学者も喜んで、特に色彩論の物理的部門をともに研究することに助力するであろう。

これに反して、本書は技術者や染物師には大いに歓迎されるに違いない。なぜなら、染色術の諸現象について充分に思いをめぐらした人々こそ、これまでの理論に最も満足していなかったからである。彼らはニュートン理論の不充分さに気づいた最初の人々であった。なぜなら、どの方面からある知識や学問に近づくか、どの門を通って入るかによって大きな違いがあるからである。真の実務家である工場主にとって、現象は日々有無をいわさず迫ってくる。彼は自分の確信を実行することの利害得失を敏感に感じ、彼にとって、金銭や時間の損失はどうでもよいことではない。彼は前進することを欲し、そのためには、他人によって達成されたことに追いつき、さらにこれを凌駕しなければならないので、ある理論の空虚さと間違いを学者や数学者よりははるかに早く感じとる。学者というものはしょせんきまり文句を真に受けるものであるし、数学者の公式なるものも、それが適用された基盤がそれに合わない場合でも、依然として正しいのである。そこでわれわれも、というのはわれわれは美術の側から、いろいろな表面の美的彩色の側から色彩論に入ってきたためであるが、第六編において色彩の感覚的および精神的作用を明確に規定し、これらの作用をそうすることによって芸術的使用の実際に近づけようとするならば、画家に対して大きな功績を上げたことになるであろう。そのさい、全体におけると同様、多くのものが単に素描に終わってしまったにしても、すべて理論的なものはほんらい概要のみを暗示すべきであって、その後これらにもとづいて活発に実践が行なわれ、法則に適った制作に到達しうるのである。

第一編　生理的色彩

一　これらの色彩を冒頭におく正当な理由は、それらが主観に、すなわち眼にまったくあるいは大部分属しているからである。これらの色彩は色彩論全体の基盤をなし[*40]、論争のまとになっている色彩の調和をわれわれに啓示してくれるのであるが、これまでは非本質的、偶然的なもの、錯覚ないし欠陥とみなされてきた。これらの色彩の諸現象は昔からよく知られている。しかし、その消失しやすい性質をすばやく捉えられなかったので、それらは有害な亡霊の領域へ追放され、この意味でさまざまな呼び方をされてきた。

二　そこでこれらの色彩は、ボイルによれば異常な色彩（colores adventicii）、リツェッティ[*41]によれば想像的ないし空想的色彩（colores imaginarii und phantastici）、ビュフォン[*42]によれば偶然的色彩（couleurs accidentelles）、シェルファー[*43]によれば仮象的色彩と呼ばれる。さらに他の人々によれば錯視ないし幻視、ハンベルガー[*44]によれば消失性の欠陥（vitia fugitiva）、ダーウィン[*45]によれば視覚残像（ocular spectra）である。

三　われわれがそれらを生理的色彩と名づけたのは、それらが健康な眼に属し、視覚の必然的条件とみなされるからである。これらの色彩は、視覚のそれ自体の内部における、また外部に対する活発な交互作用を指し示しているのである。

四　われわれは生理的色彩に直ちに病理的色彩[*46]を付け加える。これらの色彩は、あらゆる異常な状態が法則的状態に対すると同様、ここでも生理的色彩に対してより完全な洞察を広げてくれるのである。

第一章　眼に対する光と闇の関係

五　網膜は、光あるいは闇がそれに作用するのに応じて二つの異なった状態にあり、これらの状態は相互にまったく対立している。

六　真暗な空間の中で眼を開けたままにしていると、われわれはある種の欠乏を感ずるようになる。視覚器官は自分だけにされてしまい、自分自身の中へ後退してしまう。眼がそれによって外界と結ばれ[*47]全体となる、あの充足した刺激の接触が欠けているためである。

七　われわれが強く照明された白い面に眼を向けると、眼はくらんで、しばらくは適度に照らされた対象を識別することができない。

八　これら両極端の状態はいずれも上述のような仕方で網膜全体に及ぶので、われわれはいずれか一つの状態しか一度に知覚することはできない。前者の場合（六）において視覚器官は最高の弛緩と感受性の状態にあったが、後者の場合（七）においては極度の緊張と無感覚の状態にある。

九　われわれがこれらの状態の一方から他方へ急速に移行するならば、たとえ極限から極限へではなく、明るいところから薄暗いところへ行くにすぎないような場合でも、その差異は著しく、われわれはこれらの状態がしばらくの間は持続することを認める。

一〇　白昼の明るいところから薄暗い場所へ移る人はだれでも、最初は何も識別することができない。眼は徐々に感受性を回復するが[*48]、強健な眼は虚弱な眼より回復が早い。前者が一分たらずでよいのに対して、後者は七、八分もかかる。

一一　科学的観察にさいして、明るいところから暗いところへ入っていくときに眼が弱い光の印象に対して感受性を有していないということが、奇妙な誤謬を惹き起こしかねない。そこでたとえば、眼の回復が緩慢なある観察者は、腐った木は真昼には暗室の中でも光らないと、かなり永いあいだ信じていた。すなわち、彼はその弱い発光を見ることができなかったのであるが、それは彼が明るい日光のもとから暗室へ入っていくのが常で、あとになって初めてたまたま充分永くその中にいたために視力が回復したのである。

ウォール博士[*49]の場合にも、琥珀《こはく》の電気的光について同様のことが起こったのかもしれない。彼はその光を昼間、暗い部屋の中でさえほとんど認めることができなかったのである。日中は星が見えないことや、二重の管を通して見ると絵画がよく見えることも同じたぐいである。

三 真暗な場所を太陽の照りつける場所と取り替えると目がくらまされる。薄暗いところから眩しすぎない明るさのところへ来る人は、すべての対象をいっそうくっきりとよく見ることができる。休息した眼は、適度の現象に対して全般的に感じやすくなっているのである。

永いあいだ薄暗いところで生活してきた囚人の場合、網膜の感受性はひじょうに鋭敏なので、彼らは暗闇の中（おそらくほとんど光線の入ってこない闇の中）でも種々の対象を識別することができる。

三 網膜は、視覚と呼ばれる作用にさいして、同時に相異なる、それはばかりでなく、相対立する状態にある。眩しくはない最高の明るさは、真暗な闇とならんで作用する。同時にわれわれは、明暗のあらゆる中間段階と色彩のすべての規定可能な差違を知覚することができる。

四 われわれは可視的世界の前述の諸要素を徐々に考察し、これらの諸要素に対する視覚器官の関係を記述し、この目的のためにきわめて簡単な形の像を用いたいと思う。

第二章　眼に対する黒と白の像の関係

一五　網膜は、明暗一般に対すると同様に、個々の暗い対象と明るい対象に対しても反応する。光と闇は網膜に全体として異なった情調を与えるのであるが、同時に眼に映る黒と白の像は、光と闇によって継起的に生み出されたかの状態を並列的に惹き起こすであろう。

一六　暗い対象は同じ大きさ[*50]の明るい対象より小さく見える。コンパスの同じ回転軸に合わせて切り取られた白い円を黒地の上で、黒い円を白地の上で少し離れて同時に見つめると、われわれは後者を前者より約五分の一ほど小さく思うであろう。黒い像をその分だけ大きくするならば、両者は等しく見えるであろう。

一七　実際、ティコ・ブラーエ[*51]は、合の位置にある月（晦《みそか》の月）が衝の位置（明るい満月）におけるよりも五分の一小さく見えることを観察した。最初の弦月は、新月の頃にしばしば見分けられる、それに境を接する暗い月輪より大きい月輪に属しているように見える。黒い衣服は、着ている人に、明るい衣服よりはるかに引き締った外観を与える。あの縁《ふち》の背後に見られるともしびは、その縁に切り込みを入れるような外見を呈する。定規のうしろから覗いているロウソクの火は、定規に刻み目が一つあるように見えさせる。朝日と夕日も水平線に切り込みを入れるように見える。

一八　黒は闇の代表として視覚器官を休息の状態に、白は光の代表として視覚器官を活動の状態におく。上述の現象（一六）からおそらく推論できるのは、休息の状態にある網膜が自分だけにされた場合、自分自身の内部へ収縮していて、光の刺激によって惹き起こされる活動の状態におけるよりも小さな空間しか占めていないということである。

それゆえケプラーは適切にも次のように述べている。「形象の拡張が網膜に起因するのであれ、像の印象が精神に由来するのであれ、とにかく明るいものにおいて拡張が生ずる、ということは間違いない。」(Certum est, vel in retina causa picturae vel in spiritibus causa impressionis existere dilatationem lucidorum. Paralip. in Vitellionem p. 220) シエルファー神父も似たような推測をしている。

一九　それがどうあろうとも、このような像によって規定される視覚器官の二つの状態はこの感覚器官の上に場所的に存在し、外的なきっかけがすでに遠ざけられてしまっている場合でも、しばらくのあいだ持続する。日常生活において、*52 われわれはそれにほとんど気づかない。なぜなら、著しい対照をなす像はめったに現われないからである。われわれは目をくらますような像を見つめることを避ける。われわれは一つの対象から他の対象に視線を移し、像と像の継起は截然としているように見える。しかしわれわれは、先行する像のなにがしかが後続する像の中へ忍び込んでいることに気がつかないのである。

二〇　明方の空を背景にした窓[*53]の十字の桟を、朝の目ざめのとき、眼が特に感じやすくなっているうちにじっと見つめて、それから眼を閉じるか真暗な場所のほうを見やると、明るい素地の上に黒い十字の桟が浮かんでいるのがなおしばらく見えるであろう。

二一　いかなる像も網膜の上でその特定の場所を占める。そしてこの場所は、その像が見られる遠近の度合いに応じて小さくなったり大きくなったりする。太陽を直視したあとすぐ眼を閉じると、その残像がはなはだ小さいのにわれわれは驚く。

二二　これに対して、眼を開けたまま壁のほうへ向き、眼のまえに浮かぶ幻像を他の対象との関係において眺めると、われわれの見る幻像は、それが受けとめられる何かある面とわれわれとの距離が遠ければ遠いほどますます大きくなるであろう。この現象は、近くの小さな対象が遠くの大きな対象をおおい隠すという遠近法から説明されるように思われる。

二三　眼の性状に従って、この印象の持続する時間は異なっている。それは明るいところから暗いところへ移行するさいの網膜の回復のときと同様であり（二〇）、したがって何分何秒というふうに測定されることができる。これまでそれは、燃える火なわを振りまわしたとき眼には輪になって見えるということによって測定されたが、現在ではそれよりはるかに正確にできる。

二四　特にまた、光の作用が眼に及ぶさいのエネルギーも問題になる。最も長くとどまるのは太陽の像である。他の発光体は、その光の多少に応じて長短の痕跡を残す。

二五　これらの像は徐々に消滅し、明瞭さとともに大きさも失っていく。

二六　これらは周辺から減少し、四角い像の場合にはしだいに角がとれ、最後には円い像がますます小さくなって眼前にちらつくのを観察しえたような気がする。

二七　その印象がもはや認められないような像でも、眼を開閉して刺激と沈静を交互に繰返すならば、網膜の上でいわば甦らせられることができる。

二八　これらの像が種々の眼病の場合十四分ないし十七分、さらにもっと永く網膜上に保持されたということは、視覚器官の極端な衰弱、その回復不能を暗示している。同様に、熱烈に愛している、あるいは憎んでいる対象が念頭に浮かんでくるということは、感覚的なものから精神的なものへの移行を示唆しているのである。

二九　前述の窓の像の印象がなお持続しているあいだに淡灰色の面に目を向けると、窓の十字の桟は明るく、窓ガラスの空間は暗く見える。あの場合には（三〇）状態が変わらなかったので、印象もまた同一のままとどまることができた。しかしここでは明暗の反転が惹き起こされ、この変化はわれわれの注意を喚起し、そのいくつかの具体例がそれらを観察した人々によりわれわれに提供されている。

三〇　コルディレラス山脈で種々の観測を行なった学者たちは、雲の上に映った自分たちの頭の陰影のまわりに明るい光輪を見たが、この場合はこれに属しているように思われる。というのは、彼らが陰影の暗い像を固定し、同時にいままで立っていた位置から動いたことにより、彼らには要求された明るい像が暗い像のまわりに漂っているように見えたのである。淡灰色の面の上の黒い円を凝視して、それから視線をほんの少し変えただけで、すぐに暗い円のまわりに光輪が漂うのを見るであろう。

私も同様なことに出会ったことがある。すなわち、私が野原に坐りながら一人の男と話をしていたときのことである。彼は私から少し離れたところに立っていて、灰色の空を背景にしていたのであるが、私が彼を永いあいだじっと見つめたのち視線をちょっとそらしたとき、彼の頭はまぶしい光輪によってかこまれているように見えた。

おそらくこれに属していると思われるのはまた、日の出のころ朝露に濡れた牧場を歩いていく人々がお互いの頭のまわりに光輪を見るという現象である。この光輪が同時に色彩を帯びることがあるのは、光線の屈折現象がいくらか混じるからである。

そこでまた、雲の上に映った軽気球の陰影*54のまわりに明るい、そしてある程度まで色彩を帯びた輪のようなものを認めたと主張する人々がいる。

ベッカリーア神父は大気中の電気に関する二、三の実験を行ない、そのさい紙だこを空高く上げた。ところが、この装置のまわりに大きさのたえず変わる輝く小雲が現われ、これは糸の一部のまわりにも見られた。それはときおり消えてしまったが、紙だこが激しく動くたびに、それは前にあった場所でしばらく浮かんでいるように見えた。当時の観察者たちが説明することのできなかったこの現象は、眼の中に残り、明るい空のほうを向いたため明るい像に変化した、暗い紙だこの残像にほかならなかった。

光学、特に色彩学の実験においては、無色であれ有色であれまばゆい光を使ってやることが多いのであるが、そのさいには、先行する観察から残留した視覚現象が後続する観察に混ざり、これを混乱させたり不純にしたりしないよう充分に注意しなければならない。

二一　これらの現象を人々は次のように説明しようとした。窓の暗い十字の桟の像が映った網膜の場所は、休息しており、したがって感じやすくなっているとみなすことができる。網膜のこの部分に、適度に照らされた面は残りの部分に対するよりも活発に作用する。それらの部分は窓ガラスを通して光を受けており、このようにはるかに強い刺激によって活動状態におかれたあとでは、灰色の面を暗いとしか知覚しないのである。

二二　この説明の仕方は、現在の場合に対してはかなり充分なように見受けられる。しかし、将来起こりうる種々の現象のことを考慮して、われわれは上述の現象を高次の原理[*55]から導き出す必要に迫られる。

三三　目ざめている人の眼の活発さが特に顕著に示されるのは、眼がその状態の転換をさか*56んに要求する点にあり、これらの状態はいとも簡単に暗から明へ、またその逆に移行する。眼は一瞬といえども特殊な状態、すなわち対象によって特殊化された状態の中に同一のままとどまることはできないし、またとどまることを好まない。それはむしろ一種の対抗関係をとることを余儀なくされていて、この対抗関係は、極端と極端、中間と中間を対立させながら、直ちに対立したものを結合し、継起性においても同時性および同所性においても一つの全体を求めてやむことがない。

三四　無彩色の絵やこれに類似した芸術作品の巧みに取り扱われた明暗を見てわれわれが感ずるひじょうに快適な気分は、主として、一つの全体を同時に知覚するところから生ずると思われる。この全体は通常、視覚器官によって単に継起的に、生み出されるというよりはむしろ探し求められ、いかにうまくいっても、けっして固定されえないのである。

第三章　灰色の面と像

三五　色彩学的実験の大部分は適度の光を必要とする。この光をわれわれは多かれ少なかれ灰色の面によって直ちに惹き起こすことができ、それゆえ、灰色のこともあらかじめ知っておかなければならない。多くの場合、陰影の中あるいは薄明りの中にある白い面が灰色の面とみなされうることは、あえて言うまでもない。

三六　灰色の面というものは明と暗の中間に位置しているので、われわれが先に(三九)現象として述べたことは、容易に実験へと高められることができる。

三七　黒い像を灰色の面のまえに置き、それが取り去られたあとも同じ場所をじっと見つめていると、それが占めていた空間ははるかに明るく見える。同じやり方で白い像を置いてみると、その空間はあとで残りの面より暗く見えるであろう。図版の上で眼をあちこちに転ずると、両方の場合に二つの像は同様にあちこちに動くであろう。

三八　黒地の上の灰色の像は、白地の上の同じ像よりはるかに明るく見える。両方の場合を並置してみると、二つの像がまったく同じ色であるとは信じられないほどである。われわれがここで再び認めうるように思われるのは、網膜の著しい活動性と、あらゆる生物に何かある特定の状態が提供されたとき、それらが表出を迫られている無言の対立である。そこで呼吸においては呼気と吸気が、心臓の脈動においては収縮と弛緩[*57]が互いに他を前提にしているのである。それは生命の永遠の公式であり、ここにも表わされているのである。眼に暗いものが提供されると、それは明るいものを要求する。眼に向かって明るいものがもたらされると、それは暗いものを要求する。そうすることによって眼はその活発さ、対象を捉えようとするその権利を如実に示し、対象と対立しているあるものを自分自身の内部から生み出すのである。

第四章　まばゆい無色の像

三九　まったく無色のまばゆい像を見つめると、それは強い持続的な印象を及ぼし、この印象の漸消には*58色彩現象が随伴する。

四〇　できるだけ暗くされた部屋の中で鎧戸に直径三インチほどの円い孔を開け、自由に開閉できるようにする。次にこの孔を通して太陽の光を白い紙の上に直射させ、少し離れたところで円形に照らされた部分を凝視する。それから孔を閉め、部屋の最も暗い場所に目を向けるならば、円形の現象が眼前に浮かんでくるのが見えるであろう。この円の中心は明るく無色でやや黄色に見えるに違いないが、縁《ふち》は直ちに深紅色に現われるであろう。

しばらく経過すると、この深紅色は縁から内部に向かって円全体をおおい、最後には明るい中心点をまったく駆逐してしまう。しかし、円形全体が深紅色に見えるようになるやいなや、縁は青くなり始め、青色が深紅を徐々に内部のほうへ押しのけていく。この現象が完全に青色になると、縁は暗くあやめも分かぬようになる。かなりしてから、あやめも分かぬ縁は青色をまったく駆逐し、その空間全体はあやめも分かぬようになる。円形の像はそれからしだいに衰退し、弱くなると同時に小さくなっていく。ここでもまた、網膜が継起的な振動によって外部からの強烈な印象に対して徐々に視力を回復していくのが見られるのである（三五、三六）。

四　この現象の時間単位の関係[*59]を私の眼について調べたところ、数回の実験における一致した結果は次のようであった。

まばゆい像を五秒間注視してから、私は引き蓋を閉ざした。すると有色の幻像が浮かんでくるのが見え、十三秒後にそれはまったく深紅色になった。それからまた二十九秒経過すると全体は青色に見え、四十八秒たってから無色になって私の眼前に浮かんだ。眼を閉じたり開けたりすることによって私はその像を繰り返し甦らせることができたので（三七）、それは七分経過したあとで初めて完全に消え去った。

今後これを観察しようとする人は、その眼が強健であるか虚弱であるかに従って、これらの時間単位に長短があることを認めるであろう（三三）。しかし、それにもかかわらず、もしそこにある一定の比例関係を発見することができるならば、大いに注目すべきことであろう。

四二　しかし、この奇妙な現象がわれわれの注意を喚起したかと思うと、われわれはすぐにこの現象の新しい変化に気づく。

前述のように光の印象を眼の中に取り入れてから、適度に照らされた部屋の中で淡灰色の対象を注視すると、ある現象が再びわれわれの眼前に浮かんでくる。しかし今度のは暗い現象で、それは徐々に外側から緑色の縁でかこまれ、この縁はまえの深紅の縁と同様、内部に向かって円全体に広がっていく。これが起こってしまうと今度は汚ない黄色が見られるが、これは先の実験における青と同じように円形を隈なく満たし、最後にあやめも分かぬ状態に陥ってしまう。

四三　これら二つの実験は、適度に明るい部屋の中で黒と白の図版を並べて置き、眼が光の印象を保持しているあいだに、白と黒の図版を交互にじっと見つめるようにすれば、うまく結び合わせることができる。そうすると、最初は深紅と緑色の現象を代わる代わる、引きつづき残りの現象を認めるであろう。そればかりでなく、よく練習すれば、眼前に浮かんでくる現象を二つの図版が隣接するところへもっていくようにすることにより、二つの相対立する色彩を同時に見ることができる。このことは、図版が少し離れたところに立てかけてあればそれだけ容易に行なわれる。そうすれば視覚現象が大きく見えるからである。

四四　夕方私はたまたまある鍛冶屋にいたのであるが、ちょうどそのとき、灼熱した鉄塊がハンマーの下に置かれた。私はそれをじっと見つめてからうしろを振り向き、偶然、入口が開いたままの石炭小屋の中をのぞきこんだ。するとものすごい深紅色の像が眼前に浮かび、私が眼を暗い入口から明るい板壁のほうへ転じたとき、この現象は、素地が暗いか明るいかに従って、半ば緑色、半ば深紅色に見えた。この現象の漸消ということに当時私はまだ注意しなかった。

四五　網膜の全体的眩惑の漸消もいま叙述したような輝くばかりの像の漸消の場合と同様である。雪に眼をそこなわれた人々が見る深紅色も、日光に照らされた白い紙を永いあいだ注視したあとの暗い対象のきわめて美しい緑色もこれに属している。その詳しい事情がどうなっているのかを今後研究する人々は、科学のためになおいくらか耐え忍べるような若々しい眼をもっていなければならないであろう。

四六　夕映の中で黒い活字が赤く見えるということも同じくこれに属している。フランスのハインリヒ四世がさいころ遊びをするためにギーズ公爵と向かい合って坐ったテーブルの上に血の滴《したた》りが現われたという物語も、おそらくこれと同じである。

第五章　有色の像

四七　われわれが生理的色彩を認めたのは、まず第一に無色のまばゆい像の漸消にさいしてであり、次に漸消する一般的な無色の眩惑の場合にさいしてであった。これと類似の現象はすでに特殊化されたある色彩が眼に提供される場合に見出される。そのさいわれわれは、これまで経験してきたことをすべて念頭においておかなければならない。

四八　無色の像の印象と同様に有色の像の印象もまた眼に残る。ただそのさい、対抗関係をとるよう強く促され、対立によって全体性を生み出す網膜の活発さがわれわれにはいっそう明らかになる。

四九　鮮かな色彩の紙[*60]または絹布の小片を適度に照らされた白い衝立《ついたて》のまえにかざし、その小さな有色の面をじっと眺め、眼をそらすことなしに、これをしばらくしてから取り除くがよい。そうすると、他の色彩の視覚現象が白い衝立の上に見えるであろう。有色の紙片をそのままにしておき、白い衝立の他の場所に眼を移すこともできるが、あの有色の現象はそこでも見られるであろう。なぜなら、この現象は、いまや眼に属している像から生ずるからである。

五〇　この対立によってそもそもいかなる色彩がほんらい呼び起こされるかを簡単に知るた

めには、われわれの図版の中の彩色をほどこした色相環を利用するとよい。この色相環は全体として自然に即した仕方で作成されており、ここでもなかなか役に立つのである。というのは、その中で直径上に相対立する色彩は、眼の中で相互に要求し合うものにほかならないからである。そこで黄は菫を、橙は青を、深紅は緑を要求し、またその逆も行なわれる。このようにあらゆる色調は交互に要求し合い、単純な色彩は複雑な色彩を、複雑な色彩は単純な色彩を要求するのである。

五一　ここに属する種々の場合は、われわれが考える以上にしばしば日常生活において現われる。注意深い人はこれらの現象をいろいろなところで目にするのであるが、それらはこれに反して、教育のない一部の人々やわれわれの祖先たちによって消失性の欠陥とみなされ、往々にして眼病の徴候ででもあるかのように、憂慮の念をかきたててきた。ここで二、三の著しい場合を挙げることにしよう。

五二　夕方私がとある酒場に立ち寄り、透き通るように白い顔をした、黒い髪の、真赤な胸衣を着た、立派なからだつきの少女が私のいる部屋へ入ってきたとき、私は少し離れたところで私のまえに立っている彼女を、薄明りの中でじっと見つめた。しばらくして彼女がその場から立ち去ると、私は向かい側の白い壁の上に[*61]、黒い顔が明るい輝きに包まれているのを見た。輪郭のはっきりした残りの衣服は美しい淡緑色に見えた。

五三　光学的装置のなかに、自然が示すのとは正反対の色彩と陰影とをもった胸像画[62]があり、これをしばらくのあいだじっと見つめていると、仮像がかなり自然のままに見えてきたと言う人がいる。このことがらそれ自体は正しく、経験にかなっている。なぜなら、前記の場合、白いえり飾りをした黒人の女だったら黒でかこまれた白い顔を出現させたに違いないからである。ただ、あの通常小さく描かれた胸像画の場合には、仮像の諸部分を知覚することはだれにでもできるわけではない。

五四　かなり早くから自然研究者の注意を喚起してきたある現象も、私の確信しているところによれば、これらの現象から導き出される。人の話では、ある種の花は夏の夕刻にいわばきらめくように輝いたり、燐光を発したり、瞬間的な光を放射したりするとのことである。二、三の観察者はこれらの経験をもっと正確に記述している。

この現象を自分でも見ようと私はしばしば努力し、それを出現させるために人為的な実験さえ行なった。

一七九九年六月十九日、夕方遅く、明澄な夜になろうとする黄昏《たそがれ》どきに私が一人の友人[63]と庭をそぞろ歩きしていたとき、われわれは、他の花に優って強烈な赤い色をした東洋産のケシの花の近くに炎に似たようなものをはっきりと認めた。われわれはこの多年性植物のまえに立って注意深くその上を眺めたが、もはや何も認めることはできなかった。しかし、もう一度そぞろ歩きしながら横のほうからそれを凝視したとき、われわれはついにこの現象を思いのままに繰り返すことに成功した。ここで判明したのは、それが生理的色彩現象であり、あの閃光のようなものがほんらい要求された青緑色をした花の仮像にほかならないということである。

この現象は、花を正面から見つめた場合には現われてこないが、視線を動かしただけでもそれは起こるに違いない。しかし、横目で見やると瞬間的な二重現象が生じ、そのさい仮像は実像のすぐ傍らに接して認められる。

黄昏どきが原因となって眼は充分に休息し感じやすくなっている。それに、ケシの色はひじょうに強烈なので、日の長い夏の黄昏どきにさいしてもなお完全に作用し、要求された像を喚起することができるのである。

私は、この現象を実験にまで高め、造花によっても同一の効果を生じさせることができると確信している。

ところで、自然の中でこの経験をする準備をしたいというのであれば、庭を歩きながら色どり豊かな花をじっと見つめ、直ちに砂道に目を転ずることになれるとよい。そうすると、この砂道が正反対の色の斑点でまき散らされているのを見るであろう。この経験は曇天のさいにうまくいくのであるが、きわめて明るい太陽の輝きのもとでもよい。太陽の輝きは花の色を高めることにより、花が要求された色彩を強烈に出現させることを可能にし、この色彩をまばゆい光のもとでさえなお認められる。そこでたとえば、シャクヤクは美しい緑色の視覚現象を、キンセンカは鮮かな青色の視覚現象を出現させるのである。

五五　有色の像を用いた実験にさいして網膜の個々の部分に色彩変化が法則的に生起するように、網膜全体がただ一つの色彩で刺激される場合にも、同じことが起こる。われわれがこれを納得することができるのは、色ガラスを眼に当てた場合である。青いガラスを通してしばらく眺めるがよい。そうすると外界はその後、それを取り去った眼に、たとえ曇天で秋の無色の風景であっても、あたかも太陽に照らされたように見えるであろう。同様に緑色のサングラスをはずすと、種々の対象は赤味のある輝きを帯びて見える。それゆえ、私の思うに、眼を保護するために緑色のガラスや緑色の壁紙を用いるというのは、あまり感心したことではない。なぜなら、一定の特殊な色彩はすべて眼に無理な作用を及ぼし、視覚器官に対抗関係をとることをしいるからである。

五六　これまでわれわれは、正反対の色彩が[*64]継起的に網膜上で互いに要求し合うさまを見てきたのであるが、われわれになお残されていることは、この法則的な要求が同時的にも存立しうるかどうかを経験することである。網膜の一部に有色の像が描かれると、残りの部分は直ちに、前述の対応した色彩を生み出しやすい状態になる。先の実験を継続し、たとえば白い面のまえで黄色の紙片を見つめると、眼の残りの部分はもう、この無色の面上に菫色を出現させやすい状態にある。ただ、わずかばかりの黄色では、この作用を明確に惹き起こすほど強力ではない。しかし、黄色の壁に白い紙を宛てがうと、その紙が菫色の色調でおおわれて見えるであろう。

七七 これらの実験はすべての色彩で行なうことができるが、緑と深紅は互いに著しく呼び起こし合うので、特にそれに適している。日常生活においても、われわれはしばしばこれらの場合に出会う。縞模様あるいは花模様のモスリンを通して緑色の紙が見えると、その縞あるいは花の模様は赤味を帯びて見えるであろう。緑色の引戸の窓を通して灰色の家を見ると、同様に赤味を帯びて見える。波立ち騒ぐ海の深紅色もまた要求された色彩である。波の照らされた部分はその固有の色で緑色に見え、陰になった部分は正反対の深紅に見えるのである。眼に対する波の異なった角度も同様の作用を惹き起こす。赤あるいは緑のカーテンの何かの孔を通して眺めると、外界の対象は要求された色彩に見える。そのほかこれらの現象は、注意深い観察者にはいたるところで、煩わしいほどにまで示されるであろう。

七八 これまでわれわれはこれらの作用の同時的な面を種々の直接的な場合に見てきたが、

それらはまた反対の場合にも認めることができる。鮮かな橙色で彩色された紙片を白い面の前にかざして、それをじっと眺めても、その面の残りの部分に要求された青を知覚することは、とうていできないであろう。しかし橙色の紙を取り除き、その場所に青色の仮像が現われると、それが生き生きと作用している瞬間に、残りの面はあたかも稲妻に照らされたかのように赤味を帯びた黄色の輝きでおおわれ、この法則性の生産的な要求を観察者にまざまざと直観させることであろう。

五九　要求された色彩は[*65]、それらが存在していないところでは、要求している色彩とならんで、またその色彩のあとに容易に現われるのであるが、それらがすでに存在しているところでは高められる。灰色の石灰岩で舗装され、舗石のあいだから草が生い茂っていたある中庭でのことである。夕焼雲が赤味がかった微光を舗石の上に投げかけたとき、草の緑は限りなく美しく見えた。逆の場合、ほどよく晴れた空のもとで牧場を散歩し、一面緑しか目にしない人は、しばしば、樹木の幹や道路が赤味を帯びて光り輝くのを見る。風景画家、特に水彩画家のもとでこの色調がしばしば見出される。おそらく彼らはそれを自然の中で見かけ、無意識のうちにそれを模倣するのであるが、彼らの作品は不自然であると非難されてしまう。

六〇　これらの現象はきわめて重要である。なぜなら、それらは視覚の法則を指し示しており、今後色彩を考察するために必要不可欠の準備となるからである。眼はそのさいまったく自己ほんらいの性質に従って全体性を求め、自分自身の内部で色相環を完結する。黄色によって要求された菫色の中には赤と青が、橙色の中には黄と赤があり、青がそれに対応している。緑は青と黄を合一して赤を要求し、種々異なった混合のあらゆる色調においても同様である。この場合、三つの原色[*66]を容認せざるをえないことは、つとに観察者たちによって指摘されていた。

六一　全体性の中にその構成要素がなお認められる場合、それを調和と呼んでなんらさしつかえないのであるが、色彩調和の理論がこれらの現象からいかに導き出され、また色彩がこれらの性質によってのみ美的使用のために用いられうるということは、広範な観察領域を一巡し[*67]、出発点に戻ってきたときに引きつづき示されなければならない。

第六章　有色の陰影

六二　しかしながら先に進む前に、われわれはなお、これらの並列して存在する生き生きと要求された色彩の最高に注目すべきいくつかの場合を観察しなければならない。すなわち、われわれは有色の陰影[*68]に注意を向けなければならない。これらに移行するために、われわれはとりあえず無色の陰影を考察することにする。

六三 太陽によって白い面に投げかけられた陰影は、白日の光が作用している限り、われわれになんらの色彩の感覚を与えない。それは黒く見えるか、逆光が射し込んでくる場合には弱まり、いくぶん明るくされ、灰色に見える。

六四 有色の陰影が生ずるためには二つの条件が必要である。第一に、効果的な光がなんらかの仕方で白い面を着色すること、第二に、逆光が投げかけられた陰影をある程度照らすことである。

六五 黄昏どき、白い紙の上に低く燃えるロウソクを立て、ロウソクと傾く日の光のあいだに一本の鉛筆をまっすぐに立てて、ロウソクの投ずる陰影が弱い日光によって明るくされはするが消されはしないようにすると、その陰影はいとも美しい青色に見えるであろう。

六六 この陰影が青色であることは、[*69]すぐに気がつく。しかし、よほどよく注意しなければ、あの白い紙が赤味を帯びた黄色の面として作用し、この輝きによってあの青色が眼の中で要求されたということを確信することはできない。

六七 それゆえあらゆる有色の陰影にさいして、それらが投げかけられた面上に、惹起された色彩の存在することを推測しなければならない。事実この色彩は、注意して観察することによってよく認められる。しかしながらそのまえに、次の実験によって納得するとよいであろう。

六八　夜間、二本のロウソクに火をともして向かい合わせに白い面の上に立て、一本の細い棒をその中間にまっすぐに立てて置くと二つの陰影が生ずる。それから一枚の色ガラスを取って一方の光のまえにかざし、白い面が着色されて見えるようにすると、その瞬間に、着色している光によって投げかけられ無色の光によって照らされた陰影は要求された色彩を示すであろう。

六九　ここで一つの重要な考察を行なうことになるが、われわれはあとでそれにたびたび立ち返ることになるであろう。色彩そのものは陰影的なもの（σχιερόν）である。それゆえキルヒャー[70]が色彩を「陰影でおおわれた光」（lumen opacatum）と呼んだのはまったく正鵠《せいこく》を射ている。色彩は、陰影と親近関係があることからわかるように、陰影ととかく結合したがり、機会さえあればその中で、またそれを通してわれわれのまえに現われてくる傾きがある。そこでわれわれは有色の陰影を扱ったついでにある現象にも言及しなければならないが、その導出による解明はあとで初めて行なわれることができる。

七〇　黄昏どき適当な時刻を選ぶと、射し込む日の光はまだロウソクの光によって完全に消し去られることのない陰影を投げかけることができ、その結果むしろ、二重の陰影[71]が生ずる。すなわち、一つはロウソクの光から外光に向かうもの、他は外光からロウソクの光に向かうものである。前者が青色であれば、後者は鮮かな黄色に見えるであろう。しかしこの鮮かな黄色はほんらい紙面全体にロウソクの光によって広げられた橙色がかった輝きにほかならず、これは陰影の中で目に見えるようになるのである。

七一　これについては、二本のロウソクと色ガラスを用いた前述の実験によって最もよく納得することができるのであるが、陰影が信じられないほど容易に色彩を帯びるということは、反射その他の現象を詳細に考察するさいにいくども話題になるであろう。

七二　実際こうして、観察者たちをこれまでひどく困らせてきた有色陰影の現象はたやすく導き出されるであろう。今後有色の陰影に留意する人はだれでも、それらの出現する明るい面が何色で彩《いろど》られているかを観察しさえすればよい。そればかりでなく、陰影の色を照明された面の着色測定器とみなすこともできる。なぜなら、陰影の色と対立する色彩を面上に推測し、注意して見ればどの場合にもそれを認めることができるからである。

七三　いまやたやすく導き出すことのできるこの有色の陰影のために人々はこれまで四苦八苦し、それらがたいてい戸外で観察され、主として青色に見えたので、空気に一種の隠れた青色の性質があり、これが青色に着色するに違いないと考えた。しかし室内でロウソクの光を用いたかの実験によって、青色の輝きあるいは反射がそのためになんら必要ないことを確信することができる。この実験は灰色の曇った日や白いカーテンを引いた室内でも行なうことができ、青色が少しもない部屋の中でこそ青色の陰影がひときわ美しく現われるからである。

七四 ソシュール[*72]は彼のモンブラン登攀《とうはん》記の中で次のように述べている。

「第二のきわめて興味ある観察は陰影の色に関するものである。陰影は平地ではしばしば暗い青色であったけれども、ここではどんなに注意して観察してもそうではなかった。反対に、五十九回のうち一回は黄色味を帯びて、六回は薄く青味がかって、十八回は無色または黒く、三十四回は淡い菫色に見えた。

二、三の物理学者たちは、これらの色彩がどちらかといえば、たまたま空中に散乱し陰影にその特有のニュアンスを付与する靄に由来し、特定の空気の色ないし反射した空の色によって惹き起こされるのではないとみなしているが、これらの観察は彼らの意見に有利なようにみえる。」

ソシュールが報告しているこれらの経験を、われわれはいまや容易に整理することができるであろう。

高い山頂では空はたいてい靄もなく澄んでいた。太陽はありったけの力で白雪に作用したので、雪は眼に真白に見え、この状況のもとで陰影は彼らにまったく無色に見えたのである。空気がわずかながら靄をはらみ、その結果、雪が黄色味がかった色調になったとき、菫色の陰影が生じた。しかも、これらが大部分であった。彼らは青味がかった陰影をも見たが、ずっと稀であった。青色と菫色の陰影がきわめて薄かったのは、晴朗な周囲のためであり、これによって陰影の強さが弱められたのである。一度だけ彼らは陰影が黄色味を帯びているのを見たが、これは先に（七〇）見たように、無色の逆光によって投げかけられ、着色するほんらいの光によって照らされた陰影である。

七五　ある冬のハールツ旅行のおりに、*73 私は夕方、ブロッケン山から降りてきた。広い斜面は上も下も雪に閉ざされ、荒野は雪におおわれ、点在する木々と突き出た岩角はもちろん、すべての樹林と岩石には霜が降りていて、太陽はいましもオーデルタイヒェのほうへ沈んでいくところであった。

日中、雪の色調が黄色味がかっていたときすでに淡い菫色の陰影が見えたが、夕陽を浴びた部分から赤味を増した黄色*74 が反照してきたとき、陰影はいまや青紫色といわざるをえなかった。

しかし、ついに日没のときが近づき、濃い靄によってかなり弱められた太陽の光芒が私の周囲の世界をえもいわれぬ美しい深紅色でおおったとき、陰影の色はさっと緑色に変わった。その明澄さは海水の淡緑色に、その美しさはエメラルドと比較して遜色のないものであった。その現象は刻一刻と精彩を帯び、妖精の世界にいる心地がした。というのは、すべてのものが生気あるきわめて美しい二つの調和する色で彩られ、やがて日没とともに、この華麗な現象は灰色の薄闇となり、しだいに月と星の輝く夜の中に消えていったからである。

七六　有色陰影の最も美しい場合の一つを満月のさいに観察することができる。ロウソクの光と月の光は完全に均衡を保たせられることができる。両方の陰影は同じ強さ同じ明確さで提示されうるので、両方の色も完全に平衡を保つのである。満月の光のほうに向かって衝立を置き、少し横のほうに適当な間隔をおいてロウソクを立て、衝立のまえに不透明な物体をかざす。すると二重の陰影が生ずる。しかも、月が投げかけロウソクの光によって照らされる陰影は著しく赤味を帯びた黄色に、逆にロウソクが投げかけ月によって照らされる陰影はいとも美しい青色に見えるであろう。両方の陰影が重なって一つに合わさるところでは黒である。黄色の陰影はおそらくいかなる方法をもってしてもこれより著しく現われることはない。青色の陰影がすぐ近くにあることと、介在する黒い陰影がこの現象をいっそう快適なものにする。それればかりでなく、永いあいだ衝立を見つめていると、要求された青色が要求するほうの黄色をさらにまた要求しながら高進させて橙色にまで駆りたて、これはこれでまたその反対色である一種の淡緑色を出現させるのである。

七七　ここで述べておかなければならないのは、要求された色彩を出現させるためにはたぶん、時間的要因を必要とするということである。網膜は、要求された色彩がはっきり認められるようになるまえに、まずもって要求するほうの色彩によって充分に刺激されていなければならないのである。

七八 潜水夫が海にもぐって、日の光が潜水鐘の中へ射し込んでくると、彼らの周囲の照らされたものはすべて深紅色である（その原因は後述する）。これに対して陰影は緑色に見える。私が高い山の上で体験したのとまったく同一の現象を（七五）彼らは深い海の中で認めるのであるが、自然はこのように[*75]徹底的に自分自身と一致しているのである。

七九 有色の像と有色の陰影に関する二つの章のあいだにいわば挿入される二、三の経験と実験をここで追加することにする。

冬の夕暮どき、部屋の窓の内側に白い紙戸を取りつけ、この戸にたとえば隣の屋根の雪が見えるような孔を開ける。外がまだいくらか薄明るくて、部屋にロウソクがともされると、孔を通して見る雪はまったく青色に見えるであろう。なぜなら、ロウソクの光によって紙が黄色に着色されているからである。孔を通して見る雪はここで、逆光によって照らされた陰影、あるいはこう言ってよければ、黄色の面上の灰色の像の代わりになるのである。

八〇 もう一つのひじょうに興味深い実験でこの章を終わることにしよう。

厚味のある緑色のガラス板を手に取り、その中に窓の十字の桟を反射させると、これらの桟は二重に見えるであろう。しかも、ガラスの下の表面からくる像は緑色で、これに反して、上の表面から生じほんらい無色であるべき像は深紅色に見えるであろう。底が鏡面のようになっていて[*76]水で満たすことのできる容器を使えば、この実験はひじょうにうまくいく。透きとおった水のもとでまず無色の像を示し、次に水を着色しながら有色の像をつくり出すことができるからである。

第七章　弱く作用する光

八〇　強いエネルギーの光は純粋に白く見える。光はこの印象を最高度の眩しい状態においても与える。その強い作用を充分に発揮できない光も、種々異なった条件のもとではなお無色のままでありうる。いく人もの自然研究者と数学者たちがこの光の段階を測定しようと努力した。ランベルト[*77]、ブゲール[*78]、ラムフォード[*79]など。

八一　しかしながら、弱く作用する光の場合にすぐ色彩現象が見られる。これらの光は漸消する像の場合と同じ関係にある（三九）。

八二　何かある光が弱く作用するのは、そのエネルギーがなんらかの仕方で減少させられるか、眼がその作用を充分に経験できないような状態に陥る場合である。前者の現象は客観的と呼ばれうるのであるが、それらは物理的色彩のところで述べられる。われわれはここでは、灼熱した鉄が白熱から赤熱の状態にまで移行していくことに言及するにとどめる。これに劣らず付言したいのは、ロウソクが夜間でも、眼から遠ざけられるに従って赤味を増すということである。

八四　夜に見るロウソクの輝きは近くでは黄色の光として作用する。われわれはこれを他の色彩に及ぼす作用にもとづいて認めることができる。淡黄色は夜間ほとんど白と区別できない。青は緑に近づき、バラ色は橙色に近づく。

八五　黄昏どきのロウソクの光の輝きは活発に黄色の光として作用する。これを最もよく実証するのは、この機会に眼の中で呼び起こされる青色の陰影である。

八六　網膜は強い光によってはなはだしく刺激を受けると、弱い光を知覚できないことがある（一一）。網膜がこれらの光を知覚すると、それらは色彩を帯びて見える。ロウソクの光が昼間、赤味を帯びて見えるのはそのためである。それは漸消する光の場合と同様である。そればかりでなく、夜間ロウソクの光を永いあいだじっと見ていると、ますます赤く見えてくる。

八七　弱く作用する光でも、白ないしせいぜい淡黄色の印象を網膜に与えることがある。たとえば、こうこうと照る満月がそうである。腐った木には一種の青味がかった輝きさえ見られる。これらすべてについては後でまた論ずることにしよう。

八八　夜間、白または灰色がかった壁の近くに一本のロウソクを立てると、壁はこの中心点からかなりの範囲にわたって照明されるであろう。そこから生ずる円形を少し離れたところから眺めると、照明された面の縁[*80]は黄色の、外側に向かって赤味を帯びた黄色の円にかこまれて見える。ここでよく注意すると、光は、輝きながらまたは反射しながらその最大のエネルギーでわれわれに作用しないときには、われわれの眼に黄色、赤味がかった色、最後には赤色そのものの印象を与えることがわかる。われわれが次章において、発光する点の周囲にいろいろな仕方で見るのを常とする暈《かさ》の現象に移行するゆえんである。

第八章　主観的暈

八九　暈は主観的と客観的とに分類することができる。後者は物理的色彩のもとで扱われ、ここに属するのは前者だけである。主観的暈[*81]が客観的暈から区別される点は、それらを網膜上に生じさせる発光体をおおい隠してしまうと消失してしまうことである。

九〇　先にわれわれは発光する像が網膜に与える印象と、この像が網膜上で拡大されるありさまを見た。しかし、その作用はこれでまだ完了してはいない。それは像としてだけでなく、エネルギーとして自分を越えて作用する。すなわちそれは中心点から周辺に向かって広がるのである。

九一　発光する像のまわりのこのような光輪がわれわれの眼の中で惹き起こされることは、暗室の中で、鎧戸に開けた適当な大きさの孔のほうを眺めるときに最もよく見ることができる。ここで明るい像は円いぼんやりした輝きに取りかこまれている。

このようなぼんやりした輝きが黄色と橙色の輪でかこまれているのを見たのは、私がいく晩も寝台車の中で過ごし、毎朝しののめの光を浴びながら眼を開けたときのことである。

九二　暈は、眼が充分に休息し感じやすくなっているときに最も鮮明に現われる。暗い背景のまえでもこれに劣らない。われわれが夜分目をさまし、ロウソクが持ってこられるときに、暈をあのように強く見るというのは、これら二つの原因があるからである。これらの条件が重なったために、デカルト[*82]は、船の中で坐ったまま眠ってしまったとき、ロウソクの光のまわりに鮮明な色彩の輝きを見たのである。

九三　暈が眼の中で惹き起こされるためには、光は適度に輝かねばならず、眩しくてはならない。少なくとも、眩しい光の暈は知覚されえないであろう。水面から反射して眼に映る太陽のまわりには、このような燦然《さんぜん》とした暈が見られる。

九四　精確に観察すれば、このような暈はその縁のところで黄色の辺《へり》で隈どられている。しかしここでも、かのエネルギーの強い作用はまだ終わっておらず、周期的な輪をなしてさらに進んでいくようにみえる。

九五　網膜の環状の作用を示唆する場合は数多くある。この作用が眼そのものとその種々の部分の丸い形によって惹き起こされるのか、何かほかに原因があるのかは、いまあえて問わない。

九六　眼をまなじりの内側からちょっとだけ押すと、暗い輪あるいは明るい輪が生ずる。夜間しばしば、このような圧迫なしにも継起的な明暗の輪を認めることができるが、それらは一つ一つ他のものから展開し、また他のものによって吸収されていく。

九七　われわれはすでに、近くに置かれたロウソクの光によって照明された白い空間のまわりに黄色の縁があるのを見た。これは一種の客観的暈であろう（八八）。

九八　われわれは主観的暈を光と生きた空間との衝突ないし葛藤と考えることができる。動かすものと動かされるものとの衝突から生ずるのは波動状の運動[*83]である。水面の波紋の比喩を使えばわかりやすい。投げ込まれた石は四方八方に波を立てる。その作用は最高の段階に達し、次に漸消し、反対の最低段階にいたる。作用は続行し、新たな頂点に達して、波紋の輪が繰り返される。水を入れたグラスの縁を摩擦することによって音を出させようとするときに生ずる同心円的な波紋を想起するならば、また鐘の音が漸消するさいの断続的な震動を思い起こすならば、網膜が発光体によって照射されたとき網膜上に起こることを、かなりよく想像できるであろう。ただ網膜は生きた器官としてすでに、その組織の中にある種の環状の性質をそなえているのである。

九九　発光する像のまわりに現われる明るい環状面は黄色か赤で終わっている。それにつづいて緑がかった輪があり、これは赤い縁で隈どられている。これは、発光体がある程度大きい場合に、ふつうの現象のようである。これらの暈は、発光する像から遠ざかれば遠ざかるほど大きくなる。

一〇〇　しかし暈は、最初の刺激が小さくかつ強烈な場合、眼の中でも限りなく小さく多様に現われることがある。実験が最もうまくいくのは、地上に置いてある一片の金箔が太陽によって照射されるときである。これらの場合に暈は雑多な有色光線となって現われる。木の葉もる日の光が眼の中に惹き起こすかの有色の現象も、ここに属しているように思われる。

病理的色彩——付録

一〇一　生理的色彩をわれわれはいまや充分に研究したので、それらを病理的色彩[84]からはっきり区別することができる。われわれは、いかなる現象が健康な眼に属し、またこの器官が完全な生き生きとした活動状態を示すためにいかなる現象が必要であるかを知っている。

一〇二　病的な諸現象も等しく有機的および物理的法則を指し示している。なぜなら、ある特殊な生物が自分を形成する規則から逸脱すると、それは普遍的生命をめざしてつねに法則的な道をたどり、その全道程において、世界生成の根源でありかつ世界を統括しているかの根本原理をわれわれに如実に示してくれるからである。

一〇三　われわれはここでまず、多くの人々の眼のきわめて注目すべき状態について語ることにする。この状態が色彩を見る通常の仕方から逸脱している限り、それは病的な状態に属していると思われる。しかしそれが規則的であり、しばしば見受けられ、いく人もの家族の成員にまで及び、おそらく治療されえないので、われわれがそれを極限におくのは当然である。

一〇四　私はこの障害のある二人の青年[85]と面識があった。年は二十歳を越えていなかったが、二人とも青味がかった灰色の眼をしており、視力は遠くでも近くでも日光のもとでもロウソクの光のもとでも鋭く、色彩を見る仕方は主要な点においてまったく一致していた。

一〇五　彼らがわれわれと一致している点は、白と黒と灰色をわれわれと同じやり方で呼ぶことである。二人とも白を他の色と混和することなく見ることができた。二人のうち一方は黒を見て、やや褐色を帯びたものを、灰色を見て赤味がかったものを認めると言い張った。全般的に彼らは明暗の微妙な違いを繊細に感じとっているように見える。

一〇六　彼らはわれわれと同じように黄色と赤味を帯びた黄色および橙色を見ているようである。橙色について彼らは、いわば赤の上に黄色が浮かんでいるようで、ちょうど上薬をかけられたように見えると言っている。コーヒー茶椀の受け皿の真中に濃く塗って乾かしたカーミンをかれらは赤と呼んだ。

一〇七　しかしここで著しい差異が現われてくる。濡れたピンゼルでカーミンを白い食器の上にかるく塗ると、彼らはこの新しい明るい色を空の色と比較し、それを青と呼ぶであろう。これと並べてバラを示すと、彼らはバラをも青と呼び、何度テストをやってみても淡青色とバラ色を区別することができない。彼らはバラ色と青と菫色をまったく混同する。明暗と強弱のわずかなニュアンスによってのみこれらの色彩は彼らにとって互いに区別されるようである。

一〇八　さらに彼らは緑を濃い橙色と、特に赤味がかった褐色と区別することができない。

一〇九　彼らとの会話を成り行きにまかせ、眼の前にある対象についてだけ彼らに尋ねると、われわれははなはだ混乱し、気が狂いそうになる。これに反して、いくらかの方法をもってすれば、この反法則性にも法則性のあることがしだいにわかってくる。

一一〇　前述のことから明らかなように、彼らはわれわれより少ししか色彩を有しない。彼らが種々異なった色彩を混同するのはそのためである。彼らは空がバラ色でバラが青いと言ってみたり、逆のことを言ったりする。そこで問題になるのは、彼らには両方とも青またはバラ色に見えるのかどうか、彼らには緑が橙色に見えるのか、それとも橙色が緑に見えるのかどうかということである。

一一一　これらの奇妙な謎は、彼らが青をぜんぜん知らず[*86]、その代わりに稀釈した深紅色、すなわちバラ色ないし澄んだ淡赤色を見ると仮定すれば、解けるように思われる。象徴的にこの解答をさしあたり次のように考えてもよいであろう。

一一二　われわれの色相環から青を取り去ってしまうと、青と菫と緑が欠如する。純粋な赤は菫と青のところにまで広がり、それがさらに黄色に接触すると、緑の代わりにまたもや橙色を生じさせる。

一一三　この説明の仕方に充分な確信がもてるので、われわれは通常の視覚からのこの注目すべき逸脱を青色盲[*87]（Akyanoblepsie）と名づけ、わかりやすくするために、いくつもの図を描き彩色をほどこした。詳しいことはそれらを説明するさいにあとでまた述べるつもりである。そこにはまた一枚の風景画があり、これらの人間が自然をおそらくこう見ているに違いないという仕方に従って着色してある。すなわち空はバラ色で、緑のものはすべて黄色から赤褐色にいたる色調に保たれ、ほぼ秋のように見える。

二四　われわれが次に論じたいのは、網膜の病的な反応およびあらゆる反自然的、自然外的な奇妙な網膜の疾患であるが、これらの場合に眼は外部の光なしに光の現象を感ずることができる状態になる。ガルヴァーニ電気の光*88については保留にして、将来それに言及することにしたい。

二五　眼に衝撃が加えられると火花が飛び散るような気がする。さらにある種の身体的状態のもとで、特に興奮して感覚が高ぶっているときに、眼を始めのうちはそっと、しかししだいに強く押していくと、眩しい耐えがたいほどの光を惹き起こすことができる。

二六　手術を受けたそこひ患者は、眼に痛みと熱があるとき、しばしば強烈な閃光と火花を見る。この閃光はときおり一ないし二週間、とにかく痛みと熱が去るまで残っている。

二七　耳を病んでいた一人の患者は、痛みがつづいているあいだ、いつも眼の中に閃光や玉のようなものを見た。

二八　寄生虫病患者はしばしば眼の中に奇妙な現象を見る。それらはときに火花のようであったり、ときに光の幻影や恐ろしい形のものであったりするが、彼らはそれらを遠ざけることができない。それらを二重に見ることもある。

二九　ヒポコンデリー患者は糸や髪の毛のような、クモやハエやスズメバチのような形の黒いものをしばしば見る。これらの現象は黒そこひの初期にも現われる。多くの人々が見るのは、昆虫の羽のような半透明の細い管のようなものやいろいろな大きさの水泡である。これらは眼を上げると沈下し、ときにはちょうどカエルの卵のようにつながり、完全な球面に見えたりレンズ形に見えたりする。

三〇　上述のとおり光が外部の光なしに生ずるように、これらの像も外部の像なしに生ずる。それらは一時的のこともあれば、終生つづくこともある。そのさいしばしば色彩が加わることもある。というのは、ヒポコンデリー患者はよく眼の中に橙色の細いリボンのようなものを見るからである。これらは朝あるいは空腹時にいつもより激しく、かつ頻繁に現われてくる。

三一　何かある像の印象が眼の中にしばらく残留することを、われわれは生理的現象として知っているが(三三)、それに反して、このような印象があまりにも永く持続することは病的とみなされうる。

三二　眼が虚弱であればあるほど、像はそれだけ永く眼の中に残る。網膜はすぐには回復できないのである。この作用を一種の麻痺状態とみなすことができる（三八）。

三三　眩しい像についてこれはなんら不思議ではない。太陽を直視すると、その像は数日間も残存していることがある。ボイルは十年間つづいた場合を挙げている。

三四　同じことは、眩しくない像についても比較的よく起こる。ビュッシュ[*89]は自分自身のこととして、ある銅版画が細大もらさず十七分間もはっきり眼の中に残っていたと述べている。

三五　発作を起こしたり多血症になりやすかった数人の人々は、白い貝の模様のついた真赤なキャラコの像を何分間も眼の中に保有していて、それがヴェールのようにすべてのもののまえにかかっているのを見た。永いこと眼をこすったあとで初めてそれは消えてなくなった。

三六　シェルファーは、漸消する強い光の印象の深紅色は数時間も持続しうると述べている。

三七　眼球を圧迫することによって網膜上に光の現象を惹き起こすことができるように、圧迫が弱いと赤い色が生じ、いわば漸消する光が生み出される。

三八　多くの病人は、目をさましたとき、すべてのものが赤いヴェールを通して見るように朝焼け色になっているのを見る。たとえ彼らが夕方読書をしながら居眠りをして目をさました場合でも、同じようになるのが常である。それは何分間もつづき、眼を少しこすると必ず消えてしまう。そのさい時々、赤い星状か球状のものが現われる。この赤色視もかなり永いあいだ持続する。

一二九　軽気球乗りたち、特にツァンベッカリ[*90]とその一行は、最高度に上がったところでは月が血のように赤く見えたと主張している。われわれは地上の靄を通して月や太陽をこのような色で見るのであるが、彼らは地上の靄を越えて舞い上がったので、この現象は病理的色彩に属しているのではないかと推測される。すなわち、なれない状態によって五官が異常に刺激されているために、全身、特に網膜もまた一種の無感覚状態に陥るのかもしれない。それゆえ、月が最高に鈍い光として作用し、赤い色の感じを呼び起こすということは不可能ではない。ハンブルクの軽気球乗りたちには太陽も血のように赤く見えたとのことである。

　軽気球乗りたちが互いに話をしてもほとんど聴きとれないというのは、空気の稀薄さに劣らず、神経の麻痺状態に帰することができないであろうか。

一三〇　種々の対象は病人たちにはまたしばしば多彩な色をして見える。ボイルが語っているところによれば、ある婦人は高いところから落ちて片目をつぶしてからというものは、いろいろな対象、特に白い対象が耐えられないほどきらきら光って見えるとのことである。

一三一　医者たちが色視症（Chrupsie）と呼ぶのは、チフス性疾患、特に眼の疾患において患者が明暗の相接する種々の像の縁に有色の隈どりが見えると断言する場合である。おそらく硝子《ガラス》体液の中である変化が生じ、これによってその収色性が取り除かれてしまうのであろう。

一三二　白そこひの場合、患者ははなはだしく混濁した水晶体のために赤い輝きを見る。電気による治療の結果、この赤い輝きは徐々に黄色の輝きに、最終的に白色の輝きに変わり、患者は再び種々の対象を知覚し始めた。これから推論できたのは、水晶体の混濁した状態が徐々に透明に近づきつつあるということであった。この現象は、物理的色彩を詳しく知るようになれば、すぐ容易に導き出されるであろう。

一三三　黄疸の患者はほんとうに黄色くなった硝子体液を通して見るということが認められるならば、それはもう化学的色彩の分野である。これで容易にわかるように、われわれは色彩論の全領域を究めたあとで初めて、病理的色彩の章を完全に仕上げることができるのである。ここで暗示したものをあとで詳論できるようになるまでは、とりあえず現在の叙述で充分であろう。

一三四　ただこの章の終わりにあたり眼の二、三の特殊な性状についてなおいくらか予備的なことを述べておきたい。

画家の中には、自然の色彩を再現すべきであるのに、一般的な色調、すなわち暖かい色調とか冷たい色調を画面いっぱいに広げる者がいる。そこでまた多くの画家のもとである種の色彩に対する偏愛が見られ、他の者においては調和に対する感情がまったく見出されない。

八三五　最後になお注目に値するのは、未開の民族、無教養の人間、子どもがけばけばしい色彩をはなはだしく好むということ、動物がある種の色を見て怒り出すということ、また教養ある人間が衣服やその他の身のまわりのものにけばけばしい色彩を避け、これらを徹底的に自分から遠ざけようと努めるということである。

第二編　物理的色彩

一三六　物理的色彩[*91]とわれわれが呼ぶのは、それらを出現させるためにある種の物質的媒体を必要とする色彩のことである。しかし、これらの媒体そのものは無色であり、透明なものもあれば、曇って半透明なもの、またまったく不透明なものもある。この種類の色彩は、したがって、われわれの眼の中でこのような一定の外的原因によって生み出されるか、あるいはそれらがすでになんらかの仕方でわれわれの外部に作り出されている場合には、われわれの眼に投げ返される。これによってこれらの色彩に一種の客観性を容認するにしても、一時的であるということ、固定できないということは、やはり多くの場合それらの特徴である。

一三七　これらの色彩はそれゆえまた、昔の自然研究者たちのもとで、顕現的色彩、生成的色彩、消失的色彩、虚像的色彩、欺瞞的色彩、可変的色彩（colores apparentes, fluxi, fugitivi, phantastici, falsi, variantes）などと呼ばれている。同時にそれらは、その著しいすばらしさのために、華麗な色彩(speciosi)、強烈な色彩(emphatici)と名づけられている。それらは生理的色彩に直接つながり、ほんの少しだけより多くの実在性を有しているように思われる。なぜなら、生理的色彩の場合に作用するのは主として眼であり、われわれはそれらの現象をわれわれの内部においてしか提示することができず、われわれの外部に対しては提示できなかったのに対して、物理的色彩の場合においては、色彩が眼の中で無色の媒体によって惹き起こされるにしても、われわれはまた無色の面をわれわれの網膜の代わりにおき、そのうえで色彩現象をわれわれの外部に知覚することができるからである。しかしながら、そのさいわれわれがあらゆる経験にもとづいてはっきりと確信できるのは、ここでは既成の色彩ではなく、生成しつつある変化する色彩が問題になっているということである。

一三八 それゆえわれわれは、物理的色彩の場合には主観的現象と客観的現象を対比させ、しばしば両者の結合によっていっそう深く現象の本質に迫ることができる幸いな立場におかれているのである。

一三九 したがって、われわれが物理的色彩を知覚するさいの種々の経験の場合、眼はそれ自体で作用するものとしては考察されず、また光はけっして眼に対する直接的関係から考察されない。われわれが特に注意を向けるのは、媒体、特に無色の媒体によっていかに種々異なった条件[*92]が生ずるかということに対してである。

一四〇　このような事情のもとで、光には三様の条件が[*93]加えられることができる。第一に、光が媒体の表面から反射する場合で、光線反射（katoptrisch）の実験が論じられる。第二に、光が媒体の縁から照射する場合である。そのさい生ずる諸現象はかつて周辺（peri-optisch）現象と呼ばれたが、われわれはそれらを光線回折（paroptisch）現象と名づけることにする。第三に、光が半透明または透明な物体を通過する場合であり、これは光線屈折（dioptrisch）の実験である。第四の種類の物理的色彩をわれわれは薄膜干渉（epoptisch）現象と名づけたが、それはこの現象が先行する伝達（βαφή）なしに物体の無色の表面に種々異なった条件のもとで見られるからである。

一四一　われわれは色彩を生理的、物理的、化学的見地から主要な三編に分けて考察するのであるが、以上の分類項目をこれらの諸編と関連させて考えるならば、光線反射による色彩は生理的色彩と密接に関連し、光線回折による色彩はもうすでにいくらか分離してある程度まで自立的になり、光線屈折による色彩は物理的色彩そのものであることが明らかになり、まったく客観的な側面を有している。薄膜干渉による色彩は、その始まりにおいては外見的であるにすぎないとしても、化学的色彩への移行過程[*94]を示している。

一四二　したがって、われわれの論述を自然の手引きに従って連続的に進めていこうと思うならば、われわれはいま述べたばかりの順序でしか今後ともやっていかなければならないであろう。しかし教示のための論述において大事なことは、問題になっていることがらを結びつけることではなく、むしろそれらをよく分離することである。それは、個々のすべてのことがらが会得されたあとで初めて、大きな統一性が特殊なものを吸収したほうがよいからである。そこでわれわれは直ちに光線屈折による色彩へと向かい、読者をすぐに物理的色彩の核心[*95]へ導き、その種々の性質をいっそう顕著なものにしたいと思う。

第九章　光線屈折による色彩

一四三　光線屈折による色彩とは、その生成のために無色の媒体が必要とされるものを言い、光と闇がそれを通して眼または反対側の面に作用を及ぼす。したがって、媒体が透明であるか、少なくともある程度まで半透明であることが要求される。

一四四　これらの条件に従ってわれわれは光線屈折現象を二つの部類に分け、第一類に半透明の曇った媒体の場合に生ずる現象を、第二類には、媒体があたう限り最高度に透明な場合に現われてくる現象を入れることにする。

第十章　第一類の光線屈折による色彩

一四五　われわれが空虚なものと考える空間は、われわれにとってまったく透明な性質をそなえているであろう。ところが、この空間が何かで満たされ、しかもわれわれの眼が充満したものを知覚できない場合、物質的な、多かれ少なかれ物体的な透明な媒体が生ずる。これは空気ないし気体状、液体状または固体状でありうる。

一四六　純粋な半透明の曇りは透明なものから導き出される。したがって、それはまた先に述べた三様の仕方で現われうる。

一四七　完全な曇りは白である。空間を充満したときの最も未決定な、最も明るい最初の不透明な状態である。

一四八　透明なものそのものも、経験的に眺めれば、すでに曇りの第一段階である。この曇りからさらに不透明な白にいたる諸段階は無限である。

一四九　曇りをその不透明な状態になるまえのどの段階に固定しようとも、それを明暗と関係させるならば、単純かつ重大な現象がそれによって得られる。

一五〇　太陽の光や酸素の中で燃焼する燐光のように最高に強いエネルギーの光は眩しくて無色である。そこで恒星の光もたいてい無色でわれわれのもとに届く。しかし、この光をほんの少しでも曇った媒体を通して[*96]眺めると黄色に見える。このような媒体の曇りが増すか、その濃さが増大するならば、光はしだいに橙色を帯びるようになり、これはついには紅玉色にまで高められる。

一五一　これに反して、射し込む光に照らされた曇った媒体を通して闇を見ると青い色が現われる。そしてこの色は媒体の曇りが増せば増すほどますます明るく淡くなり、これに反して曇りが透明に近くなればなるほどますます暗く濃く現われてくる。そればかりでなく、曇りの度合いが最小の純粋な段階ではいとも美しい菫色として眼に感じられる。

一五二　この作用は記述したとおりの仕方でわれわれの眼の中で行なわれ、したがって主観的と呼ばれうるのであるが、われわれは種々の客観的な現象によってもさらにいっそうこの作用を確かめることができる。なぜなら、そのように適度に弱められ曇らされた光は外界の対象にも黄色や橙色や深紅の輝きを投げかけ、闇の作用が曇りを通してそれほど強く現われてこないにしても、青空は暗箱（Camera obscura）の中でまったく明瞭に他のあらゆる物体の色とならんで白い紙の上に現われるからである。

一五三　この重要な根本現象[*97]の現われる種々の場合を検討するにさいして、われわれがまず第一に大気中の色彩に言及するのは当然である。これらの色彩の大部分はここに配列されうるからである。

一五四　太陽は、ある程度の靄を通して見ると、黄色味がかった円板の形を現わす。縁がすでに赤くなっているときでも、中心部はまだ眩しいほど黄色のことがしばしばある。濃霧（一七九四年、北欧もこれに襲われた）のさい、それ以上に南欧の各地でシロッコ*98という熱風が吹き荒れる気象状況のもとでは、太陽だけでなく、後者の場合にふつう太陽をおおってしまう雲も紅玉色に見える。雲は太陽の色を反映して逆照射するのである。

朝焼と夕焼も同じ原因から生ずる。太陽の出現は一面の赤によって告げ知らされるが、それは太陽がかなり大量の靄を通してわれわれのところまで光を放つからである。日が高くなればなるほど、輝きはそれだけ明るく黄色くなっていく。

一五五　無限の空間の闇を日光によって照らされた大気の靄を通して見ると、青い色が現われる。昼間、高い山の上で空が藤紫色に見えるのは、ごくわずかの微細な靄しか無限の闇の空間のまえに浮かんでいないからである。谷間に降りていくやいなや青色は明るくなり、ついにある地点で靄が増すにつれて完全に白っぽい青に移っていく。

一五六　同様に山々も青く見える。というのは、われわれが山々を遠く離れたところから眺め、部分的な自然色はもはや見えなくなり、それらの表面からもはやいかなる光もわれわれの眼に作用しなくなると、山々はたんなる暗黒の対象と同じものになり、これがいまや介在する曇った靄を通して青く見えるのである。

一五七　われわれはまた身近な対象の陰影の部分を、空気が微細な靄で飽和しているときに青いと感じる。

一五八　これに反して、雪山が遠く離れたところから見ても依然として白く、どちらかといえば黄色味を帯びているのは、それらが靄の大気圏を通してもなお依然としてわれわれの眼に明るいものとして作用するからである。

一五九　ロウソクの光の下部に見られる[*99]青い現象もまたこれに属している。炎を白地のまえにかざすと、青いものは何も見えないであろう。これに反して青い色は、炎を黒地のほうに向けてかざすと直ちに現われるであろう。この現象は一さじのアルコールに火をつけたときに最も顕著に現われる。こうしてわれわれは炎の下部を一種の靄とみなすことができるが、これは限りなく微細とはいえ暗い面のまえで目に見えるようになるのである。それはひじょうに微細なので、それを通して容易に字を読むことができるほどである。これに反して、対象をおおい隠してしまう炎の尖端部は、一つの発光体とみなすことができる。

一六〇　ところで煙[*100]も同様に曇った媒体とみなすことができ、明るい素地のまえでは黄色にあるいは赤味を帯びて、暗い素地のまえでは青く見える。

一六一　さて液体状の媒体に向かうならば、いかなる水もかすかに混濁されるだけで同一の効果を生み出すことがわかる。

一六二　昔大きなセンセーションを巻き起こした白檀（Guilandina Linnaei）の浸出液[*101]は、濁った溶液にすぎず、木製の暗い色の杯の中では青く見えるが、透明なグラスに入れて太陽のほうにかざすと必ずや黄色の現象を示すに違いない。

一六三　数滴の香水、アルコールワニス、多くの金属溶液はこのような実験のために水をどの程度にも混濁させることができる。ソーダせっけんのアルコール溶液は最も効果的といってよいほどである。

一六四　海の底は太陽が明るく輝いているとき潜水夫には深紅色に見えるが、これは海水が濃い曇った媒体として作用するためである。そのさい彼らが気づく緑色の陰影は要求された色彩である（七八）。

一六五　固体状の媒体の中でわれわれが自然の中で最初に出会うのはオパールである。そのさまざまな色は少なくとも部分的に次のことから説明される。すなわち、オパールはほんらい曇った媒体であり、これを通してときに明るい、あるいは暗い指輪の台が目に見えるようになるのである。

一六六　しかし、すべての実験に最も望ましい物体は乳色のオパールガラス（vitrum astroides, girasole）である。それはいろいろな方法で製造され、その曇りは金属酸化物によって作り出される。このガラスはまた、粉末にして煆焼《かしよう》された骨を溶かし込むことによって曇らされる。それが骨ガラスとも呼ばれるのはこのためである。しかしながら、この骨ガラスはあまりにも不透明になりやすい。

一六七　このガラスはいろいろな仕方で実験に使用できる。なぜなら、曇りを少なくしておいて、何枚も重ねて光をきわめて淡い黄色からきわめて濃い深紅にまですることもできるし、また曇りの大きなガラス板を薄くしたり厚くしたりして用いることもできるからである。実験はこの二とおりのやり方で行なうことができるが、鮮かな青色を見るためには特に、ガラスをあまり曇らせてもまた厚くしてもならない。なぜなら、ごく自然なことに暗闇は曇りを通して微弱にしか作用しないので、曇りが濃すぎると急速に白っぽくなってしまうからである。

一六八　窓ガラスはいわゆる失明化により曇ってしまった個所を通していろいろな対象に黄色い輝きを投げかけるが、これらの同じ個所を通して暗い対象のほうを眺めると、それらは青く見える。

一六九　煤けたガラスもここに属しており、同様に曇った媒体とみなすことができる。太陽はそれを通して多かれ少なかれ紅玉色に見えるが、この現象を煤の黒褐色のせいにすることがあるにしても、ここで曇った媒体が作用していることは次のようにして納得することができる。すなわち、このような適度に煤けたガラスを前面は太陽で照らされたまま暗い対象のまえにかざすと、青味がかった輝きが認められるのである。

一七〇　羊皮紙を用いて暗室の中できわ立った実験を行なうことができる。ちょうど太陽に照らされている鎧戸の孔のまえに一片の羊皮紙を固定すると、それは白っぽく見えるであろう。次にもう一片付け加えると黄色味がかった色が生じ、羊皮紙を次々に付け加えるに従ってこの色は濃さを増し、ついには赤にまで変わっていく。

一七一　白そこひにおける混濁した水晶体のこのような作用はすでに上述した（一三三）。

一七二　われわれはこうしてすでに半透明といえるかいえないかくらいの曇りの作用にまで到達したが、なお残されているのは、瞬間的曇りという不思議な現象について述べることである。

さる高名な神学者の肖像画[*102]が数年まえ、色彩の取り扱いにかけては特に熟達していたある芸術家によって描かれた。この高位聖職者は輝くばかりのビロードのガウンをまとって立っていたが、ガウンのほうが容貌以上に見る者の目を引き、感嘆の念を惹き起こすほどであった。しかしそのうちに、この絵はしだいにロウソクの油煙やほこりのためにその最初の精彩を著しく失ってしまった。そこである画家に依頼して、それをきれいにして新しいワニスを塗ってもらうことになった。さてこの画家はまず最初にその絵を水で湿したスポンジで注意深く拭き始めた。ところが二、三回それを拭いてひどい汚れを取り去ったかと思うと、驚いたことに突然あの黒のビロードのガウンは淡青色のフラシテンのガウンに変わってしまい、そのため聖職者は古風ながらひじょうに世俗的な外貌になってしまった。画家は拭きつづける勇気もないまま、濃い黒の下にどうして淡青色があるのか理解できない。まして、目の前に見えるこのような青を黒に変えてしまうことができたに違いない透明ワニスをどうしてそんなに速くこすり取ってしまったのか見当がつかない。

とにかく彼は、この絵をこのようにひどく台なしにしてしまって、すっかり狼狽してしまった。聖職者的なものといえばふさふさとした巻き髪のかつらのほかはもう何も見られず、新調のすばらしいビロードのガウンを色あせたフラシテンのガウンと取り替えてしまったのは、かえすがえす不本意なことであった。しかしこの災難は取り返しがつかないように思われた。われわれの善良な芸術家は意気消沈してその絵を壁に立てかけ、大いに心配しながらベッドに身を横たえた。

翌朝しかし再びこの油絵を手にし黒いビロードのガウンがもとのように絢爛《けんらん》たるさまになっているのを見たとき、彼はどんなに喜んだことだろうか。彼はガウンの端のところをもう一度濡らしてみないではいられなかった。すると案のじょう青い色が再び現われ、しばらくしてから消えてしまった。

この現象の知らせを受けたとき、私は即刻その不思議な絵のところへ出かけていった。

私の見ているまえで、それは水で湿したスポンジで拭かれた。するとすぐさま変化が現われた。少し色あせてはいるがまったく淡青色のフラシテンのガウンを私は見たのである。その袖のところの二、三本の褐色のすじは襞を暗示していた。

私はこの現象を曇った媒体の理論から解釈した。あの絵の作者は黒い色で描いたあと、これをさらに濃くするために特殊なワニスで上塗りをしたのかもしれないのであるが、このワニスが洗浄のさいにいくらかの水分を吸って曇り、そのため下地の黒が直ちに青く見えたのである。ワニスを扱いなれている人々は、偶然あるいは思索によって、この奇妙な現象を自然研究の愛好者たちに実験として提示できるようになるかもしれない。私はいろいろ試みてみたが、どうしても成功しなかった。

一七三　気象現象のいろいろなすばらしい場合および他の少し劣るとはいえ依然として重大な場合を、われわれは曇った媒体に関する主要経験から導き出してきた。注意深い自然愛好者たちがさらに前進をつづけて、実生活の中で多種多様に生起する諸現象を同じやり方で導き出し説明する練習を積まれることを、われわれは信じて疑わない。また自然研究者たちが充分な実験装置を作り上げて、かくも重要ないろいろな経験を知識欲に燃える人々の目に示してくれることを希望してやまない。

一七四　実際、われわれはかの普遍的に言い表わされた主要現象を根本現象ないし根源現象[*103]

と呼びたいと思うのであるが、それがどういう意味であるか、ここで直ちに解説することを許していただきたい。

一七五　われわれが経験において知覚することがらは、たいてい、少し注意すれば一般的な経験的分類項目に入れられる個々の場合にすぎない。これらの場合は改めて学問的分類項目の下位におかれるが、これらの項目はさらに上位の項目を指し示している。そのさい、われわれは現象するもののある種の不可欠の諸条件を詳しく知るようになる。これ以後、すべてのものは徐々に高次の規則ないし法則のもとに従属していく。しかし、これらの法則は言葉と仮説によって悟性に明らかにされるのではなく、同じく現象によって直観に対して啓示される。われわれがこれらの現象を根源現象と名づけるのは、現象界の中でそれらの上位にあるものは何もなく、これに対してそれらは、われわれが先刻登っていったように、段階的にまたそれらから日常的経験の最も卑俗な場合にまで降りていくことができるのにまったく適しているからである。われわれがこれまで提示してきたところのものは、このような根源現象である。われわれは一方に光、すなわち明るいものを、他方で闇、すなわち暗いものを見る。両者のあいだに曇りを入れると、これら二つの相対立するものから、[*104]この仲介の助けによって、同じく相対立する二つの色彩が展開してくる。しかし、これらの色彩はすぐまた相互関係によって、直接にある共通のものを指し示しているのである。

一七六　この意味でわれわれは、自然研究において犯される次の誤りを、はなはだしく大きなものとみなさざるをえない。すなわち、派生的現象を上位に、根源現象を下位におき、そればかりでなくこの派生的現象を再びさかさにして、それにもとづいて複雑なものを単純なものとして、単純なものを複雑なものとして認めたりする誤りである。この本末転倒から奇怪きわまりない錯綜と混乱が自然科学の中に生じ、科学はいまなおそれに悩まされているのである。

一七七　しかし、このような根源現象がたとえ見出されたとしても、それをこのようなものとして承認しようとしないという禍が依然として残っている。われわれは、ここで直観の限界を是認すべきであるのに、根源現象の背後に、またそのうえにさらにそれ以上のものをなお探し求めるのである。自然研究者は根源現象をその永遠の平安と栄光のうちにあるがままにしておき、哲学者は根源現象をその領域に取り上げるがよい。そうすれば彼は、個々の場合や一般的な分類項目や見解や仮説などにおいてではなく、根本現象ないし根源現象において自分の今後の研究のために貴重な素材が与えられることを見出すであろう。

第十一章　第二類の光線屈折による色彩——屈折

一七八　二つの部類の光線屈折による色彩は、少し考察すればすぐわかるように、緊密に相接している。第一類の色彩は曇った媒体の分野において現われたが、第二類の色彩は透明な媒体の中で現われることになる。しかし、経験的に透明なものはいずれもそれ自体すでに曇ったものとみなされうる。それは透明と呼ばれる媒体の分量を増したときにいつも示されるとおりである。それゆえ、これら二部類の密接な親近関係は充分に明らかである。

一七九　しかしながら、透明な媒体に向かうにさいして、われわれはとりあえずそれらにある程度内在する曇りをすべて度外視し、ここで生ずる屈折（Refraktion）という術語で知られる現象にわれわれの注意をすべて向けることにする。

一八〇　われわれはすでに生理的色彩の機会に、それまで眼の錯覚と呼ばれるのが常であったところのものを、正しく反応する健康な眼の活動として救っておいたが（三）、ここで再び、われわれの五官の名誉のために、またその信頼に足ることを証明するために何か言わなければならない必要に迫られる。

一八一　感性の世界全体において全般的に重要なことは、対象相互の関係、とりわけ地上の最も重大な対象である人間とそれ以外のものとの関係*105である。これによって世界は二つの部分に分かたれ、人間は主観として客観に相対することになる。ここにおいてこそ実践家は経験において、思想家は思弁において果てしのない努力を重ねるのであり、またある戦いに打ち勝つよう促されているのであるが、この戦いたるやいかなる和平によっても、いかなる決戦によっても決着をつけられることはできないのである。

一八二　しかしここでもつねに主要なことは、種々の関係が真に洞察されることである。われわれの五官は健康である限り[*106]外的な諸関係を最も真実に言い表わすので、五官が現実と矛盾するようにみえるところでも、それらがいたるところで真の関係をいっそう確実に示してくれることを、われわれは確信することができる。たとえば遠くにあるものは小さく見えるが、まさにそれによってわれわれは距離を知覚するのである。無色の対象をもとにわれわれは無色の媒体によって有色の諸現象を生ぜしめ、同時にこのような媒体の曇りの度合に注目するようになった。

一八三　同様にわれわれの眼には、屈折の機会に、透明な媒体の種々異なった密度ばかりでなく、これらの媒体の他の物理的および化学的性質も知られる。これらの性質によってわれわれは他のいろいろな検証を行なうように促され、一面からすでに明らかにされた自然の秘密[*107]に物理的および化学的な側面から徹底的に迫るきっかけを与えられるのである。

一八四　多かれ少なかれ密度の高い媒体を通して種々の対象を見ると、それらは遠近法の法則に従ってほんらいあるべき場所に現われない。第二類の光線屈折による諸現象はこれにもとづいている。

一八五　数学的公式によって表現される視覚の法則の根底には、光が直線で進行するように、見ている視覚器官と見られる対象のあいだにも直線が引かれうるに違いないということがある。したがって、光がわれわれのもとに屈曲または屈折した線をなして到達し、われわれが対象を屈曲または屈折した線において見るという場合、われわれがすぐに想起させられるのは、介在する媒体が密度を増し、対象があれこれの異質の性質を帯びるにいたったということである。

一八六　直線的視覚の法則からのこの逸脱は一般に屈折と呼ばれる。読者がそれを知っていることを前提にすることができるとは思われるけれども、われわれはもう一度それを、客観的および主観的側面から簡潔に叙述してみたいと思う。

一八七　からの四角い容器に日光を斜めに対角線状に投射させ、光に対立している壁だけ照らされて底は照らされないようにする。次にこの容器に水をそそぐと、容器に対する光の関係は直ちに変化するであろう。光は射し込んできたほうの側に後退し、底の一部は壁と同じく照らされる。光がより密度の高い媒体の中へ進入する地点で、それはその直線的方向から逸脱して折れ曲がったように見える。この現象が屈折と呼ばれたのはそのためである。客観的実験についてはこれだけにしておこう〔図②〕。

一八八　われわれが主観的経験に到達するのは次のようにしてである。太陽の位置に眼がくるようにし、同じく対角線状に一方の壁を越えて見つめ、眼に対立する向う側の内壁の面は完全に、しかし底は何も見えないようにする。容器に水をそそぐと、眼は底の一部を同じく見るであろう。しかもそれは、われわれが依然として直線的に見ていると思うような仕方で起こる。なぜなら、底がもち上がったように見えるからである。われわれはそこで主観的現象をもち上がりという名称で呼ぶことにする。ここでなお特に注目に値する二、三のことがらはあとで述べられるであろう〔図③〕。

一八九　この現象をいま一般的なかたちで言い表わすならば、われわれが先に暗示したことをここで繰り返せばよい。すなわち、対象の関係が変化され、変位されるのである。

一九〇　しかしわれわれは、この叙述においては客観的諸現象と主観的諸現象を分離するつもりなので、われわれは現象をさしあたり主観的に言い表わし、見られたもの、または見られるべきものの変位が示される、と言っておこう。

一九一　ところで、境界なしに見られたものは変位させられることができても、われわれはその作用に気づかない。これに反して境界を伴って見られたものが変位すると、変位が起こったという標識が得られる。したがって、関係のこのような変化について詳しく知ろうと欲するならば、われわれは主として境界を伴って見られたものの変位、すなわち像の変位[*108]を手がかりにしなければならないであろう。

一九二　この作用は一般に平行面を有する媒体によって起こりうる。なぜなら、平行面を有するいかなる媒体も対象を変位させ、対象を眼に対して垂直方向にさえもたらすからである。しかしこの変位は平行面を有さない媒体によってより明白になる。

一九三　これらの媒体は完全な球状の形をしていてもよく、また凸レンズあるいは凹レンズとして用いられることもできる。いろいろな経験をするために、われわれはそれらをも同じく利用する。しかし、これらの媒体は像をその位置から変位させるだけでなく、その像をさまざまに変化させるので、われわれはむしろ各面が互いに平行ではないがすべて平らな媒体、すなわちプリズムを使用する。三角形を底面にもつこれらのプリズムはレンズの一部ともみなされうるが、われわれの経験に特に役立つのは、それらが像をはなはだしくその位置から変位し、しかもその形に重大な変化を惹き起こさないからである。

一九四　さて、われわれの経験をできるだけ精確に行ない、すべての混同を排除するために、われわれはまず第一に

主観的実験

に着手することにする。これらの実験においては、対象は屈折する媒体を通して観察者によって眺められる。これらの実験を順々に論じたあとで、われわれはすぐ客観的実験を同じ順序でつづけるつもりである。

第十二章　色彩現象を伴わない屈折

一九五　屈折の作用が現われても、[*109] 色彩現象が知覚されないことがある。屈折によって、境界なしに見られたもの、無色または単色の面がいかに変位されるにしても、その内部ではいかなる色彩も生じない。これについてはいろいろな仕方で確信することができる。

一九六　ガラス製の立方体を何かある面の上に置き、垂直または斜めにそれを眺めると、純粋な底面はまったくもち上がって見えるが、色彩はぜんぜん現われない。プリズムを通して灰色の曇り空または雲一つない青空や、純白または単色の壁を眺めると、われわれの眼にちょうど映った面の部分はまったくその位置からずらされているであろうが、われわれがそのためにその上に色彩現象を認めることはけっしてない。

第十三章　色彩現象の諸条件

一九七　前章の実験と観察においてわれわれは、すべての純粋な面が大きくても小さくても無色であることを見出したが、このような面が明るいまたは暗い対象と明確に仕切られる縁《ふち》のところで有色の現象を認める。

一九八　縁と面の結合によって種々の像が成立する。それゆえわれわれはこの主要経験を次のように言い表わす。すなわち、色彩現象が現われるためには、像が変位されなければならない。

一九九　最も単純な像から[*110]取りかかろう。それは黒地の上の明るい円Aである。この像において変位が起こるのは、われわれがそれを拡大しながらその縁を中心から一見外部に向かって拡張する場合である。これはどんな凸レンズを用いても起こる。この場合われわれが見るのは青い縁Bである。

二〇〇　同じ像の円周を、われわれは円を収縮することによって、中心のほうへ一見移動させることができる。すると縁はCのように黄色に見える。これは凹レンズによって起こるが、この凹レンズはふつうの柄付き眼鏡のように薄く研磨してあってはならず、やや厚味がなければならない。しかし、この実験を一度に凸レンズでやってしまうためには、黒地の明るい円の中に少し小さい黒い円板を置けばよい。なぜなら、凸レンズで白地の上の黒い円板を拡大すると、白い円を縮小したのと同じ操作が行なわれたことになるからである。というのは、われわれは黒い縁を白い縁のほうへ移動させるからである。こうしてわれわれは青い色の縁と同時に黄色味を帯びた縁Dを見る。

二〇一　青と黄のこれら二つの現象は白地に接したところおよび白地の上で現われる。それらは、黒地の上にまで及ぶ限り、赤味のある輝きを帯びる。

二〇二　これをもって、あらゆる色彩現象の根本現象は屈折の機会に言い表わされている。これらの根本現象はもちろんさまざまな仕方で繰り返され、変化され、高められ、減少され、結合され、錯綜され、混乱されたりする。しかしそれらは、最後にはいつもまたその根源的な単純さへ還元されることができる。

二〇三　われわれが行なった操作を検討するならば、一つの場合にわれわれが明るい縁を暗い面のほうへ、他の場合に暗い縁を明るい面のほうへ一見移動させ、あるものを他のものによって押しのけ、あるものを他のものの上へ押しやってしまったことがわかる。いまやわれわれはすべての経験を一歩一歩解明していきたいと思う。

二〇四　特にプリズムによってよく行なわれうるように、明るい円板を全体としてその位置からずらすと、それは一見移動させられた方向に、前述の法則に従って着色される。プリズムを通してaの位置にある円板を、それがbのほうに変位されるようにして眺めると、上縁は図形Bの法則に従って青色と菫色に見え、下縁は円板Cの法則に従って黄色と橙色に見えるであろう。なぜなら、第一の場合に明るい像は暗い縁を越えて、第二の場合に暗い縁がいわば明るい像の上へ移動させられるからである。同じことは、円板をaからcへ、aからdへと一見ぐるりと回転させた場合にも当てはまる。

二〇五　複雑な作用も単純な作用と同じ関係にある。水平に置かれたプリズムabを通してその背後に少し離れてeの位置にある白い円板のほうを見ると、円板はfのほうへ高められ、前述の法則に従って着色されているであろう。このプリズムを取り去って垂直に置かれたプリズムcdを通して同じ像のほうを見ると、それはhのところに現われ、同一の法則に従って着色されている。次に両方のプリズムを重ねると、円板は普遍的な自然法則に従って対角線状にegの方向に変位され着色されて見える。

二〇六　円板のこれらの対立する色彩縁によく注意するならば、それらがその外見的移動の方向にのみ生ずることがわかる。円形の像はこの関係をやや不確かにしか示さないが、これに反し四角形の像はわれわれにそれを明瞭に教えてくれる。

二〇七　四角形の像aは、abまたはadの方向に変位されると、その方向と平行な側面にはいかなる色彩をも現わさない。これに反してacの方向では、四角形がそれ自身の対角線の方向に移動するので、この像のすべての境界面が着色して見える。

二〇八　こうしてここで確認されるのは、前述の基本的観察（二〇三以下）である。すなわち、像の変位は、その明るい境界が暗い境界の上に、暗い境界はまた明るい境界の上に、換言すれば、像はその境界線を越えて、また境界線はこの像を越えて一見移動されるように起こらなければならない。しかし、ある像の直線の境界面が屈折によってどこまでも進んでいき、両者が平行するのみで重なり合わない場合、それらがたとえ無限にまで導かれても、いかなる色彩も生じないのである。

第十四章　色彩現象が増大する諸条件

二〇九　前章で見たように、屈折の機会に現われるすべての色彩現象は、ある像の縁が像そのもののほうへあるいは素地の上へずらされ、その像がいわば自分自身の上へあるいは素地の上へ移動させられることにもとづいている。次に述べるのは、像の変位が増せば色彩現象も規模を広げて現われるということであるが、われわれが依然として問題にしている主観的実験においては次のような諸条件のもとでである。

二一〇　第一に、眼が平行な媒体に対して斜めの方向をとる場合。

第二に、媒体が平行であることをやめ、多かれ少なかれ鋭角をなす場合。

第三に、媒体の程度を強める場合。そのさい、平行な媒体が体積を増すのでも、鋭角の度が直角に達しないように強められるのでもかまわない。

第四に、屈折する媒体で装備された眼を変位すべき像から遠ざける場合。

第五に、化学的性質による場合。この性質はガラスに付与されたり、その中で高められることもできる。

二二一　像の形を著しく変えることのないその最大の変位を、われわれはプリズムによって生じさせることができる。これが原因で、このような形のガラスによって色彩現象はきわめて強烈になりうるのである。しかしながらわれわれは、プリズムを使用するさいにあの華麗な諸現象によって眩惑されてはならず、むしろ先に確かめた単純な初歩的事実を静かに心にとめておきたいと思う。

二二二　ある像の変位にさいして先行する色彩はつねに幅が広い。われわれはそれを辺《へり》と名づける。境界のところに残留する色彩は幅が狭く、われわれはそれを縁《ふち》と名づける。

二二三　暗い境界を明るいもののほうへ移動させると[*111]黄色の幅の広い辺が先行し、幅の狭い橙色の縁が境界とともにつづく。明るい境界を暗いもののほうへずらすと、幅の広い菫色の辺が先行し、幅の狭い青い縁がつづく。

二四　像が大きいと、その中央は着色されないままである。それは、変位されるが変化されない、境界のない面とみなすことができる。しかし像の幅がひじょうに狭く、先に述べた四つの条件のもとで黄色の辺が青色の縁に達することができるならば、中央は完全に色彩によっておおわれる。この実験は黒地に白い細長い紙片を置いて行なうのがよい。このような紙片の上で両端はすぐに結合し緑を生じさせるであろう。そうすると次のような順序の色彩が見られる。

橙色
黄色
緑色
青色
菫色

二五　白い紙の上に黒い細長い紙片を置くと、菫色の辺がこの紙片の上に広がり、橙色の縁に達するであろう。ここで、介在している黒は先ほどの介在する白と同様に消されてしまい、その代わりに華麗な純粋の赤が現われる。われわれはそれをしばしば深紅と呼んできた。色彩の順序は今度は次のとおりである。

青色
菫色
深紅色
橙色
黄色

二六　第一の場合（三四）、黄と青は重なり合いの程度を徐々に高め、両方の色彩がまったく一致して緑になり、有色の像が次のように見えることがある。

橙色
緑色
菫色

第二の場合（三五）、同様の事情のもとで次の色彩しか見えない。

青色
深紅色
黄色

この現象は、灰色の空を背景にした窓の十字の桟のところで最も美しく現われる。

二七　これらすべてのことがらにもかかわらず、けっして忘れてならないのは、この現象がつねに既成[*112]の完成した現象としてではなく、生成し増大しつつある、多くの意味でまだ規定可能な現象とみなされるということである。この現象が前述の五つの条件（三一〇）を除去すると再び徐々に衰退し、最後にまったく消滅してしまうのはそのためである。

第十五章　既述の諸現象の導出による説明

二八　先へ進むまえにわれわれは、すでに述べたかなり単純な諸現象を、先行することがらから導き出す、あるいは別の言葉のほうがよければ、説明しなければならない。それは自然の愛好者に、後続するどちらかといえば複雑な諸現象をはっきりと洞察していただくためである。

二二九　とりわけ思い出したいのは、われわれが種々の像の領域を逍遥していることである。視覚の作用一般において、境界を伴って見られたものこそわれわれが主として注目するものであり、屈折の機会に現われる色彩現象について語っている現在の場合、考慮されるのは境界を伴って見られたもの、すなわち像のみである。

二三〇　しかしわれわれは種々の像を、われわれの色彩学的叙述全般のために、一次像と二次像に分類することができる。それがどういう意味であるかはこれらの表現そのものが示しているが、以下に述べることはそれをさらに明瞭にしてくれるであろう。

二三一　一次像は第一に、原像、すなわち存在する対象によってわれわれの眼の中で惹き起こされ、対象の実在性をわれわれに確信させる像とみなすことができる。一次像に対立させることのできる二次像は派生像であり、対象が取り去られたあとでも眼の中に残留する。すなわち、われわれが生理的色彩編において詳細に論じたかの仮像ないし反転像である。

二三二　一次像は第二に直接像とみなすこともでき、これらは原像と同様に対象から直接われわれの眼に到達する。これらに対立させることのできる二次像は間接像であり、これらは反射面によって初めて二次的にわれわれに伝達される。それは光線反射による像であり、ある場合には二重像になることもある。

二三三　すなわち、反射する物体が透明であり二つの相前後する平行な面を有する場合、おのおのの面から一つずつ像が眼に映ることができ、上の像が下の像と完全に合致しない限り二重像が生ずる。これは実際いろいろな場合に起こる〔図④〕。

一枚のトランプを鏡に近づける。するとまず、そのトランプのかなり鮮明な像の現われるのが見えるであろう。しかし、像全体の縁もその上に見出される個々の像の縁も辺で限どられており、これは第二の像の始まりである。この作用は鏡が異なると、ガラスの強度の違いや研磨のさいに起こる偶然的なことがらに従ってそれぞれ異なっている。黒い下着の上に白いチョッキを着ていろいろな鏡のまえに立つと、辺がきわ立って見えてくるが、そのさいまた黒い服地の上の金属ボタンの二重像をはっきり認めることができる。

二三四　以前われわれが暗示した他の実験（八〇）をすでによく知っている人は、ここでもまた理解しやすいであろう。窓の十字の桟は、ガラス板によって反射されると二重に見え、ガラス板の強度を増し眼に対する反射角を大きくするとまったく分離される。同様に、水の充満した底が平らな反射面の容器では、そのまえにかざされた対象は二重に見えたり、状況により多かれ少なかれ分離して見える。そのさい注意を促したいのは、両方の像が合致するところでほんらい完全に鮮明な像が生じ、それが分かれ二重になるところではむしろ弱い半透明の幻のような像が現われるということである。

二三五　どちらが下の像でどちらが上の像であるのか知りたいと思うのならば、有色の媒体を用いればよい。というのは、下の面から反射される明るい像は媒体の色彩を帯びるのに対して、上の面から反射される像は要求された色彩を取るからである。暗い像についてはその逆になるので、ここでも黒い図版と白い図版をひじょうによく利用することができる。二重像がいかに容易に色彩を伝達し合い色彩を呼び起こしやすいかは、ここでもまた目立つであろう。

二三六　第三に、一次像をまた主像とみなし、二次像をそれらにいわば副像として付加することができる。このような副像は一種の二重像である。ただそれは、主像からつねに遠ざかろうとしているにもかかわらず、主像から分離されない。プリズム現象において問題になるのはこのような像である。

二三七　境界なしに屈折によって見られたものは色彩現象を示さない（一九三）。見られるものは境界を伴わなければならないのである。像が必要とされるのはそのためである。この像は屈折によって変位されるが、完全にではなく、すなわち純粋に鋭く変位されるのではなく、不完全にしかずらされないので副像が生ずる。

二三八　自然のいかなる現象の場合にも、特に重大な顕著な現象の場合にも、そこに立ち止まってはならない。それに執着したり膠着したり、それを孤立させて眺めたりせず、自然全体の中を見まわし、[*113]どこに類似のもの、親近性のあるものが見出されるかを問わなければならない。なぜなら、親近性のあるものを収集整理することによってのみ徐々に一つの全体性が成立し、これは自己自身を言い表わし、それ以上の説明を必要としないのである。

二二九　ここにわれわれが想起するのは、ある場合に屈折が明白な二重像を出現させるということである。たとえば、いわゆるアイスランド結晶[*114]の場合がそうである。しかしこのような二重像は、大きな水晶その他による屈折のさいにも生ずる。これらの現象はまだ充分に観察されていない。

二三〇　しかし、上述の場合（二二七）に問題になるのは二重像ではなく副像なので、われわれがすでに言及はしたがまだ完全に詳述していなかった現象のことを考えることにしたい。ここで思い出すべきはかの以前の経験、すなわち、明るい像が黒地と、また暗い像が白地とわれわれの網膜との関係においてすでに一種の葛藤状態にあることである（一六）。明るいものはこの場合大きく、暗いものは小さく見える。

二三一　この現象を精確に観察するときに認められるのは、これらの像が素地からはっきりと切り離されてはおらず、一種の灰色のやや着色された縁、すなわち副像を伴って現われることである。いろいろな像が肉眼に対してさえこのような作用を惹き起こすのであれば、密度の高い媒体が介在する場合には、どんな現象が起こるであろうか。最高の意味でわれわれに生動しているように見えるものだけがさまざまな作用を及ぼし、またさまざまな作用を受けるのではなく、相互になんらかの関係をもっているものはすべて互いに作用し合い、しかもしばしば大いに作用し合うのである。

二三二　したがって、屈折がある像に作用する場合、主像に一つの副像が生ずる。しかも実像はある程度あとに残り、変位に対していわば抵抗するようにみえる。副像はしかし、その像が屈折によって自分自身の上へ、または素地を越えて移動される方向に急いで進み、先にすでに詳述したように（二二二―二二六）、幅が狭くなったり広くなったりする。

二三三　われわれがまた観察したように（二二四）、二重像は二分された像として、一種の透明な幻として現われる。二重陰影が毎度、半陰影として現われなければならないのと同様である。陰影は容易に色彩を帯び、これをすみやかに生み出す（六九）。二重像も同様である（八〇）。そして副像の場合もまったく同じことになる。副像は主像から離れて出てしまうわけではないが、二分された像としても主像から現われ出るので、急速かつ容易に、また強烈に着色されて見ることができる。

二三四　プリズムによる色彩現象が副像であることは、いろいろなやり方で確信することができる。それは主像の形どおりに生ずる。主像の境界が直線または曲線であれ、鋸歯状または波形状であれ、副像は主像の輪郭と寸分違わぬ形状をしている。

二三五　しかし実像の形だけでなく、この像の他のいろいろな規定要素も副像に伝達される。主像が素地から、たとえば黒地の上の白のように、截然ときわ立っているならば、有色の副像も同じくその最高のエネルギーを伴って現われる。それは生き生きとし、鮮明かつ強力である。しかしそれが最も強烈なのは、発光する像が黒地の上に現われる場合で、このために種々の装置を作ることができる。

二三六　しかし主像が素地から、灰色の像と黒地および白地あるいは灰色そのものとの関係のように、微弱な差異によってしか区別されないならば、副像もまた微弱であり、色調の違いが小さいためにほとんど認めがたくなることがある。

二三七　さらにひじょうに注目に値するのは、明るい、暗い、あるいは有色の素地の上での有色の像において観察されることである。ここでは副像の色が主像の現実の色と合致するという現象が生じ、それゆえ、一致によって促進された、あるいは対立によって阻害された合成的な色彩が現われる。

二三八　しかし一般に、二重像ないし副像の特徴は半透明性である。それゆえ、前述のように半透明になりやすい内的素因を有している透明な媒体を考え（一四七）、この媒体の内部に半透明の仮像があると考えるならば、これは直ちに曇った像[*115]とみなされるであろう。

二三九　こうして、屈折の機会に見られる色彩は曇った媒体の理論からいとも容易に導き出される。なぜなら、曇った副像の急いで進んでいく辺が暗いところから明るいところへ伸びるところでは黄色が現われ、逆に明るい境界が暗い周囲を越え出るところでは、青色が現われるからである（二五〇、二五一）〔図⑤〕。

二四〇　急いで進んでいく色彩はつねに幅が広い。そこで黄色は幅の広い辺で明るいところを越えて伸びていく。しかし黄色が暗いものに接するところでは、高進性と陰影化の理論に従い、橙色が幅の狭い縁として生ずる。

二四一　反対側では、押し出された青色は境界を離れない。しかし先へ伸びていく辺は、薄い曇りが黒地の上に広がるとき、菫色になる。それは曇った媒体の理論を述べたさいに挙げた諸条件に従って起こるのであり、これらの条件は今後もいろいろな他の場合に等しく作用していることが示されるであろう。

二四二　いまのような導出による説明の正当さはほんらい研究者の直観のまえで証明されなければならないので、われわれは、各人がこれまで提示されたことを粗略にではなく徹底的に自分の目で確かめられることを切望したい。ここでは恣意《しい》的な記号、文字その他任意のものが現象の代わりに設定されるのではない。またここでは、みずから何も考えることなく、他人にも何か考えさせることなしに何百回でも繰り返すことができるような美辞麗句が述べ伝えられるのでもない。いま問題にしている諸現象は、肉眼と心眼ではっきり把握していなければ[*116]、それらの起源と由来を自分にも他人にも明瞭に説明することはできないのである。

第十六章　有色現象の衰退

二四三　色彩現象が増加する場合のかの順を追う五つの条件（二一〇）を逆行させて考えさえすれば、この現象の衰退を容易に理解しまた惹き起こすことができるので、そのさい眼が知覚するところのものを簡潔に記述し脈絡をつけるだけでよいであろう。

二四四　相対立する縁が重なり合う最高点において、色彩は次のように現われる[*117]（二一六）。

橙色　　青色
緑色　　深紅色
菫色　　黄色

二四五　重なり合いの少ない場合、現象は次のように現われる（二一四、二一五）。

橙色　青色
黄色　菫色
緑色　深紅色
青色　橙色
菫色　黄色

したがって、ここでは像はまだ完全に着色されている。しかしこれらの順序は、相互から連続して展開する段階的目盛的な根源的なものとみなすことはできない。これらの順序はむしろその諸要素に分解されうるし、またそうされなければならないが、その本性と性質はそのさいいっそうよく知られるのである。

二四六　ところで、これらの諸要素とは次のとおりである（一九九、二〇〇、二〇一）。

橙色　青色
黄色　菫色
白いもの　黒いもの
青色　橙色

菫色　　　黄色

ここでこれまでまったくおおい隠され、いわば消失していた主像[*118]が現象の中央に再び現われ、その権利を主張し、縁および辺として現われる副像の二次的本性をわれわれにまったくよく認識させてくれるのである。

二四七　これらの縁と辺の幅を好きなように狭くさせ、それぱかりでなく、屈折の余地を残しておいて、しかもそのために境界に色彩が生じないようにするのは、われわれしだいである。

これで充分に解明されたこの有色の現象を、われわれはもちろん根源的な現象であるとは認めない。われわれはそれを、それ以前のより単純な現象に還元し、これを光と闇の根源現象、曇りによる仲介および二次像の理論から導き出した。このような準備を整えたあとでわれわれは終わりに、灰色の像と有色の像が屈折によって変位されて生じさせる諸現象を詳細に論述し、それをもって主観的現象の項目を完結するであろう。

第十七章　屈折によって変位された灰色の像

二四八　われわれがこれまで黒い像と白い像のみを対立する素地の上でプリズムを通して眺めてきたのは、それらにおいて有色の縁と辺が最も明確にきわ立っているからである。いま、かのいろいろな実験を灰色の像を用いて繰り返すと[*119]、われわれは再びすでに知られている種々の作用を見出す。

二四九　われわれは黒を闇の代表、白を光の代表と名づけたが（一八）、いまやわれわれは、灰色は半陰影を代表すると言うことができる。これは多かれ少なかれ光と闇に関与しており、したがって両者の中間に位置しているのである（三六）。現在の目的のために次のような諸現象を思い起こすことにしよう。

二五〇　灰色の像は、黒地の上で白地の上よりも明るく見え（三三）、このような場合に、黒いものの上の明るいものとして本来より大きく、白いものの上の暗いものとして本来より小さく見える（一六）。

二五一　灰色が暗ければ暗いほど、それだけそれは黒の上で弱い像として、白の上では強い像として現われる。またその逆の関係も成り立つ。それゆえ、黒の上の暗い灰色は弱い副像、同じものが白の上では強い副像、白の上の明るい灰色は弱い副像、これが黒の上では強い副像を示す。

二五二　黒の上の灰色はプリズムを通して見ると、われわれがこれまで黒の上の白で生じさせた諸現象を示すであろう。すなわち、縁は同じ法則に従って着色される。ただ辺は弱くしか現われない。白の上に灰色を載せると、われわれが白の上で黒をプリズムを通して眺めたときに現われたのと同じ縁と辺が認められる。

二五三　明暗の度の異なる種々の灰色を段階的に相接して並べると、より暗いものを上に置くか下に置くかに従って、青と菫だけか、赤と黄だけしか縁に現われないであろう。

二五四　明暗の度の異なる一連の灰色を水平に相接して並べると、それらが上あるいは下で黒または白の面に接するに伴って、すでに知られている法則に従って着色される。

二五五　この項目のために作られ、自然愛好者ならだれでも自分の実験装置のために拡大することのできる図版の上で、これらの現象はプリズムを通して一目で知覚することができる。

二五六　しかし最高に重要なのは次のような灰色の像の観察と考察である。それは黒と白の面の中間に、分離線が像を垂直に二分するように置かれる。

二五七　この灰色の像において色彩は、すでに知られた法則に従って、しかし明暗の関係が異なるに伴って一直線上に相対立して現われるであろう。なぜなら、灰色が黒に対して明るいものとして現われるので、上には赤と黄、下には青と菫が見られる。また灰色は白に対して暗い関係にあるので、上には青と菫の縁が、これに対して下には赤と黄の縁が現われる。この観察は次章にとってきわめて重要になる。

第十八章　屈折によって変位された有色の像

二五八　有色の大きな面はそれ自身の内部では、黒または白あるいは灰色の面と同様、プリズムによるなんらの色彩をも示さない。偶然にまたは意図的にその上で明暗が交錯する場合は別である。したがって、プリズムを通して有色の面について観察を行なうことができるのも、これらの面が他の異なった色彩の面から一つの縁によって区分される場合、すなわち有色の像の場合に限られる。

二五九　すべての色彩はどのような種類のものであれ、それらが白より暗く黒よりは明るく見えるという点において灰色と一致する。色彩のこの陰影のような特質（σκιερόν）は以前すでに暗示されたが（六九）、われわれにとってますます重大な意義をもってくる。さしあたり有色の像を黒と白の面の上に置きプリズムを通して眺めるならば、われわれが灰色の面の場合に認めたすべてのものをここで再び見出すであろう。

二六〇　有色の像を変位させると、無色の像の場合と同様、同じ法則に従って副像が生ずる。この副像は色彩に関してはそのもともとの本性を保持し、一方で青色および菫色のものとして、反対の側で黄色および橙色のものとして作用する。そこで必然的に生ずるのは、縁および辺の仮色が有色の像の現実の色と同質な場合である。しかし他の場合には、顔料で着色された像が出現する縁および辺と異質なこともある。第一の場合に仮像は実像と同一になり、実像を拡大するように見える。これに反して第二の場合には、実像は仮像によってきたならしく不明確にされ、縮小されることがある。以下に、これらの作用が最も奇妙に現われるいろいろな場合を検討することにしよう。

二六一　これらの実験のために用意された図版[*120]を取り出し、黒地の上に並んだ赤と青の四角形をいつものようにプリズムを通して眺めると、両方の色が素地より明るいので、二つの四角形の上にも下にも同じ色の縁と辺が生ずるであろう。ただこれらは観察者の眼に等しく明確には見えないであろう。

二六二　赤は黒と比較すると青よりはるかに明るい。したがって、縁の色は赤において青におけるよりも強く現われるであろう。青はここでは黒とほとんど区別されない暗い灰色として作用するのである（二五一）。

二六三　上の赤い縁は四角形の朱色と同一になり、そこで赤い四角形は上のほうに向かって少しばかり拡大されて見えるであろう。しかし、下のほうへ伸びる黄色の辺は赤い面にやや輝きを与えるだけで、かなりの注意をはらって初めて認められる。

二六四　これに対して、赤い縁と黄色の辺は青い四角形と異質である。したがって縁のところにはくすんだ赤色が、四角形の内部に向かってはくすんだ緑色が生じ、ちょっと見れば青い四角形はこの側面から減少していくように見えるであろう。

二六五　二つの四角形の下の境界のところでは青い縁と菫色の辺が生じ、反対の効果を生み出すであろう。なぜなら、青い縁は朱色の面と異質なので橙色をきたなくし、一種の緑色を生じさせ、その結果、赤はこの側面から短縮され上にずらされたように見え、黒のほうに伸びる菫色の辺はほとんど認められないからである。

二六六　これに対して青い仮縁は青い面と同一になり、この面から何も奪い取らずむしろいくらか付け加える。したがって青い面は、これにより、また隣接の菫色の辺によって外見上拡大され、一見下のほうへずらされるであろう。

二六七　私がいま精確に記述したような同質の縁と異質な縁の効果はひじょうに強烈かつ奇妙なので、ずさんな観察者には一見して二つの四角形がそれらの相互に水平な位置からずらされ、垂直の方向に変位されたように見える。すなわち、赤は上に、青は下にである。しかしながら一定の順序で観察し、いろいろな実験を結び合わせ、相互に導き出すすべを知っている人は、このような表面的効果によって欺かれることはないであろう。

二六八　この重大な現象に対する正しい洞察はしかし、この錯覚が起こるためにはある種の厳密な、綿密すぎるくらいの諸条件が必要であるということによって容易にされる。すなわち、赤い四角形のためには朱または良質の鉛丹で着色された紙、青い四角形のためにはインジゴで充分に濃く着色した紙を用意しなければならない。そうすればプリズムによる青と赤の縁は、同質のところでは見分けがつかないように像と結合し、異質のところでは四角形の色をきたなくしはするが、ひじょうにはっきりとした中間色を生じさせることはない。四角形の赤は黄色味を帯びすぎてはならない。さもなければ上の暗赤色の仮縁がはなはだしく目につくようになる。しかし他方で、それは充分に黄色を含んでいなければならない。さもなければ、黄色の辺による変化がはっきりしすぎるようになる。青は淡くてはならない。さもなければ赤い縁が見えるようになり、黄色の辺はあまりにも明白に緑を生じさせる。また下の菫色の辺をもはや淡青色の四角形の変位された形とみなしたり称したりすることができなくなってしまう。

二六九　これらすべてのことについては、あとで本編のための実験装置を論ずるさいにさらに詳しく語られるであろう。自然研究者は各自これらの図版を作成されるがよい。そうすればこの手品をみずからやってみることができ、そのさい、有色の縁がこの場合においてさえ鋭く注意深い観察からのがれえないことを確信できるであろう。

二七〇　ところで、われわれの図版が示しているような他の多種多様な組み合わせは、この点に関するすべての疑念をどの観察者からも取り除くのにまったく適している。

二七一　これに対して、青い四角形と並んだ白い四角形を黒地の上で眺めると、ここで赤い四角形の代わりに置かれている白い四角形の相対立する上下の縁はその最高のエネルギーで現われるであろう。この白い四角形において、赤い縁は前述の赤い四角形そのものにおけるよりもさらにいっそう、青い四角形の上の水平な線を越えて伸びている。また下の青い縁は白い四角形においてまったく美しく見える。これに対してそれは、青い四角形の中では同一化によって消失してしまう。下に伸びる菫色の辺は白い四角形において青い四角形におけるよりもはるかにはっきりしている。

二七二　これらの対になった二組の四角形はわざと上下に重ねておいたのであるが、赤い四角形を白いのと、二つの青い四角形を相互に、青いのを赤いのと、青いのを白いのと比較すると、これらの面とそれぞれの有色の縁および辺との関係をはっきり理解できるであろう。

二七三　縁と有色の像との関係がさらに著しく現われてくるのは、有色の四角形と黒い四角形を白地の上で眺める場合である。なぜなら、ここではかの錯覚がまったくなくなり、縁のいろいろな作用は、われわれが他のいずれかの場合に認めたと同じようによく見えるからである。まず最初に青と赤の四角形をプリズムを通して眺めることにする。両者において青い縁はいまや上に生ずる。これは青い像と同質なのでこれと結合し、それを高くもち上げるように見える。ただ上の淡青色の縁がきわ立ちすぎる。菫色の辺も下に伸びて青と混ざっているにしても、はっきり見分けがつく。上のこの青い仮縁はしかし赤い四角形とは異質であり、反作用を受けてほとんどよく見えない。ところが菫色の辺は、像の橙色と結合して桃色[*121]を生じさせる。

二七四　さて、前述の原因からこれらの四角形の上の縁は水平には現われないのであるが、下の縁はそれだけいっそう等しく現われる。というのは、赤と青の両方の色は白地と比べると黒地に対して明るいよりももっと暗く、これは特に青色について当てはまるので、両者の下で赤い縁は黄色の辺とともにひじょうにはっきり生ずるからである。この縁は橙色の像の下でまったく美しく現われ、濃い青色の像の下では黒の下で現われたのとほとんど同じように見える。上下に重ねて置かれたこれらの像とそれぞれの縁および辺を再び比較すれば、それはよく認められる。

二七五　これらの実験に最大の多様性と明瞭さを与えるために、種々異なった色の四角形を図版の中間に配置し、黒地と白地の境界が垂直にそれらを貫通するようにする。するとこれらの四角形は、かの一般論としてまた特に有色の像の場合に充分に知られた法則に従って、どの縁においても二様に着色され、それ自身の内部で二つに引き裂かれて上か下のほうへずれて見えるであろう。ここでわれわれが想起するのは、黒地と白地の境界線上で同じく観察されたかの灰色の像である（二五七）。

二七六　われわれが先に黒地の上の赤と青の四角形において錯覚するほど見た現象、すなわち二つの異なった色彩の像の上下へのずれという現象は、いま同一の色をした同一の像の二分された各部分において見られるが、これによってわれわれは再び有色の縁、それらの辺、それらの同質および異質な本性の種々の作用に対して注意を喚起される。この現象が起こる像に対するそれらの同質および異質な本性の関係が問題なのである。

黒地と白地に半分ずつまたがるように配置された有色の四角形の多種多様な色調をみずから比較することは観察者に任せて、私はなお一見ゆがんだような背理的現象についてのみ述べておきたい。すなわち、赤と黄は黒地の上で上のほうへ、白地の上で下のほうへ、青は黒地の上で下のほうへ、白地の上で上のほうへ引っぱられたように見えるが、これらすべてはやはり、これまで詳細に論じてきたことに適合しているのである。

二七七　さて観察者は図版の位置を変えて、黒地と白地の境界に垂直に並べられている上述の四角形が今度は水平に配列され、同時に黒地が上、白地が下になるようにするとよい。

これらの四角形をプリズムを通して眺めると、赤い四角形が二つの赤い縁の付着によって拡大するのを認めるであろう。またよく注意すれば赤い像の上に黄色の辺を認めるであろうし、また白地のほうへ伸びる下の黄色の辺はまったく明瞭に見えるであろう。

二七八　黄色い四角形の上のところで赤い縁がひじょうによく認められるのは、黄色が黒地に対して明るいものとして充分にきわ立つからである。黄色の辺は黄色の面と同一になるが、この面はそれによりやや美しくなる。下の縁はほとんど赤を示さないが、それは淡黄色が白地に対して充分にはきわ立たないからである。しかし下の黄色の辺ははっきり見える。

二七九　これに反して、青い四角形においては上の赤い縁はほとんど見えない。黄色の辺は下のほうに向かってきたない緑を像の中に生じさせる。下の赤い縁と黄色の辺は鮮かな色彩で現われる。

二八〇　これらの場合において赤い像は両側の付着によって拡大し、濃い青色の四角形が一方の側で少なくとも減少するように見えるのが認められる。ところが図版をさかさまにして白地が上、黒地が下になるようにすると、逆の現象を目にするであろう。

二八一　というのは、いまや同質の縁と辺が青い四角形の上と下に生ずるので、四角形が拡大されて見えるだけでなく、像そのものの一部が美しく着色されて見える。鋭い観察によってのみ、これらの縁と辺を面そのものの色から区別できるようになるであろう。

二八二　これに対して黄色と赤の像は、図版のこの位置において異質な縁によって制限され、地色の作用は削減される。上の青い縁はこれら二つの像においてほとんどまったく見られない。菫色の辺は赤い像の上では美しい桃色として、黄色の像の上ではきわめて薄い桃色として現われる。下の二つの縁は緑色であるが、赤い像においてはきたならしく、黄色の像においては鮮かである。菫色の辺は赤い像の下ではほとんど認められず、黄色の像の下でやや見える。

二八三　およそ自然愛好者ならだれでも、ここに論述されたすべての現象を精確に知悉することを自分の義務とし、ただ一つの現象をかくも多くの事情の諸条件を通して徹底的に追求する労をいとうようなことがあってはならない。実際、これらの経験は、種々異なった有色の面の上あるいはそのあいだで、種々異なった色彩の像によってなお限りなく多様化されうるのである。しかし、あらゆる事情のもとで注意深く見ればだれにでも気がつくと思われるのは、並列した有色の四角形がプリズムを通して変位されたように見えるのは、同質または異質の縁の付着が錯覚を惹き起こすからにほかならないということである。この錯覚を追い払うことができるのは、一連の実験を比較検討し、それらの合致することを立証するだけの忍耐を有している場合のみである。

ところで、有色の像に関する前述の種々の実験は[*122]いかようにでも論述されえたのに、われわれがなぜそれらをこのように委曲を尽くして叙述したのかということは、いずれもっと明らかになるであろう。これらの現象は以前知られていなかったわけではないが、はなはだ誤認されていた。われわれがそれらを厳密に解明し、将来の歴史的論述を容易にしたいと思ったのはまさにそのためである。

二八四　さて最後に、自然の愛好者たちに一つの装置をお目にかけよう。この装置によってこれらの現象は一度にはっきりと、それればかりでなくいとも美しく見られうるのである。一枚の厚紙から五つの約一インチ平方のまったく同じ大きさの四角形を水平線上に並べて切り抜く。その背後に五枚の色ガラスをすでに知られた橙、黄、緑、青、菫の順序であてがう。そしてこの厚紙を暗箱の開口部に固定し、明るい空がそれを通して見られるかあるいは太陽がその上に照りつけるようにすると、強いエネルギーの像が眼前に得られるであろう。次にこれらの像をプリズムを通して眺め、有色の像に関するかの実験によってすでに知られている諸現象を観察するとよい。すなわち、縁と辺が地色を促進したり削減したりする作用と、特定の色彩で着色された像がそれにより水平線上から一見変位されたように見える現象である。

観察者がここで見るであろうことは、以前に導き出されたことからおのずと明らかである。それゆえわれわれは、それを改めてまた詳述することをしない。そのうえ、これらの現象に立ち返る機会は今後もなおしばしばあるのである。

第十九章　収色性と余剰色

二八五　昔は、自然の中で規則的かつ恒常不変な多くのものをも、たんなる迷誤あるいは偶然とみなすことがあった。そこで、屈折の機会に生ずる色彩についてもあまり注意を払わず、それらを、特殊な副次的事情に由来する現象とみなしていた。

二八六　しかし、この色彩現象が屈折にいつでも随伴する[*123]ということが確信されたあとでは、当然のことながら、それをもっぱら屈折と密接な関係にあるとみなし、色彩現象の程度は屈折の度合いに比例し、両者は相互に歩調を合わせるに違いないと信ずるようになった。

二八七　したがって、屈折の強弱の現象はまったくとはいわないまでもある程度まで媒体の種々異なる密度のせいにされ、実際、純粋に近い大気中の空気や靄で充満した空気、また水やガラスはその密度が高まるに従っていわゆる屈折、すなわち、像の変位の度合いを増す。そこで、その同じ程度に色彩現象も高進するに違いないということは、ほとんど疑いの余地がなかった。そして、屈折方向を反対にして並置された異なった媒体の場合、屈折が残っている限り色彩が現われ、しかし色彩が消えてなくなるやいなや屈折もまた除去されているに違いないということはまったく確実なように思われた。

二八八　これに反してあとで発見されたのは、この等しいと思われた関係が等しくないということであり、二つの媒体が像を等しい角度で変位してもぜんぜん等しくない色彩辺を生じさせることがありうるということである。

二八九　その後、屈折の原因とされたかの物理的性質のほかになお化学的性質を付け加えて考えなければならないことがわかった（三〇）。われわれはこれについてあとで化学的な見方[*124]に近づくときにさらに述べるつもりであるが、この重要な発見にいたる詳しい事情は色彩論の歴史の中で記述しておくつもりである。現在のところは次のことで充分であろう。

二九〇　屈折力が等しいあるいは少なくともほぼ等しい媒体の場合に現われる注目すべき事態は、色彩現象の増減[*125]が化学的処置によって惹き起こされうるということである。すなわち増加は酸によって、減少はアルカリによって規定される。ふつうの溶融ガラスに金属酸化物を入れると、このようなガラスの色彩現象は、屈折が目立って変化されないにもかかわらず著しく高められる。これに反して、減少がアルカリ側にあることは容易に推測することができる。

二九一　この発見ののち最初に実用化されたガラスの種類を、イギリス人はフリントガラスおよびクラウンガラスと呼んでいる。前者には比較的強い色彩現象が、後者には比較的弱い色彩現象が現われる。

二九二　現在の叙述のために、われわれはこれら二つの表現を術語として用い、両者において屈折は同じであるが、フリントガラスはクラウンガラスよりも色彩現象を三分の一ほど強く生じさせると考える。そしてわれわれの読者には一つのやや象徴的な図表[*126]を提供する。

二九三　図表の黒い面はいま論述を容易にするため目盛で区分されているが、平行線ａｂとｃｄのあいだに五つの白い四角形があると考える。№1の四角形は肉眼のまえに変位されずに元のままの位置にある。

二九四　しかし、№2の四角形はクラウンガラスのプリズムｇを眼にあてて見ることによる三目盛だけ変位され、やや幅の広い色彩辺を示している。さらに№3の四角形はフリントガラスのプリズムｈにより同じく三目盛だけ下にずらされ、№2より三分の一も幅の広い有色の辺を示している。

二九五　次に、№4の四角形が№2と同様にクラウンガラスのプリズムによってまず三目盛だけ変位されていたと考え、しかしそれが反対の向きに置かれたフリントガラスのプリズムｈによって再び以前のいま見られている位置にずり上げられたことにする。

二九六　ここで屈折が相殺されるのはもちろんであるが、プリズムｈが三目盛だけ変位されるさいにプリズムｇに伴うものより三分の一幅の広い色彩辺を生じさせるので、屈折が除去された場合でもなお余剰の色彩辺が残るに違いない。それはプリズムｈが像に付与する外見的運動の方向に起こり、したがって、われわれがずり下ろされた№２および№３の四角形において認める色彩と逆になる。この過剰な色彩をわれわれは余剰色と呼んだのであり、これから直接に収色性ということが推論される。

二九七　なぜなら、№５の四角形が最初の仮定された位置から№２のようにクラウンガラスのプリズムｇによって三目盛だけ下にずらされたことにし、フリントガラスのプリズムｈの角度を小さくし、それを逆の方向にしてプリズムｇに接合しさえすれば、№５の四角形は二目盛だけ一見ずり上げられ、そのさい前の場合の余剰色はなくなり、像はその最初の位置に完全には達しないとはいえ無色になって見えるであろう。№５の四角形の下の接合された二つのプリズムの延長線を見てもわかるように、プリズムは現実にそのまま残っており、したがってまた両側の線が湾曲していると考えればこの方法で直ちに接眼レンズができ上がり、実際に色収差のない望遠鏡はこれから導き出されているのである。

二九八　われわれが論述したこれらの実験のためにきわめて適当なのは、三つの異なったプリズムから合成されている小型のプリズムで、これらはイギリスでよく製作されている。将来はドイツの技術者たちが、この必要欠くべからざる装置をすべての自然愛好者に供給してくれることが望まれる。

第二十章　主観的実験の長所——客観的実験への移行

二九九　われわれは屈折の機会に見られる種々の色彩現象をまず第一に主観的実験によって提示し、全体をそれ自体の中で完結させてから、これらの現象をまた曇った媒体と二重像の理論から導き出した。

三〇〇　自然に関係する論述の場合すべてはよく見るということにかかっているので、これらの実験は容易に行なわれうるだけにいっそう好都合である。自然の愛好者はだれでもこの装置をそれほど費用をかけずに簡単に手に入れられるし、厚紙細工の心得が少しあれば、大部分みずから製作することもできる。黒と白と灰色の像および有色の像が白地と黒地の上に交互に並んでいる少数の図版さえあれば、それで充分である。それらを動かないように眼の前に置き、像の縁に現われる諸現象を楽な気持でじっと眺めればよい。また離れたり近づいたりして現象の段階的進行を精確に観察することが大事なのである。

三〇一　さらにまた、必ずしも最上質のガラスでできていない安物のプリズムを用いても、これらの現象はなおはっきりと観察される。しかしながら、これらのガラス製の器具に関してはなお改良が望まれる点は、実験装置について論ずる項目[*127]において詳細に述べられるであろう。

三〇二　次にこれらの実験の主要な長所は、日中いつでも、どんな部屋の中でも、どちらの方角でも好きなほうを向いてそれらを行なうことができるということである。北国の観察者にはそもそもけっして充分には恵まれていない日光が射すのを待つ必要もないのである。

客観的実験

三〇三　客観的実験はこれに反して、どうしても日光を必要とする。しかも日光は、たとえ現われても、それに向けてすえつけられた装置に対して必ずしもつねに最も望ましい関係をもつとは限らないのである。太陽はときには高すぎたり、ときには低すぎたりするし、最良の向きにある部屋の子午線上にあるのもほんのわずかのあいだだけである。観察しているあいだにも太陽の位置は変わっていくので、装置をそれに合わせてずらしていかなければならないが、そうすることによって実験は多くの場合に不安定になる。また太陽は、プリズムを通して射し込むとき、ガラスのあらゆる不均等なもの、内部の繊維や泡沫をあらわにし、これらのものによって現象はかき乱され、曇らされ、変則的な色調にされてしまうのである。

三〇四　しかしながら、これら二種類の実験はともに精確に知られていなければならない。それらは対立しているようにみえながら、つねに平行する関係にある。一方が示すものを他方もまた示し、しかもそれぞれまた独自の特性を有している。これらの特性によって、自然のある種の作用は多様な仕方で明らかになる。

三〇五　次に、主観的実験と客観的実験の結合によって生ずる重大な現象がある。客観的実験がそれに劣らずわれわれに与えてくれる長所は、われわれがそれらの現象をたいてい直線によって図示することができ[*128]、現象の内的関係を図版の上で明示できることである。それゆえわれわれは、ためらうことなく客観的実験を詳しく論述し、ここで生ずる現象が主観的に見られた現象とまったく歩調を合わせていることを明らかにしたい。各節の数字のすぐ下に前述の節の数字をカッコに入れて添えているのはそのためである。しかしわれわれは全体として、読者が図版に精通し、研究者が実験装置を知悉していることを前提にしている。そうして初めて、いま問題になっている双生児的現象は、いろいろな仕方で自然の愛好者の眼前に現われてくるのである。

第二十一章　色彩現象を伴わない屈折

三〇六（一九五、一九六）　屈折が色彩現象を生じさせることなしにその作用を及ぼすということは、客観的実験の場合、主観的実験の場合ほど完全に提示することはできない。境界のない空間は確かにいろいろと存在し、われわれはそれらをプリズムを通して眺めたとき、境界なしにはいかなる色彩も生じないことを確信することができる。しかしわれわれは、プリズムに作用させることができるような境界なしに発光するものをもたない。われわれの光は境界のある物体から発し、客観的なプリズム現象の大部分を生じさせる太陽そのものでさえ、[129]境界を伴って発光する小さな像にすぎない。

三〇七　他方でわれわれは、太陽が射し込む比較的大きな孔、日光を受け止めてこれを屈折させる比較的大きな媒体をすべて、われわれが面の中央だけを眺めその境界を眺めない限りにおいて、境界のないものとみなすことができる。

三〇八（一九七）　大きな水プリズム[130]を太陽に当てると、明るい空間が上方に屈折されて反対側の衝立に現われ、この照明された空間の中央は無色であろう。角度の小さいガラス製プリズムを用いてこの実験を行なっても、まったく同じ結果に達する。そればかりでなく、屈折角が六十度のガラス製プリズムの場合でさえ、衝立を充分近づけさえすれば、この現象は現われてくる。

第二十二章　色彩現象の諸条件

三〇九　〔一九八〕　前述の照明された空間は、屈折されてその位置からずらされているにもかかわらず無色に見えるのであるが、しかしこの明るい空間の水平面の境界には有色の現象が認められる。ここでも色彩がたんに像の変位によって生ずることは、やや詳しい説明を必要とする。

ここで作用する発光するものは境界を伴ったものであり、太陽は射し込みながら一つの像として作用する。暗箱の板戸の孔をできるだけ小さくしても、太陽の像全体はつねに侵入してくるであろう。太陽面から放射される光は微小な孔の中で交差し、この面の外見上の直径に応じた角度で入ってくるであろう。ここで光は円錐形の頂点を先にして外部から到着するが、この頂点は内部で再び拡散し、衝立で受け止めることのできる、そして衝立を遠ざければそれだけ大きくなる円形の像を生じさせる。この像は外界の風景の他のあらゆる像とともに、暗室の中で反対側に置かれた白い面の上に倒立して現われる〔図⑥〕。

三一〇　したがってここで顕著なことは、個々の太陽光線または光線束・光線筒・光線棒その他どのような形で考えようとも、それらはほとんど問題になりえないということである。ある種の直線的な図示を容易にするために、日光が平行に射し込んでくると仮定してもさしつかえない。しかしこれはあくまで虚構であって、虚構と真実の現象のあいだに生ずる疎隔が取るに足らない場合にせいぜい許されるだけだということを知らなければならない。この虚構を再び現象にして、このような虚構の現象でさらに操作をつづけないよう警戒しなければならない。

三二　今度は鎧戸の孔を思いのまま拡大し、これを円形または四角形にし、そればかりでなく、鎧戸を開け放して窓の空間全体を通して太陽を部屋の中へ照射させる。そのさい太陽の照らす空間は、つねに太陽の直径のなす角度が求める分だけ大きくなるであろう。したがってまた、大きな窓を通して太陽によって照らされた空間全体でさえ、太陽の像に窓の広さを加えたものにすぎない。われわれはあとでこの問題に立ち返る機会があるであろう〔図⑦〕。

三三　（一九九）さて太陽像を凸レンズによって受け止めると、それを焦点のほうへ収縮させることになる。この像が白い紙の上に受け止められるならば、ここで、上述の法則に従って黄色の辺と橙色の縁が生ずるに違いない。しかしこの実験は眩しくて不便なので、満月の像でやると最も美しい。この像を凸レンズを用いて収縮させると、有色の縁がいとも美しく現われる。なぜなら、月はそれ自体すでに適度に弱められた光を放ち、したがって光を適度に弱めることから生ずる色彩をそれだけ容易に生み出すことができ、そのさい観察者の眼は同時にかるく快適に刺激されるだけだからである。

三三　(三〇〇)　発光する像を凹レンズで捉えると、それは拡大され、したがって拡張される。ここで像は青い境界を伴って現われる。

三四　これら二つの相反する現象は、凸レンズを用いて同時的にも継起的にも生じさせることができる。同時的にできるのは、凸レンズの中央部に不透明な円板を貼り付けてから太陽像を受け止める場合である。ここでは発光する像もその中にある黒い核も収縮されるので、相反する色彩現象が起こらざるをえないのである。さらにこの対立を継起的に知覚できるのは、発光する像をまず焦点のほうへ収縮させる場合であり、このとき黄色と橙色が認められ、次にこの像が焦点の背後に拡張される場合で、このときは直ちに青い境界が現われる。

三五　(三〇一)　主観的経験にさいして述べられたことはここでも当てはまる。すなわち、青と黄は白に接して白の上で現われ、両方の色彩は黒の上にまで及ぶ限り、赤味のある輝きを帯びる。

三六　(三〇二、三〇三)　これらの根本現象は主観的経験の基盤をなしていたが、同様に以下のようなすべての客観的経験にさいしても繰り返される。行なわれる操作もまったく同一である。すなわち、明るい縁は暗い面のほうへ、暗い面は明るい境界のほうへずらされる。境界は互いに進出し、いわば重なり合わざるをえない。それは客観的実験の場合でも主観的実験の場合でも同じである。

三一七（三〇四）そこで太陽像を大小いずれかの孔を通して暗室の中へ射し込ませ、屈折角が通常のように下に向いているプリズムでそれを受け止めると、発光する像は直線的に床には達せず、垂直に立てられた衝立にそって上方へ屈折される。ここで是非とも考慮しなければならないのは、像の主観的変位と客観的変位という対立関係である。

三一八　屈折角が下に向いているプリズムを通して高いところにある像のほうを見ると、この像は下のほうにずらされる。射し込んでくる発光する像が同じプリズムによって上方へ押しやられるのと反対である。われわれがここで簡略を期するためありのままにしか述べていないことは、屈折ともち上がりの法則から難なく導き出されるのである〔図⑧〕。

三一九　さてこうして発光する像がその位置からずらされるに伴って、色彩辺もまた前述した法則に従って自分の道を進む。菫色の辺はいつでも先行し、したがって、客観的経験の場合には上のほうにいく。これに対して主観的経験の場合それは下のほうにいく。

三二〇（三〇五）　同様に観察者は、変位が二つのプリズムにより対角線状に起こる場合、この方向で着色することについても確信を得られるがよい。それは主観的経験の場合にはっきり記述されているとおりである。しかし、このためには屈折角の小さな、たとえば十五度のプリズムを用意したほうがよい。

三二　(二〇六、二〇七)　像の着色がここでもその進行方向に起ることは、適当な大きさの鎧戸の孔を四角形にし、発光する像を水プリズムを通して照射させ、縁をまず第一に水平および垂直方向に、次に対角線の方向にすればよくわかるであろう。

三三　(二〇八)　そのさいまたもや明らかになると思われるのは、境界が相分かれていくのではなく、重なり合ってずらされなければならないということである。

第二十三章　現象増大の諸条件

三三　(二〇九)　ここでも像の変位が増すほど色彩現象は強まる。

三四　(二一〇)　像の変位が増すのは次のようにして行なわれる。

(一)　発光する像の平行な媒体に対する照射方向がより傾斜することによって。

(二)　平行な形を多かれ少なかれ鋭角の形に変えることによって。

(三)　平行または鋭角の媒体の体積を強めることによって。像はこうすることによっていっそう強く変位され、また量に付随する性質がともに作用するからである。

(四)　衝立を屈折媒体から遠ざけ、現われ出る有色の像がより長い道を進むようにすることによって。

(五)　これらすべての事態のもとで化学的性質の作用が現われる場合。この化学的性質については、収色性および余剰色の項目のもとですでに詳細に述べた。

三三五　(三二)　客観的実験がわれわれに与えてくれる利点は、現象の生成とその継起的発生をわれわれの外部に提示し、同時に直線ではっきり図示できることであり、これは主観的実験の場合には不可能である。

三三六　プリズムから現われ出てくる発光する像とその増大する色彩現象は反対側に置かれた衝立の上で段階的に観察され、楕円形の底面をもったこの円錐形の諸断面も明白に示されうるのであるが、この現象の進む道程全体はまた次のようにして美しい様相で見ることができる。すなわち、像が暗い空間をよぎるさいの直線の通路の中に微細な白い粉のほこりを立てるとよい。このためには、よく乾燥した上等の髪粉を用いるのがいちばんよい。すると、多かれ少なかれ着色された現象が白い微粒子によって受け止められ、その幅と長さ全体を明白に示してくれる。

三三七　同様にわれわれはいくつかの直線の図表を作成し、図版のあいだに付け加えた。そこでは現象がその最初の出発点から描かれており、それを手がかりにして、発光する像がなぜ平行な媒体よりもプリズムによってはるかに強く着色されるかも納得することができる。

二二八（二二二）対立する二つの境界のところでそれぞれ対立する現象が鋭角をなして生じ、この現象は空間の中を前進するにつれて、この角度の大きさに従って広がっていく。そこで、発光する像が変位された方向に菫色の辺が暗いところへ向かって伸びていき、狭い青い縁は境界に接したままである。他の側からは黄色の辺が明るいところへ伸び、橙色の縁は境界に接したままである。

二二九（二二三）したがってここでは、明るいもののほうに向かう暗いものの運動と、暗いもののほうに向かう明るいものの運動によく注意すべきである。

二三〇（二二四）大きな像の中央はしばらくのあいだ無着色のままである。特に密度の小さな媒体と体積の少ない媒体の場合にそうであるが、そうするうちに対立する辺と縁が途中で触れ合い、発光する像の場合、中央に緑色が生ずる。

二三一（二二五）客観的実験がふつう発光する太陽像についてのみ行なわれてきたのに対して、暗い像に関する客観的実験はこれまでほとんど一度もなされたことがなかった。しかしわれわれは、このためにも便利な装置を記述しておいた。すなわち、かの大きな水プリズムを太陽に向けて置き、外側あるいは内側に厚紙の円板を貼り付けると、有色の現象が再び縁のところで起こり、すでに知られている法則に従って発生するであろう。現われた縁は、先に述べた量で広がり、中央に深紅色が生ずるであろう。円板の横に厚紙の四角形を一つ任意の方向に付け加えても、先に何度も記述し言い表わしたことがらの正しさを新たに確信することができるであろう。

三三二　(三二六)　水プリズムからこれら二つの暗い像をまた取り去り、そのさいガラス面を毎回よく拭いてきれいにし、細い棒、たとえば一本の太い鉛筆を水平なプリズムの中央部のまえにかざすと、菫色の辺と赤色の縁が完全に重なり合うようにすることができ、三つの色彩だけ、すなわち外側の二つの色彩と中間の色彩しか見えないであろう。

三三三　プリズムのまえに押し込むための厚紙を、その中央に水平な横長の孔が形づくられるように切り抜き、次にこれを通して日光を投射させると、黄色の辺と青色の縁を明るいところで完全に一致させることができ、橙と緑と菫しか見えないであろう。どのようにして起こるかは、図版の説明のさいに詳しく述べられている。

三三四　(三二七)　このようにプリズム現象は、発光する像がプリズムから現われ出ただけではまだけっして完成されていない。そこで知覚されるのはまだ、その相対立する始まりにすぎない。プリズム現象はそれから増大し、相対立するものは一致し、最後にいとも緊密に組み合わされる。衝立によって受け止められたこの現象の断面はプリズムからの距離のいかんによって異なり、それゆえ、色彩の連続的な配列とか色彩の量が終始均等であるというようなことは問題にならない。このため自然の愛好者と観察者が自然そのものと自然に即したわれわれの図版の研究に向かうに違いないので、これらの図版には蛇足ながら再度の説明と、すべての実験のための充分な指示と手びきが付け加えられている。

第二十四章　既述の諸現象の導出による説明

三三五　(三二八)　われわれはこの導出による説明を主観的実験の機会に詳細に論述し、またそこで当てはまると認められたものはすべて、ここでも当てはまる。したがって、現象においてまったく平行関係にあるものがまた同一の原理から導き出されることを示すために、長々と詳述する必要はもはやない。

三三六　(三二九)　われわれが客観的実験の場合にも種々の像を問題にしなければならないことは、すでに詳しく述べられた。太陽がいかに微小な孔を通して射し込んできたにしても、侵入してくるのはやはりつねに太陽面全体の像である。いかに大きなプリズムを戸外の日光に向けて置いても、屈折する面の縁のところで自分の境界をもうけ、この境界の副像を生じさせるのは依然として太陽像である。いろいろな形に切り抜いた厚紙を水プリズムのまえに押し込んでも、屈折によってその位置からずらされたあとで、有色の縁および辺とこれらの中にまったく完全な副像を示すのは、やはりあらゆる種類の像にすぎない。

二三七（二三五）　主観的実験の場合に対照の著しい像がきわめて鮮かな色彩現象を出現させたが、この現象は客観的実験の場合にははるかに鮮かですばらしいであろう。なぜなら、太陽像はわれわれの知っている最高のエネルギーを有しており、それゆえまたその副像も強烈であり、その二次的な曇らされ暗くされた状態にもかかわらず、依然としてすばらしく輝かしいに違いないからである。日光によってプリズムを通してなんらかの対象に投射された色彩は、最高のエネルギーを有する根源の光をいわば背景にしていることにより強烈な光を伴うのである。

二三八（二三六）　これらの副像をどの程度まで曇っていると呼んでよいのか、そしてそれらを曇った媒体の理論から導き出してよいのかどうかは、われわれの所論にこれまで注意深く従ってきた読者にはだれにでも明らかであろう。しかし特に、必要な装置を調達して、曇った媒体の明確で鮮明な作用をいつでもありありと眼前に浮かべることのできる読者にとってはそうであろう。

第二十五章　有色現象の衰退

二三九　（二四三）　種々の主観的な場合における有色現象の衰退を叙述するさいにわれわれは簡略にすることができたが、ここではさらに簡略にして、かの明白な叙述を引き合いに出すことが許されるであろう。ただ一つのことは、論述全体の主要契機としてのその重大な意義のために、ここで読者の特別な注意を喚起してもよいであろう。

二四〇　（二四四－二四七）　プリズム現象の衰退にはまずこの現象の生成発展が先行しなければならない。衝立をプリズムから適当に遠ざけたとき、着色された太陽像からやがてまったく消えてしまうのは青色と黄色であるが、それは両者が交差して重なり合うからであり、見えるのは橙と緑と菫だけである。衝立を屈折媒体に近づけると、黄と青は再び現われ、色調の異なる五つの色彩が見られる。衝立をさらに近くへずらすと黄と青はまったく分離し、緑は消え、着色された縁と辺のあいだで現われる像は無色である。衝立をプリズムのほうに近く寄せれば寄せるほどこれらの縁と辺の幅は狭くなり、プリズムに接するところではついにゼロとなる。

第二十六章　灰色の像

二四一　(二四八)　われわれは灰色の像を主観的実験の場合にきわめて重要なものとして提示した。それらは副像の弱さによって、まさにこれらの副像がいつも主像に由来することを示している。客観的実験をここでも並行して行なおうとするならば、それは簡単な方法で起こりうるであろう。すなわち、多かれ少なかれくすんだ曇りガラスを、太陽像が射し込んでくる孔のまえに当てればよいのである。それによって弱められた像が生じさせられるが、この像は屈折のあと、太陽面から直接導き出された像よりも衝立の上ではるかにくすんだ色彩を示すであろう。そしてまた最高のエネルギーを有する太陽像の弱い、抑制に対応した副像しか生じないであろう。もちろんこの実験によって、われわれにはすでに充分に知られていることがらが改めて確認されるだけである。

第二十七章　有色の像

二四二　(二六〇)　有色の像を客観的実験のために生じさせるやり方はいろいろある。第一に、孔のまえに色ガラスを当てがうことにより直ちに有色の像が生じさせられる。第二に、水プリズムを有色の溶液で満たせばよい。第三に、あるプリズムによってすでに生じさせられた強烈な色彩を一枚のブリキ板に等間隔で開けた小さな孔を通して通過させ、こうしてできる小さな像を第二の屈折のために準備すればよい。この最後のやり方は最も困難であるが、それは太陽が絶えず移動するためこのような像が固定されたり任意の方向に保たれたりされえないからである。第二のやり方にも不便な点がある。なぜなら、有色の溶液は必ずしもすべて明るくかつ濁らずに調合できないからである。それゆえ第一のやり方が最もすぐれていることになるが、物理学者たちがすでにこれまで、日光によりプリズムを通して生じさせられた色彩も、溶液またはガラスを通して作り出される色彩も、紙または布にすでに固定されている色彩も実験のさいには同じ作用をすると認めているので、なおさらそうである。

三四三　要するに像が着色されることだけが重要なので、すでに導入された大きな水プリズムがこのために最もよい機会を提供する。まず、光を無着色のまま通過させるその大きなガラス面にいろいろな形の孔を切り抜いた厚紙を宛てがうと、種々異なった像、したがってまた異なった副像を生じさせることができる。そこで厚紙の孔のまえにいろいろな色ガラスを固定しさえすれば、屈折が客観的な意味でどのような作用を有色の像に及ぼすかを観察することができるからである。

三四四　すなわち、すでに記述した色ガラス付の厚紙（二八四）を利用し、これを大きな水プリズムの枠にちょうどはめ込むことのできる大きさにすればよいのである。こうして太陽を照射させると、上のほうへ屈折された有色の像がそれぞれの仕方で辺と縁を伴って現われるのを見るであろう。これらの辺と縁はいくつかの像においてはまったくはっきり現われるが、他の像においてはガラスの特殊な色と混合し、これを高めたり減殺したりする。そのさいだれでも確信できることは、ここでもまたわれわれがすでに主観的および客観的に詳しく論述した単純な現象が問題になっているだけだということである。

第二十八章　収色性と余剰色

三四五　（二八五―二九〇）　余剰色および収色性に関する実験を客観的にもいかに行なうことができるかということについては、先にいろいろ詳しく述べたので、簡単な手びきを与えさえすればよいであろう。特に、すでに言及した合成プリズムが自然愛好者の手もとにあることは前提にしてさしつかえないであろう。

三四六　クラウンガラス製の角度の小さい鋭角プリズムを通して太陽像を通過させ、これが反対側の衝立の上方に屈折されるようにする。すると縁は、すでに知られている法則に従って着色されて見えるであろう。すなわち、菫色と青色は上および外側に、黄色と橙色は下および内側に。このプリズムの屈折角は下のほうに向いているので、これと反対に屈折角が上のほうに向けられているフリントガラス製の均衡のとれたプリズムを対置させる。太陽像はこれにより再びそのほんらいの位置へ戻されるが、下のほうへ戻すフリントガラス製プリズムの色彩を生じさせる力の余剰により（この下方移動の法則に従って）それはわずかばかり着色されているであろう。すなわち、青色と菫色が下および外側に、黄色と橙色が上および内側に現われるであろう。

二四七　さて、クラウンガラス製の均衡のとれたプリズムで像全体をもう一度少しばかり上方へずらすと、余剰色は除去され、太陽像はその位置からずらされるが無色に見えるであろう。

二四八　三枚のレンズから合成された色収差のない対物レンズを使えば、これらの実験を段階的に行なうことができる。ただそれは、この対物レンズを技術者がしっかりとはめ込んだ筒から抜き出すことを惜しまない場合である。クラウンガラス製の二つの凸レンズは像を焦点のほうへ収縮することによって、フリントガラス製の凹レンズは太陽像を自分の背後に拡張することによって、縁にこれまでどおりの色彩を示す。凸レンズを凹レンズと一緒にすると、後者の法則に従って色彩が現われる。三枚のレンズをすべて接合すると、太陽像を焦点のほうに収縮しようと、焦点の背後に拡張させようと、有色の縁はけっして現われず、技術者が意図した収色性はここで再び真価を発揮する。

三四九　しかしながら、クラウンガラスは全般的に緑色がかった色彩を帯びており、特に大きな厚い対物レンズの場合に緑色がかった輝きが一緒にまぎれ込み、ある種の状況のもとでは、それと並んで要求された深紅色が現われるかもしれない。われわれがいろいろな対物レンズを用いていくら実験を繰り返してもそれは現われなかったが、人々はそのために奇妙きわまりない説明をいろいろ考え出し、理論的に色収差のない望遠鏡が不可能なことを証明せざるをえなかったので、このような急激な改良を否定できることをある程度まで喜んだ。しかしそれについては、これらの発明の歴史においてしか詳しく論ずることができない。

第二十九章　客観的実験と主観的実験の結合

三五〇　前述のように客観的および主観的に眺められた屈折は反対の向きに作用するに違いないのであるが（三一八）、これから推論されるのは、これらの実験を結合すると、相対立し互いに消し合う現象が生ずるだろうということである。

二三一　水平に置かれたプリズムを通して太陽像が壁に向かって投射されるようにする。プリズムが充分に長く、観察者が同時にそれを通して眺められるならば、客観的屈折によって上のほうへずらされた像が再び下のほうへずらされ、この像が屈折がない場合に現われたであろう位置にあるのを見るであろう。

二三二　そのさい一つの重大な、しかし同じく事物の本性から流れ出る現象が現われる。すなわち、すでにしばしば指摘したように、客観的に壁に向かって投射された有色の太陽像は既成の現象でも不変の現象でもないので、前述の操作において像は眼に対して下のほうへ引きずられるだけでなく、その縁と辺をまったく奪われて、無色の輪の形に再び戻される。

二三三　この実験のために二つのまったく等しいプリズムを利用する場合には、それらを並置しておいて、一方を通して太陽像を投射させ、他方を通して眺めればよい。

二三四　観察者が第二のプリズムを通して眺めながら今度は前方へ進んでいくと、像は再び上のほうへ引きずられ、第一のプリズムの法則に従って段階的に着色される。観察者が再び後退し、像をゼロ点にまで戻し、さらに像から遠ざかっていくと、彼の目に円形かつ無色になった像はますます下のほうに移動し、これまでと反対の仕方で着色される。その結果われわれは、プリズムを通して眺めるのとプリズムから視線をずらして見るのを同時に行なえば、同じ像が客観的法則と主観的法則に従って着色されるのを認めることができる。

三五五　この実験がいかに多様化されうるかは、おのずから明らかになる。太陽像が客観的に上方へ高められるさいのプリズムの屈折角が、観察者が眺めているプリズムの屈折角よりも大きい場合、観察者はずっと後退しなければ、壁に映る有色の像が無色になるまでこれを下のほうに移動させることはできないし、またその逆も成り立つ。

三五六　この方法で収色性と余剰色を同様に叙述できるというのは注目すべきことであるが、これをさらに詳論することは自然の愛好者自身に任せてもさしつかえないであろう。またプリズムとレンズを併用したり、客観的経験と主観的経験をいろいろな仕方で混合したりするような他の複雑な実験をわれわれはあとになって初めて説明し、すでに充分知られている単純な現象に還元させたいと思う。

第三十章　他の物理的色彩への移行

三五七　光線屈折による色彩のこれまでの叙述と導出による説明を振り返ってみると、われわれが[*131]これらの色彩をこのように詳細に論じたことにも、われわれがみずから記述した順序に反してそれらを他の物理的色彩より先に論述したことにも、なんら後悔を感ずることはない。しかしながら、他の物理的色彩に移行するこの個所で、読者ならびに研究者に対してそれに関し少し弁明したいと思う。

三五八　光線屈折による色彩、特に第二類の色彩に関する理論を長々と述べすぎたかもしれないということに対して責任を取らなければならないというのであれば、われわれは次のことに注意を促さざるをえない。なんらかの学問的対象に関する論述は、論ずべき題材の内的必然性とともに、その論述が行なわれる時代の欲求とも関係しうるものである。われわれは論述にさいしてつねに二つのことを念頭におかなければならなかった。一つの意図は、われわれのあらゆる経験とわれわれの確信するところを、永いあいだに検証された方法に従って提示することであった。しかし次にわれわれは、すでに知られてはいるが誤認されている、特にまた誤った結びつけ方をされている多くの現象を、その自然な発展および真に経験的な順序に従って叙述することをめざさなければならなかった。そうすることによって、将来、論争編および歴史編を取り扱うために充分な予備的研究を行ない、全体の概観をいっそう容易にすることができると思われたからである。もちろんそのために委曲を尽くして詳述することが必要になったが、それはほんらい時代の要請にこたえるだけのものである。将来、単純なものが単純なものとして、複雑なものが複雑なものとして、一次的な上位のものがそのようなものとして、また二次的な派生的なものがそのようなものとして承認され見きわめられるようになったときに初めて、この論述全体はもっと緊密に縮小されることができる。不幸にしてわれわれ自らまだそうすることに成功しない場合には、はつらつとして活動的な同時代および後世の人々にそれを委ねたいと思う。*132

三六九　さらに各章の順序そのものに関しては、次のことを考慮していただきたい。すなわち、親近関係のある自然現象でさえそのほんらいの配列ないし連続性において互いに関連することはなく、それらは交錯して作用する種々の活動によって惹き起こされるので、どの現象を最初に、どの現象を最後に考察するかということはある程度までどうでもよいことである。何よりも重要なことはただ、すべての現象をできるだけ生き生きと思い浮かべ、それらを最後に一つの視点から、それらの本性や人為的な方法や便宜に従って一つにまとめることだからである。

三七〇　しかしながら現在の特別な場合においては、光線屈折による色彩が物理的色彩の先頭におかれるのが当然であると主張することができる。それは、これらの色彩の顕著な輝きとその他の重大な意義のためであると同時に、それらを導出によって説明するためには多くのことが話題にされなければならなかったからであり、これによって研究はさしあたりずっと容易になるであろう。

三七一　というのは、光はこれまで一種の抽象的なもの、独自に存在して作用し、ある程度まで自分自身で条件をもうけ、ささいな誘因をきっかけに自分自身から色彩を生み出すものとみなされてきた。しかしながら、自然愛好者たちの目をこのようなものの見方からそらし、彼らの注意を次のことに、すなわち、プリズム現象およびその他の現象の場合に問題になるのは境界なしに条件をもうける光ではなく、境界を伴って条件をもうけられた光[*133]、換言すれば光像ないし一般的に明るい像または暗い像であるという事実に向けること、これこそ解決すべき課題、到達すべき目標である。

三六二　特に第二類の光線屈折、すなわち透明な媒体による屈折の場合に生起することがらは、いまやわれわれに充分に知られているので、今後取り扱うことがらの手びきとなる。

三六三　光線反射のいろいろな場合は生理的色彩を思い起こさせるが、ただわれわれはそれらにより多くの客観性を認めるので、それらを物理的色彩に数え入れるのは正当であると信ずる。しかし重要なのは、われわれが注目しなければならないのはここでもまた抽象的な光ではなく、一つの光像であるということである。

三六四　光線回折のいろいろな場合に移行するときに、先に述べたことがらがよく把握されているならば、われわれは再びいろいろな像の領域にいることを見出し、不思議な気持になると同時に満足をおぼえるであろう。特に物体の陰影は物体にそのまま随伴する二次像として、われわれに多くの解明を与えてくれるであろう。

三六五　しかしながら、われわれはこれらの後述することがらを先取りすることを避け、これまでのように、われわれの確信に従って規則正しい歩調を保ちたいと思う。

第三十一章　光線反射による色彩

三六六　光線反射による色彩について語るときすでに暗示されているのは、われわれが反射の機会に現われる色彩を知っていることである。われわれの前提は、光もその反射面もまったく無色の状態にあることである。この意味でこれらの現象は物理的色彩に属している。それらの色彩は反射の機会に生ずるが、それは前述のように第二類の光線屈折による色彩が屈折の機会に現われるのが見られたのと同様である。しかしながら引きつづき一般論にとどまらずに、われわれは直ちに特殊な場合と、これらの現象が現われるために必要な諸条件に向かうことにする。

三六七　細く巻いた鋼鉄線を小さなロールから取りはずし、その弾力性に従いもつれるままにさせておいてから窓辺の明るいところへ置くと、錯綜した輪の上部は明るくはなるが、輝くことも色彩を帯びることもないであろう。これに反して太陽が現われると、この明るさは一点に収縮し、眼は小さな輝く太陽像を認める。これを近くで眺めると色彩は現われない。しかしうしろにさがり、反照を少し離れて眼で受け止めると、きわめて多種多様な仕方で色どられた多くの小さな太陽像が見られる。緑と深紅が最も多く見えるように思われるけれども、よく注意して見ると残りの色彩もやはり現われている。

三六八　柄付き眼鏡を手にとって、これを通してこの現象を眺めると、これらの色彩も、それらが現われてきたさいの拡張して大きくなった輝きも消え失せて、目に映るものはいくつもの小さな発光する点、すなわち繰り返されたいくつもの太陽像だけである。これから認識されるのは、この経験が主観的性質のものであり、この現象が雑多な有色光線の暈という名称のもとに導き入れられた現象に関連しているということである（一〇〇）。

三六九　しかしながらわれわれは、この現象を客観的な側面からも示すことができる。暗箱の板戸に開けた適当な大きさの孔の下に白い紙を固定し、太陽が孔を通して照射するときに、もつれた鋼鉄線を日光にかざし、これがその紙と向かい合うようにする。すると日光は鋼鉄線の輪の上にも中にも射し込むが、集中させて見る人間の眼の場合のように一点に集まっては現われず、白い紙がその面のどの部分においても日光の反照を受け止めることができるので、毛髪のような線状をなして、また同時に雑多な色彩を帯びて見られるであろう。

三七〇　この実験は純然たる光線反射現象である。なぜなら、日光が鋼鉄の表面に浸透しそこで変化を受けるなどということは考えられないので、ここで問題になっているのは純然たる反射にほかならないということを確信するのは容易である。この反射は主観的である限り弱く作用して漸消する光の理論と関連し、客観的にされうる限り人間の外部にある実在的なものを、きわめて微細な現象においてさえも指し示している。

三七一　われわれがすでに見たように、この作用を惹き起こすために必要なのは、たんなる光ではなく強いエネルギーの光であり、しかも抽象的かつ一般的な状態においてではなく、境界を伴った光、すなわち一つの光像でなければならない。これについてわれわれは親近関係のある他のいろいろな場合にさらにいっそう確信することができるであろう。

三七二　よく磨かれた銀板は太陽に当たると眩しいほど反射するが、この機会にはいかなる色彩も見られない。これに反して表面に少しきずをつけると、雑多な色彩、特に緑色と深紅色が眼を適当な角度にしたときに現われる。金属に彫り物をしたり波縞をつけたりする場合にもこの現象は顕著に現われる。しかしながら、これらの場合において充分に留意していなければならないのは、この現象が生ずるためには何かある像、すなわち、明暗の交代が反射のさいに協力しなければならないということである。窓の十字の桟や樹木の枝や偶然あるいは故意に置かれた障害物が著しい作用を惹き起こすのはそのためである。この現象も暗箱の中で客観化されることができる。

三七三　よく磨かれた銀板を硝酸で腐蝕させ、銀の中に含まれている銅が溶解されて表面がある程度までざらざらになるようにし、それからこの銀板の上で太陽像を反射させると、太陽像は無限に小さなでこぼこの点の一つ一つから反照し、銀板の表面は雑多な色彩を帯びて見えるであろう。同様に黒いざら紙を太陽に当てて注意深くそれを見つめると、その微小な部分がみな鮮かな雑多な色彩で輝いているのが見える。

三七四　これらすべての経験は同一の諸条件を指し示している。第一の場合に光像は細い線から反射し、第二の場合にはおそらく尖った稜角から、第三の場合には小さな点からである。すべての場合に必要とされるのは活発な光と、この光が境界を伴うことである。これに劣らずこれらすべての色彩現象に要求されるのは、眼が反射する数多くの点から均衡のとれた距離にあるということである。

三七五　これらの観察を顕微鏡のもとで行なうと、現象の勢いと輝きは限りなく増大するであろう。なぜなら、そうすると物体の微細な諸部分が太陽によって照射されて、これらの反射色彩の中でちらちら光っているのが見られるからである。これらの反射色彩は、屈折による色彩と密接な関係を有しているのであるが、いまやその華麗さの最高の段階にまで高まる。このような場合、有機体の表面に蠕虫《じゅちゅう》のような形をした雑多な色彩のものが認められるが、これについては後で詳しいことを示すつもりである。

三七六　ところで反射のさいに現われる色彩は主として深紅と緑である。これから推測されるのは、特に線状の現象が両側を青と黄で限どられた微細な深紅色の線から成り立っているということである。これらの線がひじょうに接近すると中間領域は緑色に見えるに違いない。この現象は今後もなおたびたび起こるであろう。

三七七　自然の中でわれわれはこのような色彩にしばしば出会う。たとえばクモの巣の色彩[*134]は鋼鉄線から反射する色彩とまったく同じと考えられる。ただし鋼鉄の場合ほど光の不浸透性ということが確証されないので、人々はこれらの色彩をも屈折現象に加えたいと思ったのである。

三七八　真珠母の場合、限りなく繊細な並列した有機体の繊維と薄層が認められるが、これらから前述のきずをつけられた銀板の場合と同様に多種多様な色彩、しかし主として深紅と緑が生じてくると思われる。

三七九　鳥の羽毛のさまざまに変わる色彩もここで同じく言及される。もっとも、あらゆる有機的なものの場合には色彩の化学的な準備と身体への同化ということが考えられうるのであるが、これについては化学的色彩の機会にさらに問題になるであろう。

三八〇　客観的暈の諸現象も光線反射現象に近接していることは容易に認められるが、屈折も一緒に作用していることは否定できない。ただここでは二、三のことを述べるだけにとどめたい。理論の全域を一巡したあとで初めてわれわれは、そうすることによって一般的に知られたものを個々の自然現象により完全に適用できるようになるであろう。

三八一　われわれがまず第一に想起するのは白または灰色がかった壁の近くに置いたロウソクによって惹き起こされたかの黄色と赤の輪である（八八）。光はある物体から反射することによって適度に弱められ、適度に弱められた光は黄色と、さらに赤色の感覚を起こさせるのである。

三八二　このようなロウソクを壁のすぐ近くに置いて、これを活発に照らすようにする。輝きは遠くへ広がれば広がるほどそれだけ弱くなる。しかしながら、それは依然として炎の作用、そのエネルギーの続行、その像の拡張された作用である。それゆえこれらの輪をあえて境界像と呼ぶことができるであろう。なぜなら、それらは活動力の及ぶ境界をなし、しかも炎の拡大された像にすぎないからである。

三八三　薄い靄が大気中に充満しているため太陽のまわりの空が白く輝いている場合、あるいは靄や雲が月のまわりに浮かんでいる場合、太陽面ないし月面の反照は靄や雲の中に反射する。そのときわれわれが目にする暈は一重であったり二重であったり、大小いろいろであるが、ときおりひじょうに大きく、しばしば無色であることも有色のこともある。

三八四　月のまわりのひじょうに美しい暈を私が見たのは、一七九九年十一月十五日、気圧計の針が高かったにもかかわらず、雲と靄のかかった夜空においてであった。暈は鮮明な色彩を帯びていた。そして主観的暈の場合と同様、光のまわりにいくつもの輪がつらなっていた。この暈が客観的であることは、月の像を遮蔽したにもかかわらず暈がなお完全に見られたことからすぐにわかった。

三八五　暈の大きさが種々異なっていることは、観察者の眼からの靄の遠近と関係があるように思われる。

三八六　かるく息を吹きかけた窓ガラスが主観的暈の鮮かさを増し、これをある程度まで客観的暈にするので、厳寒の冬期に簡単な装置を用いて、これについて詳細な規定が見出されるかもしれない。

三八七　これらの輪の場合にも像とその作用にまでさかのぼって追究する理由が充分あることは、いわゆる幻日現象の場合に示される。このような隣接像はつねに暈と輪のある点に現われ、輪全体の中で絶えず漠然となっていくものを境界の付いたまま再現するだけである。虹の現象とこれらすべてはむしろ容易に関連するであろう。

三八八　この章の最後にわれわれに残されているのはただ、光線反射による色彩と光線回折による色彩の親近関係を導き入れることである。

光線回折による色彩とわれわれが呼ぶのは、光が不透明な無色の物体に接して照射する場合に生ずる色彩である。これらの色彩が第二類の光線屈折による色彩といかに親近性を有してるかは、屈折による色彩が縁のところにしか生じないことをわれわれとともに確信していれば、だれでも容易にわかるであろう。しかし、光線反射による色彩と光線回折による色彩の親近関係は次章において明らかになるであろう。

第三十二章　光線回折による色彩

三八九　光線回折による色彩はこれまで周辺的色彩と呼ばれてきたが、それは光の作用がいわば物体の周辺をめぐると考えられ、物体のほうへ曲がったり、物体から離れて曲がったりするある種の性質が光にあるとされたためである。

三九〇　これらの色彩も客観的色彩と主観的色彩に分類することができる。なぜなら、それらはわれわれの外部にいわば面に描かれたように、あるいはわれわれの内部で直接網膜上に現われるからである。われわれはこの章においては、客観的色彩をまず最初に取り上げるのが最も都合がよいと思う。主観的色彩はわれわれにすでに知られている他の諸現象にきわめて近接しているので、両者をほとんど切り離すことができないからである。

三九一　光線回折による色彩がそう呼ばれるのは、それらを生じさせるために、光がある縁から照射しなければならないからである。しかしながら、光がある縁から照射する場合でも必ずしも色彩は現われない。そのためにはなおまったく特殊な副次的条件が必要である。

三九二　さらに注意すべきは、光はここでまたしてもけっして抽象的に作用するのではなく（三六一）、太陽がある縁から入射してくるということである。太陽像から放射された光全体が物体の境界に接して作用を及ぼし、陰影を生じさせる。これらの陰影に接して、またそれらの内部に今後われわれは色彩を認めることになるであろう。

三九三　しかし何よりも先に、われわれはこれに属するいろいろな経験を白日のもとで眺めることにする。われわれは観察者を暗室の中に閉じ込めるまえに戸外に連れ出す[*135]のである。

三九四　日の光を浴びながら庭の中やそのほかの平らな道をそぞろ歩きする人はだれでも、自分の影が地面を踏む足もとでしか明確な境界を伴って現われないことに容易に気づくであろう。ずっと先のほう、特に頭のまわりでは、その影は明るい面の中へなだらかに流れ込んでしまう。なぜなら、日光は太陽の中心からのみ放射されるのではなく、この発光する星辰の両端からも交差して作用するために客観的な視差が生じ、これが物体の両側に半陰影を生じさせるからである。

三九五　散歩する人が手を挙げると、指のところで両方の半陰影が外側に分かれていき、主陰影が内側に縮小していくのがはっきり見える。これらはともに交差する光の作用である。

三九六　これらの実験はなめらかな壁のまえで、いろいろな太さの棒やまた種々の球を用いて繰り返したり多様化することができる。そのさいいつも見られるのは、物体が衝立から遠く離されれば離されるほど薄い二重陰影がいっそう広がり、濃い主陰影も縮小し、最後にまったく消し去られたように見えることである。そればかりでなく、二重陰影も最終的にひじょうに薄くなってほとんど消失し、さらに距離を増すとまったく認められなくなる。

三九七　これが交差する光に起因することを確信するのは容易であり、実際に、とがった物体の陰影は二つの尖端を明白に示すのである。したがって、われわれがけっして忘れてならないのは、この場合に作用し、陰影を生じさせ、これらを二重陰影に変化させついには消し去ってしまうのが太陽像全体であるということである。

三九八　固形の物体の代わりに今度は種々異なった大きさの孔を並べて切り抜き、これらを通して日光を少し離れた衝立の上に投射させると、太陽によって衝立の上に生じさせられる明るい像が孔よりも大きいことがわかるであろう。その原因は、太陽の一方の縁が孔の反対側を通して、他方の縁がこれによってすでに遮蔽されているときにもなお射し込んでくるからである。明るい像がその縁のところでいくぶん弱く照らされているのはそのためである。

三九九　任意の大きさの四角形の孔を開けると、孔から九フィート離れたところにある衝立に映る明るい像は、どの側面においても孔より一インチ大きいであろう。これは太陽の外見上の直径のなす角度とかなり一致する。

四〇〇　この縁の照射がしだいに減少するということはまったく自然である。なぜなら、最後には、最小限の日光しか太陽の縁から交差して孔の縁を通して作用できないからである。

四〇一　したがって、ここでまたしてもわかるように、われわれは経験のなかで平行光線とか光線束とかいうような仮説的存在を想定したりしないよう充分に警戒しなければならないのである（三〇九、三一〇）。

四〇二　われわれはむしろ太陽あるいは何かある光の輝きを限定された光像の無限の反映と考えることができる。ここから導き出されると思われるのは、四角形の孔もすべて、太陽が射し込むとき、それらの大小に応じた適当な距離をおくと円形の像を必然的に示すということである。

四〇三　上述のいろいろな実験はさまざまな形と大きさの孔を用いて繰り返すことができるが、つねに同じことが種々異なった偏差を伴って現われるであろう。しかしながら、そのさいいつも気がつくと思われるのは、白日のもとでと、太陽がある縁から照射する単純な操作の場合にはいかなる色彩も見られないということである。

四〇四　それゆえわれわれは弱められた光を用いる実験へ向かうことになるが、弱められた光は色彩現象が生ずるために必要欠くべからざるものである。暗室の鎧戸に小さな孔を開け、交差して侵入してくる太陽像を白い紙で受け止めると、孔が小さければ小さいほどそれだけ弱い光を認めるであろう。これは照明が太陽全体によってではなく、個々の点によって部分的に惹き起こされるだけなので、まったく自然である。

四〇五　この弱い太陽像をよく眺めると、それが縁のほうにかけてますます弱まり、黄色の辺で境界をつけられているのがわかる。この黄色の辺ははっきり現われるが、しかし最もはっきりしているのは、霧や半透明の雲が太陽のまえをよぎり、その光を適度に弱める場合である。そのさいわれわれはすぐ、壁に映る例の暈のことや、壁のすぐまえに置かれたロウソクの輝きを思い出すべきではないだろうか(八八)。

四〇六　先に記述した太陽像をさらによく眺めると、この黄色の辺でことが片づいたわけではなく、色彩辺の暈のような繰り返しとはいわないまでも、なお第二の青味を帯びた輪が認められる。部屋がよほど暗いと、太陽のすぐまわりの明るく照らされた空も同じく作用を及ぼしていることが見られる。青空や風景全体さえ白い紙の上に見られるので、ここで問題になっているのは太陽像だけであるということが改めて確信される。

四〇七　少し大きめの四角形で太陽の入射によってすぐには円形にならないような孔を開けると、どの縁でも半陰影が生じ、それらが角のところで合致し、円形の孔に関する前述の現象に従って着色することがよく認められる。

四〇八　われわれは視差を伴って入射する光を小さな孔を通して投射させることによって弱めた。しかし、この光からその視差的性質を取り除かなかったので、それは再び物体の二重陰影を、たとえ作用が弱まっているにしても、生じさせることができる。これらの二重陰影こそこれまで人々の注目を浴び、明暗および有色無色のいろいろな輪をなして次々に現われ、増大されたというよりもある程度まで無数の暈を生じさせるものである。このような二重陰影はしばしば素描されたり銅版画にされたりしたが、人々は針や毛髪やその他の細い物体を弱められた光に当てて多様な暈のような二重陰影を観察し、これらを光が外側および内側に曲がるせいにし、そうすることによって、主陰影がどうして消し去られ、明るいものが暗いものに代わって現われうるかを説明しようとした。

四〇九　しかしわれわれがとりあえず固執するのは、有色の辺および暈とともに境界を伴って現われてくるのは、またしても視差的二重陰影にほかならないということである。

四一〇　これらすべてを見きわめて充分に理解したならば、カミソリの刃に関する実験に進むことができる。これは、われわれにすでに知られている半陰影と暈が接近し合い、視差を伴って重なり合う現象と呼ばれることができる。

四一一　最後に行ない考察すべき実験は、毛髪や針や針金に関するもので、太陽によって惹き起こされる半光および青空に起因し紙の上に現われる半光の中で行なわれる。こうすることによって、これらの現象に対する真の見解をますますわがものとすることができるであろう。

四二二　ところで、これらの実験において何よりも重要なことは入射する光の視差的作用について納得することなので、この肝心かなめのことがらを、二つの光によっていっそうはっきりさせることができる。これらの光によって、二つの陰影が重なり合わされたり、完全に分離されたりすることができるのである。昼間ならばそれは鎧戸に開けた二つの孔によって、夜間ならば二本のロウソクによって起こりうる。そればかりでなく、建物の中では鎧戸の開閉のさいにいろいろな思いがけないことがらが起こり、これらの現象を精巧をきわめた装置を用いる場合よりもよく観察することができる。しかしながら、これらすべての現象はいずれも次のようにすれば実験へ高められる。すなわち、木箱を一つ作り、上から中をのぞき込めるようにし、あらかじめ二重の光を投射させたあとで、その扉をこころもち閉じる場合である。そのさい、生理的色彩のもとで論じられた有色の陰影がきわめて生じやすいということが予想される。

四二三　読者に全般的に思い出していただきたいのは、われわれが二重陰影や半光などの本性について前に詳述したことであるが、特に実験を行なってほしいのは、濃淡の異なるいろいろな灰色を並べたものについてである。この場合には、どの色標もその隣の暗いものと比べれば明るく、明るいものと比べると暗く見えるであろう。夕方、三本あるいはそれ以上のロウソクで陰影を生じさせ、これらの陰影が段階的に重なり合うようにすると、この現象をひじょうにはっきり認めることができる。ここで前述した生理的色彩の場合が生ずることは確信できるであろう（三八）。

四四　しかし、光線回折による色彩に随伴する現象のすべてがどの程度まで、適度に弱められた光や半陰影や網膜の生理的機能の理論から導き出されうるか、あるいはこれまでのようにわれわれも光のある種の内的性質などというようなことに逃げ道を求めざるをえないかどうかは、時がたてばわかるであろう。ここでは、光線回折による色彩が生ずるための諸条件を明示したことで充分であろう。われわれがまた当然望んでもよいのは、これまでの論述との関連に対するわれわれの指摘が自然の愛好者たちによって無視されることはないだろうということである。

四五　光線回折による色彩が第二類の光線屈折による色彩と親近関係を有していることは、思索する人ならだれでもそう考えたがるであろう。どちらにおいても問題になっているのは縁であり、また縁から照射する光である。したがって、きわめて自然なのは、光線回折のいろいろな作用が光線屈折の作用によって高められ、強められ、すばらしくされうるということである。しかしながら、ここで問題になりうるのは、発光する像が実際に媒体を通して入射する客観的な屈折の場合だけである。なぜなら、光線回折の場合と密接に関係があるのはほんらいこれらの場合だけだからである。われわれが媒体を通して像を見る主観的な屈折の場合は、光線回折による場合とまったく隔たっており、またその純粋さのゆえにわれわれがすでに賞讃したところである。

四一六　光線回折による色彩が光線反射による色彩と関連があることは、前述のことからすでに推測される。というのは、光線反射による色彩は小さな裂け目とか点状のところ、鋼鉄線あるいは細い糸などのところにしか現われないので、それは光があたかもある縁から照射する場合とほとんど同じだからである。われわれの眼が色彩を知覚するためには、光はいつもある縁のところから反射しなければならない。ここでもまた発光する像の制限と光を適度に弱めるということを考慮しなければならないことは、すでに明示したとおりである。

四一七　主観的な光線回折による色彩についてはごく少数の場合を挙げるだけにとどめる。なぜなら、それらの色彩は生理的色彩とも第二類の光線屈折による色彩とも関連づけられ、大部分ほとんどここに属していないように思われるからである。もっとも、よく注意して見れば、それらは理論全体とその結び付きに喜ばしい光を当ててくれないわけではない。

四一八　定規を眼のまえにかざし、ロウソクの炎がそれを越えて輝き出るようにすると、定規は炎が現われ出る個所でいわば切り込まれて刻み目ができたように見える。このことは、光が網膜の上で拡張する力を有していることから導き出されるように思われる（一八）。

四一九　同じ現象の大規模なものは日の出のさいに現われる。太陽が昇るとき、曇りはないがそれほど強烈ではなく、肉眼でなお見ることができるくらいのときはいつも、地平線に鋭い切り込みのようなものが認められる。

四二〇　空が灰色のとき窓辺に歩み寄り、暗い十字の桟が灰色の空にたいしてくっきりきわ立つようにし、次に眼を水平な横木のほうに向け、さらに頭を少し前方に曲げてまばたきをし上のほうを見始めると、間もなく横木の下には美しい橙色の辺を、横木の上には美しい淡青色の辺を発見するであろう。空が一様に暗い灰色であればあるほど、部屋が薄暗く、したがって眼が休息していればいるほど、この現象はそれだけ鮮かに現われるであろう。もっとも、それは注意深い観察者には明るい日中でも提示されるであろう。

四二一　今度は頭を後方にそらしてまばたきをし、水平な横木を見おろすようにすると、この現象は逆になって現われるであろう。すなわち、上の稜角は黄色に、下の稜角は青く見えるであろう。

四二二　これらの観察は暗室の中で最もよく行なわれる。ふつうは太陽顕微鏡をねじ込んで取り付ける孔のまえに白い紙を貼ると、この円形の下の縁は青く、上の縁は黄色に見えるであろう。たとえ眼を全部開けたままでいても、あるいは白い部分のまわりに暈が現われぬ程度にまばたきをしながら目を閉じても同じである。頭を後方にそらすと、色彩は逆になって見える。

四三　これらの現象は次のようなことから生ずるようにみえる。すなわち、われわれの眼の硝子体液はほんらい視覚作用の行なわれる中心においてのみ真に収色性を有しているけれども、周辺にかけて、および頭を前方あるいは後方に曲げるなどの不自然な位置においては、また特に輪郭のはっきりした像を眺める場合、色彩を帯びる性質が残っているのである。それゆえこれらの現象は、第二類の光線屈折による色彩と密接に関係した諸現象に属しているのかもしれない。

四四　似たような色彩は、トランプのカードに開けた針孔を通して黒と白の像のほうを見たときに現われる。光線回折による色彩用の装置ができているならば、暗箱の板戸のブリキの中にある明るい点を白い像の代わりに選んでもよい。

四五　先が狭くなっているか、いろいろな切り口の付いている管を通して見ると、同じく色彩が現われる。

四六　しかし、光線回折現象により密接に関連しているのは、私の考えでは次のような諸現象である。眼のすぐまえに針の先をかざすと、眼の中には一つの二重像が生ずる。特に注目に値するのはしかし、光線回折の実験のために用意された数本のカミソリの刃を通して灰色の空を見る場合である。それはあたかもヴェールを通して眺めるようであり、眼の中には多数の糸のようなものが現われる。これはほんらい刃先の繰り返された像にほかならず、これらの像のうち一つは次にくるものによって継起的に、あるいはまた対立して作用するものによって視差的に制約を受け、糸状のものに変えられるのである。

四二七　こうして最後になお述べなければならないのは、数本のカミソリの刃を通して鎧戸の中の明るい点を見つめると、網膜の上に、紙の上に現われるのと同じ有色の縞模様と暈が生ずるということである。

四二八　ある友人[*136]が本章の実験をもう一度徹底的にやり直すことを引き受けてくれたので、この章はとりあえずこれで終えることにする。この友人の所見は、図版の改訂と実験装置の検討のさいに引きつづき報告したいと思う。

第三十三章　薄膜干渉による色彩

四二九　われわれがこれまで研究してきた色彩はひじょうに鮮明に現われはするが、しかし条件が取り除かれるとすぐにまた消えてしまう。これにたいしてわれわれがこれから経験する色彩[*137]は、同じく一時的のものとして観察されはするが、ある状況のもとでは固定され、その現象を惹き起こした諸条件が取り除かれたあとでも存続し、したがって物理的色彩から化学的色彩への移行をなすものである。

四三〇　これらの色彩はいろいろなことが誘因となって無色の物体の表面に生ずる。それはもともと、伝達や着色や浸潤（βαφή）なしに起こる。われわれはこれらの色彩を、そのきわめてかすかな現象からそのきわめて執拗な持続にいたるまで、種々異なる生成条件を通して追究するつもりであるが、概観しやすくするために、ここで直ちにこれらの諸条件を概略的に述べることにする。

四三一　第一条件。透明な固体の二つのなめらかな面の接触。

第一、ガラス塊・ガラス板・レンズが互いに押しつけられる場合。

第二、ガラス・結晶・氷などの堅牢な塊の中に亀裂が生ずる場合。

第三、透明な鉱石の薄層が剥離する場合。

第二条件。ガラス面あるいは研磨された宝石に息を吹きかける場合。

第三条件。上記二つの条件の結合。すなわち、ガラス板に息を吹きかけ、もう一枚のガラス板をその上に載せ、圧迫することによって色彩を生じさせ、次にガラスを押しのける。

すると色彩はそれにつづいてずれ動き、息をかけると消滅してしまう。

第四条件。いろいろな液体の気泡、すなわち、せっけん水・ココア・ビール・ワインの泡や小さなガラス泡。

第五条件。鉱物溶液および金属溶液のひじょうに薄い皮膜と薄層、石灰乳の薄膜、よどんだ水、特に鉄分を含んだ水の表面、同じく水面に浮かぶ油の薄膜、特に硝酸の上に浮かぶワニスの薄膜。

第六条件。金属が加熱される場合。鋼鉄その他の金属の焼きなまし。

第七条件。ガラスの表面が腐蝕される場合。

四三二　第一条件の第一の場合。二枚の凸レンズまたは凸レンズと平面ガラス、最もよいのは凸レンズと凹レンズが接触し合う場合、同心円的な有色の輪がいくつも生ずる。ちょっと圧迫しただけでもこの現象は直ちに現われ、徐々にいろいろな段階を経て変わることができる。われわれは直ちに完成された現象を記述するのであるが、それは、この現象の通過する種々の段階は逆行したほうがいっそうわかりやすいからである。

四三三　中心部は無色である。二枚のレンズが最も強く圧迫されて、いわば一枚になってしまっているところでは暗い灰色の点が現われ、そのまわりに銀白色の空間ができる。次に間隔がしだいにせばまりながら生ずる種々の孤立した輪は、すべて、互いに密着した三つの色彩から成り立っている。これらの輪は三つないし四つくらいまで数えられうるが、そのいずれも内側は黄色、中間は深紅色、外側は青色である。二つの輪のあいだには銀白色の間隙がある。この現象の周辺に生ずる最後のほうの輪の間隔はますますせばまる。それらには深紅と緑が交互に現われ、それらのあいだに銀白の間隙はもはや認められない。

四二四　今度はこの現象の継起的生成を、きわめてかるく圧迫する場合から観察することにしよう。

四二五　きわめてかるく圧迫する場合、中心部そのものは緑色に着色されて見える。これにつづいてすべての同心円の周辺にまで及ぶのは深紅色と緑色の輪である。これらの輪は比較的幅が広く、それらのあいだには銀白色の間隙はまったく見られない。緑色の中心部はまだ展開されていない円環の青によって生ずるのであり、この青は最初の輪の黄色と混ざっている。他のすべての輪はこのかるい接触にさいしては幅が広く、それらの黄色と青の縁は混ざり合って美しい緑を生み出す。しかし、どの輪の深紅も汚れなく純粋なので、すべての輪はこれら二つの色彩を帯びて見えるのである。

四二六　少し強く圧迫すると、最初の輪はまだ展開されていないものから少しばかり離れ、孤立するようになるので、いまや完全な形で現われる。中心部は今度は青い点として見える。なぜなら、最初の輪の黄色は銀白色の間隙によって中心部から分離されているからである。青からは中心部で深紅色が展開し、これはいつも外側にそれに属する青色の縁を保存している。内側から数えて二番め、三番めの輪はすでに完全に孤立している。これと異なる場合が現われても、すでに述べたこと、およびこれからなお述べることから、それらについて判断を下すことができるであろう。

四三七　さらに強く圧迫すると中心部は黄色になり、深紅色と青色の縁によってとりかこまれる。最後に、この黄色も完全に中心から遊離する。最も内側の輪が形成されており、黄色がその縁をとりまいている。中心部全体はいまや銀白色に見え、最終的に最も強く圧迫するとついに暗い点が現われ、初めに記述したような現象が完成される。

四三八　同心円をなすいくつもの輪の大きさとそれらの間隔の程度は、圧し合わされるレンズの形に関係している。

四三九　前述のように、有色の中心部はまだ展開されていない一つの輪から成り立っている。しかし、ほんのわずか圧迫しただけでしばしばわかるのは、いくつものまだ展開されていない輪がいわば萌芽的に潜在し、これらが徐々に観察者の眼のまえで展開されうるということである。

四四〇　これらの輪の規則性は凸レンズの形に由来し、この現象の直径はレンズの研磨された球面の切り口の大小に従う。ここから容易に推論されるのは、平面ガラスを押しつけ合うことによっては不規則な現象しか見られないだろうということである。これらの現象は波紋の模様をつけられた絹織物のように波形に現われ、圧迫された点からあらゆる方向に広がっていくのである。しかしながら、この場合のほうが現象は先の場合よりもはるかにすばらしく、だれに対しても顕著で魅惑的である。実験をこのような仕方で行なうと、先に記述した実験の場合とまったく同様に次のことを認めるであろう。すなわち、かるく圧迫する場合には緑色と深紅色の波が現われてくるが、さらに強く圧迫すると青と深紅と黄色の細い縞はそれぞれ孤立するのである。第一の場合にそれらの外側は接触し合い、第二の場合には銀白色の間隙によって分離される。

四二　この現象をさらに規定することに移るまえに、それを生じさせる最も簡単な方法を伝えたいと思う。

窓に面した机の上に大きな凸レンズを置き、その上に一枚のよく研磨したトランプのカードほどの大きさの板ガラスを載せると、板ガラスの重さだけですでに充分な圧力が加わるので、記述された諸現象のどれか一つが生ずる。実際、板ガラスの重さが種々異なっていることにより、またその他の偶然的なことがら、たとえば板ガラスを中心部ほど強く圧迫しない凸レンズの傾斜面の上へずらすなどのことによって、われわれの記述したすべての段階を次々に生じさせることができるであろう。

四二　この現象をよく観察するためには、それが現われてくる面を斜めから見なければならない。しかも、きわめて注目すべきことに、ますます身をかがめて鋭角的な視点からこの現象のほうを眺めると、輪が拡大するだけでなく、中心部からさらに他の輪が展開してくる。これらの輪の痕跡は、垂直に見おろしたときには、たとえきわめて強度の拡大鏡を用いてもまったく発見されなかったものである。

四三　この現象を直ちにその最も美しい状態で惹き起こそうと思うならば、できるだけ清潔を保つようにしなければならない。なめらかなガラス板の実験を行なう場合には革手袋をはめてやるのがよい。そうすれば、ぴったりと接触しなければならない内側の面は実験のまえにたやすく磨くことができるし、また外側の面は実験にさいして圧迫している最中でもきれいに保つことができる。

四四　上述のことからわかるのは、なめらかな二つの面の密着が必要だということである。研磨されたガラスはそのために最も役に立つ。ガラス板は互いに密着した場合、きわめて美しい色彩を現わす。これとまったく同じ原因から、それらを排気ポンプのもとに置き、空気を抜き出すと、この現象の美しさが増大するとのことである。

四五　有色の輪の現象が最も美しく生じさせられるのは、同一の球面に従って研磨された凸レンズと凹レンズを接合させる場合である。私はこの現象を、色収差のない望遠鏡の対物レンズの場合ほどすばらしく見たことはいまだかつてない。その対物レンズの場合、クラウンガラスはフリントガラスとじつにぴったり接触していたに違いなかった。

四六　注目に値する現象は、種類の異なる面、たとえば研磨された水晶がガラス板に圧し付けられるような場合である。この現象は、ガラスとガラスの結合の場合のように大きな流動する波紋を描いて現われることはけっしてなく、むしろ小さくてぎざぎざがあり、いわば寸断されているので、薄板の無限に小さな切断面からなる研磨された水晶の面がガラスと接触しても、ガラスとガラスの場合のような継続的な接触は起こらないように見える。

四七　色彩現象はひじょうに強く圧迫することによって消滅する。この場合、両面はきわめて密接に結合されるので一体をなすように見える。暗い点が中心部に生ずるのは、押しつけられたレンズがこの点のところでもはや光を反射しないからであり、それゆえまたこの同じ点は、光にかざして見ると、まったく明るく透明である。圧迫をゆるめると色彩はしだいに消滅し、二つの面を引き離すと完全に消滅する。

四八　これと同じ現象は他の二つの似たような場合にも起こる。すなわち、まったく透明な物質の塊が裂け、それらの部分の両面がなお充分に接触しているような場合に、同じ輪と波紋が多かれ少なかれ見られる。これらをひじょうに美しく生じさせることができるのは、加熱したガラス塊を水の中に突っ込む場合である。このガラス塊のいろいろな割れ目や亀裂の中に多種多様な模様の色彩をたやすく観察することができる。自然はわれわれにしばしば同じ現象を、亀裂の生じた水晶において示してくれる。

四四九　しかし、この現象が鉱物界においてしばしば見られるのは、その本性上薄片からなるような種類の岩石においてである。これらのもともとの薄片はきわめて密接に結合しているので、この種の岩石はまったく無色透明に見えることがある。しかしながら、内部の薄片はいろいろな偶発的原因によって引き離され、しかも相互の接触が失われずにいることがある。こうして、われわれがいまや熟知している現象がしばしば惹き起こされるのであるが、それは特に方解石・セレナイト・長石その他いくつもの類似の構造をした鉱物の場合においてそうである。したがって、偶然によく起こる現象を鉱物学においてひじょうに重大なものとみなし、この現象を示す標本に特別な価値を認めたりするのは、その直接の原因を知らないためにほかならない。

四五〇　ここでわれわれに語ることがわずかに残されているのは、この現象がきわめて注目すべき仕方で逆転するということである。それは自然研究者たちによってわれわれに伝承されたものである。すなわち、色彩を反射光線のもとで眺めずに透射光線のもとで観察すると、同じ場所に相対立する色彩が、われわれが先に生理的に互いに要求し合う色彩として挙げたのと同じ仕方で現われてくるとのことである。青の代わりに黄色が、逆にまた黄色の代わりに青が、赤の代わりに緑がというように見えるというのである。この点についてわれわれはなおいくらか疑念を抱いているので、詳しい実験についてはあとでまた述べるつもりである。[138]

四五一　さて、これまで論述してきた第一の条件のもとで現われる薄膜干渉による色彩について普遍的なことを言い表わし、これらの現象を以前の物理的現象に結び付けることがもし要請されるならば、われわれは次のように仕事にかかるであろう。

四五二　これらの実験に用いられるレンズは、経験的に可能な限り透明なものとみなすことができる。しかしそれらのレンズは、われわれの確信によれば、圧迫することによって惹き起こされる緊密な接触によってその表面上で直ちに、ただしきわめてかすかに曇らされる。この曇りの内部で直ちに色彩が生じ、どの輪も全体系を含んでいる。なぜなら、二つの相対立する色彩、すなわち黄色と青がそれぞれの赤い末端と結合していることにより深紅が現われるからである。これに反して緑は、プリズム実験の場合と同様、黄色と青が相接するときに現われる。

四五三　色彩の生成にさいしては全体系があくまで要求されるということを、われわれはこれまですでにいく度も経験してきたが、それはあらゆる物理的現象の本性にもとづいているとともに、分極的対立の概念にすでにもとづいている。この分極的対立によって[139]初源的な統一性が現象となって現われるのである。

四五四　透射光線の場合に反射光線の場合と異なる色彩が現われることは、第一類の光線屈折による色彩を思い出させる。われわれは、これらの色彩が同じ仕方で曇ったものから生ずるのを見たのである。しかし、ここでもなんらかの曇ったものが存在していることには、ほとんど疑いの余地がない。なぜなら、きわめてなめらかなガラス板が密着するほど強く結合することにより半ば合一した状態が生じ、これは両面のそれぞれからなめらかさと透明さを少し奪い取るからである。しかしまったく決定的といってもよいのは次のような観察である。すなわち、レンズが最も強く他のレンズに圧しつけられ完全な合一性がつくり出される中心部においては完全な透明さが生じ、色彩はもはや認められない。しかしながら、これらすべては全体の一般的概観が終わったあとで初めて確証されるであろう。

四五五　第二条件。息を吹きかけたガラス板を指で拭き清め、すぐにまた息を吹きかけると、活発に入り乱れる色彩が見える。これらの色彩は吹きかけた息が引くにつれてその場所を変え、最後に息吹きが消えるとともに消滅する。この操作を繰り返すと、色彩はますます鮮かに美しくなり、また最初の場合よりも永く存続するように見える。

四五六　この現象はいかに速く過ぎ去り、しかもひじょうに混乱しているように見えても、私は次のことを認めえたように思う。最初に現われるのはすべての原色とそれらの合成された色彩である。息をまえより強く吹きかけると、この現象を連続的に知覚することができる。そのさい観察されるのは、吹きかけた息があらゆる方面からガラスの中央に向かって引いていくとき、最後に青色が消滅するということである。

四五七　この現象は、きれいな面に指先で引いたかすかな線条と線条のあいだで最も容易に生ずる。あるいはそれは、物体の表面のそのほかのいくぶんざらざらした状態を必要とする。いろいろな種類のガラスの上では、たんに息を吹きかけただけで色彩現象を生じさせることができるが、これに反し他のガラスでは指でこすることが必要である。そればかりでなく、私が見つけた研磨ガラスの一面は息を吹きかけられると直ちに色彩を鮮かに示したが、他の面はそうでなかった。残っている切り子面から判断するところ、前者はかつては鏡の表側であったが、後者は水銀でおおわれていた裏側であった。

四五八　これらの実験が最もよく行なわれるのは寒気の中でである。それはガラス板により速く、よりきれいに息を吹きかけられるからであり、また息が再びすみやかに引いてしまうためである。同様に厳しい霜のさいにも、馬車に乗っていて馬車の窓がひじょうにきれいに拭かれており、すべて引き上げられている場合に、この現象を大規模なかたちで見ることができる。馬車の中に坐っている人々の息がかすかに窓ガラスに当たると、直ちに鮮かな色彩の変化が惹き起こされるのである。規則的な継起性がその中にどの程度あるのか、私ははっきり認めることができなかった。しかしこれらの色彩は、暗い対象が背景にある場合に特に鮮かに現われる。ただし、この色彩変化は永くはつづかない。なぜなら、吹きかけられた息が集まってしずくになったり、凍って細氷になったりするやいなや、この現象はすぐになくなってしまうからである。

四五九　第三条件。圧迫するか息を吹きかけるという先行した二つの実験は、ガラス板に息を吹きかけ、その上に直ちにもう一枚のガラス板を押しつけることによって結合することができる。そうすると、二枚の息を吹きかけられないガラス板を押しつけた場合と同様に色彩が生ずるが、ただ異なるのは、湿気のために色彩の波紋がところどころ中断されることである。一方のガラス板を他から押しのけると、息吹は色彩を帯びたまま引いていく。

四六〇　しかしながら、この結合された実験は個別の実験以上に何も示していないと主張できるかもしれない。なぜなら、見受けるところ、圧迫によって惹き起こされた色彩はガラスを引き離すにつれて消滅し、息を吹きかけられた個所もそれにつづいてその固有の色彩を帯びたまま引いていくからである。

四六一　第四条件。有色の現象はほとんどすべての気泡において観察される。シャボン玉は最もよく知られたものであり、その美しさを描写するのはきわめて容易である。しかしながらこれらの現象は、ワイン、ビール、純粋なアルコール溶液、特にまたココアの泡の中にも見出される。

四六二　われわれは先の実験において互いに接触する二つの面のあいだに無限に狭い間隙を必要としたが、シャボン玉の皮膜を二つの弾性体のあいだの無限に薄い膜とみなすことができる。なぜなら、この現象はほんらい、気泡をふくらませる内部の空気と外気のあいだに現われるからである。

四六三　気泡は作られているあいだは無色である。でき上がると、大理石模様の紙の紋理のような有色の線条が見え始め、これらの線条は最後には気泡全体の上に広がるか、あるいはむしろ、気泡をふくらますにつれてそのまわりを回転させられる。

四六四　シャボン玉を作るにはいろいろな方法がある。空中でやるのは、ストローをせっけん液に浸し、垂れる泡を息でふくらませさえすればよい。ここで色彩現象の生成が観察しにくいのは、急速な回転のために精確に見ることができず、またすべての色彩が入り乱れるからである。しかしながら、色彩がストローのところから始まることは認められる。さらにせっけん液そのものの中へ息を吹き込んでもよい。ただし、ただ一つの気泡しか生じないように注意してやらなければならない。このシャボン玉は、あまり大きくふくらませなければ白いままである。しかし、せっけん液が稀薄すぎない場合には、気泡の垂直な軸のまわりに輪ができ、これらの輪はふつう緑色と深紅色に代わる代わる現われて互いに接近している。最後にまたいくつもの気泡をせっけん液とつながったまま並べて作ることもできる。この場合に色彩は、二つのシャボン玉がぴったり押し合っている壁のところで生ずる。

四六五　ココアの泡の色彩はシャボン玉のより観察しやすいといってよいほどである。これらの気泡はシャボン玉より小さいが、より持続的である。熱によってそれらの中で一種の膨張運動が惹き起こされ、そして維持され、これが現象の展開、継起、そして最後に整然とした配列に必要であるように見える。

四六六　気泡が小さいか他の気泡のあいだにはさまれている場合には、有色の線条が表面を回転し、大理石模様の紙に似ている。われわれの図式のすべての色彩が入り乱れて現われるのが見え、純粋な色、高められた色、混ざった色などすべての色彩がくっきりと明るく美しい。小さな気泡の場合、この現象はいつまでもつづく。

四六七　気泡が比較的大きいか、まわりの気泡が破裂することによりしだいに孤立するようになると、色彩のこのような変化が何かをめざしていることにすぐ気がつく。すなわち、気泡の頂点に小さな輪の生ずるのが見られ、この輪の中心部は黄色である。残りの有色の線条は依然としてそのまわりで虫様運動をつづけている。

四六八　ほどなくこの輪は大きくなり四方八方に下降していく。それは中心部で黄色を保っているが、下の外側では深紅色となり、間もなく青色になる。こうしているうちに再び新しい輪が同じ色彩の順序で現われる。これらの輪が充分に接近している場合には、最終的な色彩の混合から緑色が生ずる。

四六九　私はこのような主要な輪を三つまで数えることができたが、中心部は無色であった。この空間は輪が下降していくにつれてしだいに大きくなり、最後には気泡が破裂してしまった。

四七〇　第五条件。ひじょうに薄い皮膜はいろいろな仕方で生ずることができる。それらにはひじょうに活発な色彩変化が発見され、すべての色彩はすでに知られている順序か、どちらかといえば混乱状態で入り乱れて見える。生石灰を水に溶かすと、その水溶液は間もなく有色の薄膜でおおわれる。同じことは淀んだ水、とりわけ鉄分を含んだ水の表面で起こる。特にフランス産赤ぶどう酒のびんの底に付着する微細な酒石の薄片は、注意深く水に浸してはがされ日光に当てられると、いとも美しい色彩を帯びて輝く。水、ブランディー、その他の液体に油をたらしても同様の輪と小さな炎のようなものが生じる。しかし、自分でやることのできる最もすばらしい実験は次のようなものである。あまり強くない硝酸をシャーレに注ぎ、その上に、銅版彫刻師がエッチングをするあいだ銅版のある個所をおおうために使うワニスを数滴ピンゼルでしたたらす。すると直ちに活発な運動のもとに薄膜が生じ、これは輪になって広がると同時に、きわめて鮮かな色彩現象を惹き起こす。

四七一　第六条件。金属が加熱されると、その表面には次々に現われては消え去る色彩が生ずるが、これらは思いのままに固定されることができる。

四七二　よく磨かれた鋼鉄を加熱すると、ある温度でそれは黄色味を帯びるであろう。それを急いで炉から取り出すと、この色彩はそのまま残る。

四七三　鋼鉄がさらに熱くなると黄色は暗度が高まり、間もなく深紅色に移行する。この深紅色は固定しがたい。なぜなら、それは急速に青紫色に変わるからである。

四七四　この美しい青は、鋼鉄を急いで炉の中から取り出し灰の中に突っ込むと固定することができる。青い焼きなまし色のかかった鋼鉄製品はこのようにして作られる。しかし鋼鉄をそのまま火の中に入れつづけると、それは間もなく淡青色になり、やがてそのままになる。

四七五　これらの色彩は鋼鉄の板の上を吹きかけられた息のように移ろい、一つの色彩は他の色彩からのがれていくように見える。しかしほんらいは、後続する色彩はつねに先行する色彩から展開するのである。

四七六　ペンナイフをロウソクの炎の中へ突っ込んだままにしておくと、色彩を帯びた線条が刃の上を斜めに生ずるであろう。炎の中に最も深くあった線条の部分は淡青色であるが、これは菫色がかった色になって消えてしまう。深紅色は中央にあり、これに橙色と黄色がつづく。

四七七　この現象は先行する現象から導き出される。なぜなら、柄のほうの刃は炎の中にある切っ先よりも加熱されていないからである。そこで、これまでは相前後して生じていたすべての色彩が一度に現われざるをえず、これらの色彩は最もよく固定して保存することができる。

四七八　ロバート・ボイルはこれらの継起的色彩について次のように記述している。「鮮かな黄色から濃い黄色になり、最後に赤味を帯び（画家たちはそれを血の色と呼んでいる）、それから淡青色になったあと濃い青色に変わる。」(a florido flavo ad flavum saturum et rubescentem 〈quem artifices sanguineum vocant〉 inde ad languidum, postea ad saturiorem cyaneum.) この記述は、もし淡青色（languidus）と濃い青色（saturior）という言葉を取り替えられるのならばひじょうに適切であろう。これらの異なった色彩はそれにつづく焼き入れの程度に影響するという観察がどれほど正しいかは決定せずにおくことにする。色彩はここでは加熱の程度の異なることを表示するものにすぎない。

四七九　鉛を煆焼すると、表面はまず灰色を帯びる。この灰色がかった粉末はより加熱することにより黄色に、それから橙色になる。銀もまた加熱したときに色彩を現わす。灰吹き法による精錬のさいの銀の閃光もこれに属している。金属性ガラスが溶解する場合にも同じく表面に色彩が生ずる。

四八〇　第七条件。ガラスの表面が腐蝕される場合。ガラスの失明化現象はわれわれのすでに注目するところであった。失明化という表現によって言い表わされるのは、ガラスの表面がひじょうに腐蝕され、その結果曇って見える場合である。

四八一　白いガラスは最も曇りやすく、溶解されたのち研磨されたガラスもそうである。青味がかったガラスはそれほどでなく、緑色のガラスは最も曇りにくい。

四八二　ガラス板には二様の面があり、そのうちの一方は鏡面と呼ばれる。それは炉の中で上向きになっている面であり、この面にはふくらみが認められる。それは他の面よりなめらかである。この面は炉の中で下向きになっているため、しばしば掻き傷が認められる。鏡面が好んで部屋の内側に用いられるのは、この面が内部からたちこめる湿気によって他の面ほど腐蝕されず、したがってガラスがあまり曇らないためである。

四八三　ガラスのこのような失明化あるいは曇り現象はしだいに色彩現象へ移行する。この色彩現象はひじょうに鮮明になりうるし、またそのさいにおそらくある種の継起性か、さもなくば何か規則的なものが発見できるであろう。

四八四　こうしてわれわれは物理的色彩をも、その最もかすかな作用から始めて、これらの消失しやすい現象が物体に固着するところまで導いてきたと言ってよいであろう。われわれはこのようにして化学的色彩が始まる境界に達しただけでなく、この境界をすでにある程度まで踏み越えてしまったのである。それはわれわれの論述の連続性*140に対して都合のよい先入見を起こさせるかもしれない。しかし本編の終わりになお何か普遍的なことを言い表わし、その内的関連を指し示すべきであるというのならば、われわれは前述のこと（四三一－四五四）になお次のことを付け加えておきたい。

四八五　鋼鉄の焼きなまし色およびこれと密接な関係のある諸経験はおそらく曇った媒体の理論から簡単に導き出すことができるであろう。よく磨かれた鋼鉄は光を強く反射する。加熱によって惹き起こされた焼きなまし色を軽微な曇りと考えるならば、そこから直ちに淡黄色が現われるに違いない。そしてこの色は曇りが増すにつれてますます濃くなり、赤味を帯び、そればかりでなく最後には深紅色ないし紅玉色になるに違いない。最後にこの色が暗くなる最高点にまで高められ、しかも曇りが依然として存在しつづけていると考えるならば、曇りはいまや暗いものの上に広がり、最初は菫色、次に濃い青色、最後に淡青色を生じさせ、こうして諸現象の系列を完結するであろう。

　われわれはこのような説明の仕方でこと足りると主張するつもりはない。われわれの意図はむしろ、最後にすべてを包括する公式、すなわち謎解きのほんらいの言葉が見出されることのできる道をひたすら示唆することである。

第三編　化学的色彩

四八六　化学的色彩[*141]と呼ばれる色彩は、われわれがある種の物体に惹き起こし、多かれ少なかれ固定し、それらの物体において高進させ、それらからまた取り除いたり、他の物体に伝達できるものである。それゆえまたわれわれは、これらの色彩にある種の内在的性質があるとみなすのである。たいていの場合、持続がその特徴である。

四八七　これらのことを顧慮して、昔は化学的色彩をいろいろな形容詞で表示していた。すなわちそれらは、固有の、物体の、物質の、真実の、永続的な、固定された色彩（colores proprii, corporei, materiales, veri, permanentes, fixi）などと呼ばれていた。

四八八　変化しやすい一時的な物理的色彩がしだいに物体に固定されていく有様をわれわれは前編において述べ、化学的色彩への移行過程を指摘しておいた。

四八九　色彩が物体に固定されるのは多かれ少なかれ持続的であり、表面的あるいは浸透的のいずれかである。

四九〇　すべての物体は色彩を帯びることができる。すなわち色彩は物体において惹き起こされ、高進させられ、段階的に固定されるか、少なくとも物体に伝達されることができる。

第三十四章　化学的対立関係

四九一　有色現象の叙述にさいして、われわれは徹頭徹尾ある対立関係に注意を促さざるをえなかったが、化学の領域に足を踏み入れると、種々の化学的対立関係に重大な意義があることを見出す。しかし、われわれがここでわれわれの目的のために論ずるのは、酸とアルカリという一般的名称のもとでふつう把握している対立関係についてのみである。

四九二　われわれは色彩学的対立関係を他のすべての物理的対立関係の手びきに従ってプラスまたはマイナスで表わし、黄色の側をプラス、青の側をマイナスとする。するとこれらの二つの側は、化学的な場合においても化学的に対立するものの側と密接に結びつく。すなわち黄色と橙色は酸に、青色と菫色はアルカリにもっぱら関係する。こうして化学的色彩の諸現象は、他の多くのことがらがなお考慮されなければならないのはもちろん当然であるが、かなり単純な仕方でまとめられる。

四九三　ところで、化学的色彩の主要現象は金属の酸化の場合に生起するので、冒頭におかれたこの考察がいかに重要であるかがわかる。そのほかなお考える必要のあることは、個々の項目のもとで詳細に述べられるが、われわれはここではっきり次のことを言っておきたい。すなわちわれわれは、ごく一般的なことがらにおいてのみ化学者のために予備的研究を行なおうとするのであって、何か特殊なことがらや化学上の微妙な研究課題や問題に介入したり解答を与えようとする気持はまったくない。われわれの意図は、いかにすれば化学的色彩論がわれわれの確信どおり一般的な物理的色彩論と密接に結び付きうるかということを概略的に説明することでしかありえない。

第三十五章　白の導出

四九四　これについては第一類の光線屈折による色彩の機会に（一五五以下）すでにいくらか考察した。透明な物体は無機的物質性の最高の段階にある。これにすぐ接しているのは純粋な曇りであり、白は純粋な曇り*142の完成されたものとみなすことができる。

四九五　純粋な水は結晶して雪になると白く見えるが、個々の部分の透明さは透明な全体にはならないのである。種々の塩の結晶も結晶水が消失すると白い粉末に見える。純粋に透明なものの偶然に不透明な状態も白と呼ぶことができるであろう。こなごなに押し砕かれたガラスが白い粉末に見えるのはその一例である。この場合に考えられることは[*143]、発生論的結合が取り除かれ、物質の原子論的性質が提示されるということである。

四九六　これまで知られている分解されていない土類の物質は、その純粋な状態においてはすべて白い。それらは自然に結晶すると透明な状態に変わる。すなわち珪土は水晶に、礬《ばん》土《ど》は雲母に、苦土は滑石になる。石灰土と重土は多くの種類のへげ石になって透明に見える。

四九七　鉱物の着色にさいしてわれわれがとりわけ出会うのは金属酸化物なので、本章の終わりになお次のことを述べておきたい。すなわち、緩慢な酸化の初期において石灰は白色を呈し、また鉛は酢酸によって鉛白に変化される。

第三十六章　黒の導出

四九八　黒は白ほど根源的な生じ方をしない。われわれが植物界においてそれに出会うのは不完全燃焼の場合であり、その他の点においてもきわめて注目すべき物質である炭は黒い色を示している。木材、たとえば板が光と空気と湿気によってその可燃的部分を少し奪われると、まず最初に灰色が、次に黒い色が現われる。そのようなわけで、動物のからだの一部も不完全燃焼によって炭化することができる。

四九九　同様に金属の場合にも、黒い色が惹き起こされるときには不完全酸化の行なわれていることがわかる。そこで特に鉄がそうであるように、多くの金属は弱い酸化によって、たとえば酢や重湯などの少し酸っぱくなった発酵物によって黒くなる。

五〇〇　これに劣らず推測されるのは、還元によって黒い色が生ずるということである。これはインクの生成の場合がそうであって、強い硫酸の中で溶解された鉄は黄色味を帯びるが、没食子《もっしょくし》溶液によって一部は還元され、今度は黒く見えるのである。

第三十七章　色彩の惹起

五〇一　物理的色彩編において曇った媒体を取り扱ったとき、われわれは白と黒よりもむしろ色彩を見たが、今度は既成の白と黒が固定されていることを前提にして、色彩が白と黒のもとでどのように惹き起こされるかを問うことにする。

五〇二　ここでもわれわれが言えるのは、白いものは暗くされ曇らされると黄色になり、黒は明るくなると青になるということである。

五〇三　能動（プラス）の側に、光、明るいもの、白いものに直接付随して生ずるのは黄色である。紙・亜麻布・木綿・絹・蠟など表面の白いものはすべて、なんと黄変しやすいことだろうか。特に可燃性の透明な溶液もまた容易に黄色になる。換言すれば、これらの溶液はかすかな曇りの状態に変わりやすい。

五〇四 同様に受動(マイナス)の側に闇、暗いもの、黒いものに付随して惹き起こされるものは、青またはむしろ赤味がかった青の現象を直接に伴っている。鉄を硫酸の中で溶解し、水で薄く稀釈したあと、光にかざした試験管に入れて没食子を数滴たらすと、直ちに美しい菫色が現われる。この色は煙水晶の特質、古代人の表現に従えば燃え尽くした深紅の暗赤色を如実に示しているのである。

五〇五 自然および人為の化学的操作によって金属酸化物の混合なしに純粋な土類に色彩が惹き起こされうるかどうかということは重要な問題であるが、これにはふつう否定的な解答が与えられている。この問題はおそらく、酸化によって土類から何かが得られるかという問題と関連している。

五〇六 この問題に対する否定的な見解にとって有利な事情は、鉱物的色彩が見出されるところではどこでも、金属、特に鉄らしいものの痕跡が見られるということである。もちろんそのさい考慮しなければならないのは、鉄がいかに酸化しやすいか、酸化鉄がいかに容易にいろいろな色彩を帯びるか、酸化鉄がいかに無限に細分されうるか、そしていかにすみやかにその色彩を他に伝達するかということである。それにもかかわらず切望されるのは、これに関する新しい実験が行なわれ、疑念が強められるか一掃されるかすることである。

五〇七　それはともかくとして、すでにある色彩に対する土類の受容性はひじょうに大きく、なかでも礬土は特に著しい。

五〇八　さて、無機の世界で色彩を伴って現われる権利をほとんど独占的にわがものにしてしまった金属のほうに移行するならば、純粋かつ自立的な精錬された状態の金属は、なんらかの色彩に傾くということによってすでに純粋な土類から区別されることがわかる。

五〇九　銀は純粋な白に最も近づくだけでなく、金属的な光沢によって高められ純白そのものをほんとうに表わしているけれども、鋼鉄・錫・鉛などは白っぽい青灰色のほうに移っていく。これに対して金は純粋な黄色に高まり、銅は赤色に接近する。この赤はある状態ではほとんど深紅にまで高められるが、これに反して亜鉛によって再び黄色味を帯びた金色に引きおろされる。

五一〇　混ざりもののない状態では金属があれこれの色彩表現に対するこのような特殊な規定性を示しているのに対して、金属は酸化作用によってある程度まで共通の状態に移し変えられる。なぜなら、基本的色彩はいまや純粋に現われ、それぞれの金属は一定の色彩に対して特殊な規定性を有しているようにみえるけれども、われわれはいくつかの金属について、それらが色相環全体を巡回できることを、また他の金属について、それらが一つ以上の色彩を呈しうることを知っているからである。しかしながら、錫には色彩を帯びないという著しい特徴がある。われわれは将来、種々の金属[*144]がどの程度まで多かれ少なかれ異なった色彩をとりうるかを示す図表を発表するであろう。

五二一　混じりけのない金属のなめらかできれいな表面が加熱された場合に有色の曇りによっておおわれ、この曇りが温度の高まるにつれて一連の現象を通過するということは、われわれの確信によれば、金属が色相環全体を一巡する能力を有していることを指し示している。われわれがこの現象を最も美しく認めるのはよく磨いた鋼鉄においてである。しかし銀・銅・真鍮・鉛・錫もこれと似た現象を容易に見せてくれる。おそらくここでは表面的酸化作用がはたらいていると思われ、それは特にもっと酸化しやすい金属を用いた化学的操作を継続することから推測される。

五二二　灼熱した鉄が酸性の溶液によっていっそう酸化を受けやすいということも、それを示唆しているようにみえる。一つの作用は他の作用に相乗的にはたらきかけるからである。さらに所見を述べれば、鋼鉄はその色彩現象の異なる時期に鍛えられるのに応じて弾力性にいくらかの差異を示すとのことであるが、これはまったく当然である。なぜなら、異なった色彩現象は加熱の度が異なっていることを暗示しているからである。

五二三　この表面の曇りないし薄膜を越えてさらに、金属が大量侵蝕的に酸化される有様を観察するならば、最初の段階で現われてくるのは白または黒である。これは鉛白・鉄・水銀などで認めることができる。

五二四　色彩の惹起がほんらいいかにして起こるかをさらに問うならば、それはプラス側に最もしばしば現われることがわかる。これまでたびたび言及してきたなめらかな金属面の焼きなまし色は黄色から出発する。鉄は変化してすぐに黄色の赭土《しゃど》に、鉛は鉛白から酸化鉛に、水銀は硫黄華水銀から黄色い酸化水銀になるのである。金とプラチナの酸性溶解液は黄色である。

五二五　マイナス側に惹起される色彩はずっと稀である。わずかに酸化された銅は青く見える。いわゆるベルリン青の調製のさいにはアルカリが作用している。

五二六　しかしこれらの色彩現象は全般にきわめて変化しやすいので、化学者たち自身、精確を期するところではすぐ、それらを当てにならない特徴とみなしている。われわれはしかし、所期の目的のためにはこの題目を概括的に取り扱いさえすればよいので、次のことだけを述べておきたい。すなわち、金属に見られる種々の色彩現象は少なくとも教示の目的のためにはおそらく、それらが酸化・再酸化・還元・再還元によって生じ、多種多様な仕方で現われ、また消滅していくところに従って、さしあたり整然と配列することができるであろう。

第三十八章　高進性

五一七　高進性は色彩の自分自身の内部における凝縮・飽和・陰影化として現われてくる。無色の媒体について論じたときにすでに見たように、われわれは曇りを増すことによって発光する対象をかすかな黄色から最高の紅玉色にまで高進させることができるのである。逆に青は、闇のまえの明るく照らされた曇りを稀薄にし減少させるならば、いとも美しい菫色に高進する（一五〇、一五一）。

五一八　色彩が一定の色に特殊化されている場合にも、類似のことが起こる。すなわち、白い磁器製の階段状の容器をいくつか作らせ、その一つを純粋な黄色の液体で満たすと、この液体は上段から底にいたるまで段階的に赤味を増し、最後に橙色に見えるであろう。他の容器に青い純粋な溶液をそそぐと、最上段は空色を、容器の底は美しい菫色を示すであろう。この容器を日向に置くと、上段の影になる側はもうすでに菫色をしている。容器の明るく照らされた部分に手か何かほかの物で影をこしらえても、この陰影は同じく赤味を帯びて見える。

五一九　これは色彩論における最も重要な現象の一つであり、われわれは、量的関係が[*145]われわれの感覚にたいして質的印象を惹き起こすということをまったく具体的に経験するのである。われわれはすでに薄膜干渉による色彩について述べた章の最後で（四八五）、鋼鉄の焼きなまし色がおそらく曇った媒体の理論から導き出されうるのではないかという推測を披瀝しておいたが、ここでそれをもう一度思い起こしていただきたいと思う。

五二〇　ところで、化学的高進はすべて色彩の惹起にすぐつづいて行なわれる。化学的高進は間断なく連続的に進行するのであるが、そのさい留意すべきことは、プラス側の高進が最もふつうのものであるということである。黄色の鉄赭石は火によっても他の操作によっても高進していちじるしく赤味を帯びる。酸化鉛は鉛丹に、酸化水銀は辰砂《しんしゃ》に高進させられるが、辰砂はすでにひじょうに程度の高い橙色に達する。ここで行なわれるのは、金属が酸によって侵蝕され、経験的に無限に細分されることである。

五二一　マイナス側の高進はずっと稀である。もっとも次のことは付言しておかなければならない。すなわち、いわゆるベルリン青あるいはコバルトガラスが純粋かつ凝縮して調製されればされるほど、それはますます赤味のある輝きを帯び、むしろ菫色がかって見える。

五二二　黄色と青がこのように目立たずに高進して赤になるということに対して、フランス人は適切な表現をもっている。彼らは、この色はœil de rougeをもっていると言うのであるが、われわれはこれを、赤味を帯びた閃光（rötlicher Blick）という言葉で表現することができるであろう。

第三十九章　最高点への到達

五三三　高進が進行するにつれて最高点への到達が行なわれる。黄色も青もまったく発見されない赤がここで頂点をなす。

五三四　プラス側から最高点に到達する顕著な例を求めるならば、それは再び焼きなまし色のかかった鋼鉄において見出される。鋼鉄は深紅の頂点に達して、この頂点で固定されうるのである。

五三五　先に（五一六）挙げた術語をここで適用するとすれば、次のように言ってよいであろう。最初の酸化は黄色を生じさせ、再酸化は橙色を生じさせる。ここで一種の最高点が達成され、やがて還元と最後には再還元が始まる。

五三六　酸化の程度の高い点は深紅色を生じさせる。金は、その溶解液を錫溶解液によって沈澱させると、深紅色に見える。砒素の酸化物は硫黄と化合すると紅玉色を生ずる。

五二七　しかし、一種の還元が最高点に到達する多くの場合にどの程度一緒に作用しているかは、なお研究の余地がある。なぜなら、橙色に及ぼすアルカリの作用も、この色彩がマイナスのほうへ向かって頂点へ接近することを余儀なくされることにより、最高点への到達を生じさせるように見えるからである。

五二八　最高の橙色を示す良質のハンガリー産辰砂から、オランダ人は朱色（Vermillon）と呼ばれる色を調製している。それは深紅色に近づいた辰砂の一種にほかならないのであるが、アルカリによってそれを最高点へ接近させようとしていることが推測される。

五二九　植物の液汁はこのようにして取り扱われる著しい例である。キョウオウ・オルレアン・ベニバナその他の染色成分をアルコールで抽出し、黄色・橙色・ヒアシンス赤の染料として用いられているものは、アルカリを混合することによって頂点に達するばかりでなく、それを越えてさらに菫色のほうに向かう。

五三〇　私は鉱物界および植物界において、マイナス側から最高点に到達する場合を一つも知らない。動物界においては、ホネガイの液汁が注目に値する。それがマイナス側から高進し最高点に到達することについては後述するであろう。

第四十章　平衡関係

五三一　色彩の可動性はひじょうに大きいので、一定の色に特殊化したと思う顔料でさえすぐにまた、あちらこちらへ向きを変えられる。この可動性は最高点の近くで最も注目に値し、酸とアルカリを交互に用いることによって最も著しく惹き起こされる。

五三二　フランス人は染色のさいに見られるこの現象を表現するためにvirerという言葉を用いるが、これは一方から他方へ向きを変えるということであり、彼らはそれによって、ふつうは混合比と呼ばれてかろうじて記述されているものをひじょうに巧みに表現している。

五三三　われわれがいつもリトマス試験紙でやっている操作は、その最もよく知られた最も顕著なものの一つである。リトマスとはアルカリによって赤青色に特殊化された一つの染料である。それは酸によって容易に赤黄色のほうへ引っぱられ、アルカリによってまた引き戻される。この場合に精緻な実験によって最高点がどの程度に発見され固定されうるかということは、この技術に習熟した人々にお任せする。また染色術、特に緋色の染色はこの向きの変わりやすさについて多種多様な実例を提供することができる。

第四十一章　色相環の巡回

五二四　色彩の惹起と高進性はマイナス側よりもプラス側で現われる。そこでまた色彩は全道程を巡回する場合もたいていプラス側から出発する。

五二五　黄色から赤を通って青にいたる著しい連続的な巡回は、鋼鉄の焼きなまし色のさいに現われる。

五二六　金属は、種々異なる酸化の段階および種類によって、色相環のそれぞれ異なる点において一定の色に特殊化される。

五二七　金属は緑色に見えることもあるので、黄色から緑を通って青にいたる、またその逆の連続的巡回が鉱物界において知られているかどうかということが問題になる。酸化鉄はガラスと融合するとまず緑色を、次に火を強めると青色を生じる。

五二八　ここで緑色一般について語るのはところを得ていると思われる。緑色はわれわれの眼前で主として原子論的意味で生ずる。しかも、われわれが黄色と青を一緒にする場合にはまったく純粋である。しかしながら、不純な汚れた黄色もすでにわれわれに緑色がかった印象を起こさせる。黄色に黒が加わっても緑色になる。しかしこれも、黒が青と親近関係にあるということから導き出される。硫黄のような不完全な黄色はわれわれに緑色がかった印象を与える。同様にわれわれは不完全な青を緑色として知覚する。ぶどう酒びんの緑色は酸化鉄とガラスの不完全な化合から生ずるように見える。加熱を大きくすることによってより完全な化合を惹き起こさせるならば、美しい青いガラスが生ずる。

五三九　これらすべてのことから少なくとも明らかになると思われるのは、自然の中では黄色と青のあいだに[*146]ある種の裂け目があり、この裂け目は組み合わせと混合によって原子論的に取り除かれ緑色へと結合されうるが、黄色と青の真の仲介はほんらい赤によってのみ起こりうるということである。

五四〇　しかしながら、無機物には適当でないように見えるものが、有機体が問題になる場合には可能であることがわかるであろう。なぜなら、この有機体の世界においては、黄色から緑と青を通って深紅にまでいたる色相環の巡回がほんとうに現われるからである。

第四十二章　反　転

五四一　要求された反対の色彩に直ちに反転することもひじょうに注目すべき現象であるが、これについては現在のところ次の[*147]ことしか記述することができない。

五四二　いわゆる鉱物性カメレオンはほんらいマンガン酸を含んでいるのであるが、そのまったく乾燥した状態においては緑色の粉末とみなすことができる。これを水中に散布すると、溶解の最初の瞬間に現われる緑色はひじょうに美しい。しかしこの緑色は直ちに緑色と対立する深紅色に変化し、中間段階はなんら認められない。

五四三　隠顕インキ*148の場合も同じで、このインキは赤味を帯びた溶液ともみなされうるのであるが、熱でこれを乾燥させると紙の上に緑色が現われる。

五四四　ここでこの現象を惹き起こしているのは、ほんらい乾燥と湿潤の抗争であるようにみえる。もしわれわれの間違いでなければ、化学者たちもすでにそのように述べている。そこから何が導き出され、またこれらの現象が何に結び付けられうるか、これについてわれわれは時がたてば充分な教示が得られるものと思う。

第四十三章　固　定

五四五　われわれがこれまで見てきたように、色彩はその物体的現象においてさえひじょうに活発な可動性を示すのであるが、ある状況のもとで色彩はやはり最終的に固定される。

五四六　そもそもまったく色素に変えられることのできる物体がある。ここで言えるのは、色彩が自分自身の中で固定され、ある段階に固執し、一定の色に特殊化されるということである。こうして自然のあらゆる領域から染料が生ずるのであるが、特に植物界は大量の染料を提供する。これらのうちいくつかのものは特にぬきんでており、他の染料の代表とみなされることができる。たとえばプラス側ではアカネ、マイナス側ではインジゴである。

五四七 これらの染料を効果的にし、有利に使用するためには次のことが必要である。すなわち、それらの中の染色成分が充分に凝縮され、色素が経験的に無限に細分されうる状態に高められることである。これはいろいろな仕方で、特にいま名まえを挙げた染料においては発酵と腐敗によって惹き起こされる。

五四八 これらの物質的色素はさらにまた他の物体に固定される。そこで鉱物界においては、これらの色素は土類と金属酸化物にしっかりとつき、融解によってガラスと化合し、この場合に透過光線のもとで最高に美しく見える。またこれらの色素には永遠の持続性を認めることができる。

五四九 植物性および動物性の物体は多かれ少なかれ激しい力で色素を捉え、多かれ少なかれそれをしっかり保持している。それは、黄色が青よりもさめやすいという色素の本性によることもあれば、下地物質の性質によることもある。植物性の下地物質では色素は動物性の下地物質におけるほど永もちせず、動植物界の内部においてすらさらにそれぞれ差異がある。亜麻糸と木綿糸、絹と羊毛とでは色素に対してまったく異なった関係を示すのである。

五三〇　ここで現われてくるのは、色彩と物体のあいだの仲介者とみなされうる媒染剤に関する重要な理論である。染色の専門書はこれについて詳細に論じている。われわれにとっては、この操作によって色彩がその物体とともにしか消滅することのない持続性を得るばかりでなく、使うことによって明澄さと美しさを増すことさえあるということを指摘するだけで充分であろう。

第四十四章　現実の混合

五三一　いかなる混合も特殊化されたものを前提にしている。それゆえ、混合について語る場合、われわれは原子論的領域にいることになる。ある物体が色相環の任意の一点である一定の色に特殊化されているのを実際に見たあとで初めて、それらの混合により新しい色調を生じさせることができるのである。

五三二　一般に黄・青・赤を純粋な色、すなわち原色として、既成のものとみなす。赤と青は菫を、赤と黄は橙を[*149]、黄と青は緑を生じさせるであろう。

五三三　これらの混合を数的関係、量的関係および重さの関係によってさらにはっきり規定しようとする努力がこれまでなされてきたが、それによって見るべき成果はほとんど上がらなかった。

五五四　絵画はほんらい、このような特殊化された、個性化されたといってもよい顔料とそれらの無限に可能な結合との混合にもとづいており、これらの結合はきわめて繊細な修練された眼によってのみ感得され、その判断のもとで作り出されることができるのである。

五五五　これらの混合された色の緊密な結合は、顔料を塗擦したり洗泥したりしてできるだけ微細にすることによって起こる。これに劣らず種々の液汁は粉末状のものを凝集させ、無機的なものをいわば有機的に結合する。そのようなものは油や樹脂などである。

五五六　すべての色を混ぜ合わせると、陰影的（σχιερόν）というそれらの一般的特性が保持され、それらがもはや並列して見られないので、いかなる全体性も、いかなる調和も感じられない。こうして生ずる灰色は[*150]、目に見える色彩と同様、白よりはつねに少し暗く、黒よりはつねに少し明るく見える。

五五七　この灰色はいろいろな仕方で作り出されることができる。まず、黄と青を混合してエメラルドのような緑色にし、次に純粋な赤を付け加えていき、三つの色が最後にいわば中和されるようにすればよい。さらに、一系列の原色と派生した色をある割合で並べてから混合すると、同じく灰色が生ずる。

五五八　すべての色を混ぜ合わせると白になるというのはナンセンスであるが、これは他のナンセンスなことがらとともにすでに一世紀にわたって信心深く、かつ実際の検証に反して繰り返されてきたのである。

五五九　混ぜ合わされた色はその暗い要素を混合された色の中へ移し入れる。色が暗ければ暗いほど、生じてくる灰色はそれだけ暗くなり、最終的に黒に近づく。色が明るければ明るいほど、それだけ灰色は明るくなり、最終的に白に近づくのである。

第四十五章　外見上の混合

五六〇　外見上の混合はいろいろな意味でひじょうに重要であり、われわれが現実の混合として挙げたものさえ外見上のものとみなされるかもしれないので、ここですぐ一緒に論じられるのは当然である。なぜなら、合成された色のもとになっている諸要素はあまりにも小さすぎて、個々には見られないからである。黄色と青の粉末をすり混ぜると肉眼には緑色に見えるが、拡大鏡を通して見ると黄と青をなお識別して認めることができる。同様に黄色と青の縞模様も遠くから見ると緑色の面になり、このことはすべて他の特殊化された色の混合についても当てはまる。

五六一　将来、実験装置について述べるときに回転板のことも論じられるであろう。この装置を用いると、外見上の混合が急速な回転によって惹き起こされる。すなわち、円板の上に種々異なった色を並列して順々に塗り、これらの色をはずみ車の力によって最大の速度で回転させる。そして円板をいくつも用意しておけば、あらゆる可能な混合された色を生じさせることができる。最後にまたすべての色を混合して灰色にすることも上述の仕方でごく自然に行なわれる。

五六二　生理的色彩も同じく混合作用を受ける。たとえば青い陰影（六五）をやや黄色味を帯びた紙の上に生じさせると、この陰影は緑色に見える。他の色彩についても、装置をそれ相応に作ることができるならば、同じことが当てはまる。

五六三　眼の中に残留する有色の仮像（三九以下）を有色の面に移した場合にも、像の混合と決定作用が起こり、両者に由来する他の色彩になる。

五六四　物理的色彩も同じく混合作用を現わす。これに属する実験は、われわれが先に（三五八―二八四）詳述したように、雑多な色彩の像をプリズムを通して見る場合である。

五六五　しかし物理学者たちが最も問題にしたのは、プリズムによる色彩を着色された面に投射した場合に生ずる諸現象である。

五六六　そのさい知覚されるものは、きわめて簡単である。第一に考えなければならないのは、プリズムによる色彩が投射される面の色彩よりはるかに鮮明だということである。第二に考慮される必要があるのは、プリズムによる色彩が面と同質または異質であるかいなかということである。最初の場合にその色彩は面をすばらしく高め、またそれによってみずからすばらしくされる。それは有色の宝石が同系色の下敷き箔によって引き立たせられるのと同じである。反対の場合には互いにきたなくされ、邪魔されてしまう。

五六七　これらの実験は色ガラスを用いて繰り返し、日光を色ガラスを通して有色の面に投射させることができる。その場合、まったく似たような結果が現われるであろう。

五六八　同じことは、観察者が色ガラスを通して着色された対象のほうを見る場合にも起こる。そのとき、これらの対象の色彩はその性状に従って高められたり、低められたり、消されたりする。

五六九　プリズムによる色彩を色ガラスを通して透射させる場合に生ずる諸現象もまったく類似のものである。そのさい、エネルギーの大小、明暗の多少、ガラスの明澄度に従って多くの微妙な差異が生ずるが、これらの現象を根気よく研究する意欲をもった緻密な観察者ならばだれでもそれを認めることができるであろう。

五七〇　そのようなわけであえて言及する必要はほとんどないのであるが、色ガラスや半透明の油紙を何枚も重ね合わせるとあらゆる種類の混合が生じ、実験者の欲するままに眼前に提示される。

五七一　最後にここに属しているのは画家たちの透明顔料である。この上薬によって[*151]生ずる混合は、彼らが通常用いる機械的原子論的な混合によって惹き起こされるのよりもはるかに精妙なものである。

第四十六章　現実の伝達

五七二　さて前述のようにして染料を得たいま、さらに生ずる問題は、このような染料をいかにして無色の物体に伝達できるかということである。この問題に解答を与えることは生活・実践・利用・技術にとってきわめて重大な意義をもっている。

五七三　ここで再び指摘されなければならないのは、どの色彩も暗いという性質を有していることである。白にきわめて接近している黄色から橙色と朱色をへて純粋な赤と洋紅色にいたり、菫色のあらゆる色調をへて黒に近い濃い青にいたるまで、色彩はしだいに暗さを増していく。青はいったん特殊化されたあとでは稀釈され、明るくされて黄色と結合されることができ、これによってそれは緑になり、光の側に移動する。しかし、これはけっしてその本性に従って起こるのではない。

五七四　われわれがすでに見たように、生理的色彩は光よりもマイナスのものである。というのは、生理的色彩は光の印象の漸消のさいに生じ、それぱかりでなく最後にはそれが暗いものであるという印象を残していくからである。物理的実験の場合には、曇った媒体を用いるということ、また曇った副像の作用によって、ここで問題になるのは弱められた光、暗いものへの移行であるということがわかる。

五七五　顔料の化学的生成の場合、われわれは同じことを色彩の最初の惹起のさいに認める。鋼鉄の上に広がる黄色の曇りがすでに、その輝くような表面を暗くしている。鉛白が酸化鉛に変化する場合にも、黄色が白より暗いことははっきりしている。

五七六　この操作はきわめて微妙であって、したがってまた高進性もしだいに進展し、加工される物体をますます緊密かつ強力に着色し、そうすることによって処理されている諸部分の著しい微細さ、無限の分割可能性を指し示している。

五七七　暗いほうへ進む色彩、したがって特に青をもってすれば、われわれはまったく黒に接近することができる。そこで、真に完全なベルリン青や硫酸で処理されたインジゴはほとんど黒に見える。

五七八　さてここで、ある注目すべき現象について述べておかなければならない。すなわち、その最高に飽和し凝縮した状態にある顔料、特に前述のインジゴや最高の段階に達したアカネなどの植物界から採られた顔料はもはやその色彩を示さないのである。その表面にはむしろはっきりとした金属的光沢が現われ、その中には生理的に要求された色彩がほのめいている。

五七九　良質のインジゴならばどのようなものでも裂けめにすでに銅色が現われており、これは取引にあたって目じるしになる。しかし、硫酸で処理されたインジゴを厚く塗りつけるか乾かすかして、白い地の紙も陶磁皿もそれを通して見えないようにすると、橙色に近い色が現われてくる。

五八〇　深紅色のスペイン産の紅おしろいはおそらくアカネから調製されていると思われるが、その表面には完全に緑色の金属的光沢が見られる。青と赤の両方の色をピンゼルで陶磁皿あるいは紙の上に別々に分けて塗ると、それらの本性が再び現われてくるというのは、明るい下地がこれらの色を透かして見えるからである。

五八一　有色の溶液も、光が射し込まない場合には黒く見える。これは底がガラスでできている平行六面体のブリキ製容器を用いればひじょうに容易に確信することができる。このような容器の中では、透明ないかなる有色の溶液も、黒地の底をあてがうと黒く無色に見えるであろう。

五八二　ロウソクの炎の像が底面から反射できるような装置を作れば、炎は着色されて見える。容器を高く持ち上げてロウソクの光を下にあてがわれた白い紙の上に投射させると、この紙の上に色彩が現われる。明るい下地ならばすべて、このような着色された媒体を通して見ると、この媒体の色彩を示すのである。

五八三 このように、いかなる色彩も、見ることができるようになるためには背後に光がなければならない。下地が明るく輝くようであればあるほど色彩が美しく見えるのはそのためである。いわゆる下敷き箔が作製される場合のように、金属的な光沢をもった白い素地の上にラック色をかけると、すばらしい色彩がこの反射光のもとでプリズムによる実験の場合に劣らず現われてくる。実際、物理的色彩のエネルギーは主として、それらとともに、またそれらの背後に光が絶えず作用しているということにもとづいているのである。

五八四 リヒテンベルクはその時代環境により在来のものの見方に従わざるをえなかったとはいえ、ひじょうに優れた観察者であり、かつまたひじょうに才気に富んでいたので、自分の眼前に現われたことを認め、自分なりに説明し解釈することにやぶさかではなかった。デラヴァル[*152]の著書への序文において彼は次のように述べている。「他のいろいろな理由から私にまことらしく見えるのは、われわれの視覚器官が色彩を感ずるためには、あらゆる光から何か（白いもの）を同時に一緒に感じなければならないということである。」

五八五 白の下地を手に入れることは、染物師の主要な仕事である。無色の土類、特に明礬にどんな特殊化された色彩でも容易に伝達することができる。しかし染物師が特に関心を抱いているのは、動物および植物の有機組織の産物である。

五八六　すべての生あるものは色彩へ、[*153]特殊なものへ、特殊化へ、効果へ、無限に微細なものにいたるまでの不透明性へ迫る内的欲求をもっている。すべての老衰したものは、[*154]白いものへ、抽象へ、一般性へ、変容へ、透明性へと移っていく。

五八七　このことが技術によっていかに惹き起こされるかは、色彩の除去の章において暗示することにする。この伝達の章においてわれわれがとりわけ考慮しなければならないのは、動物と植物が生きた状態においては色彩を自分から生み出すということ、そしてそれゆえに、色彩がそれらから完全に除去された場合、それだけいっそう容易に再び色彩を帯びるということである。

第四十七章　外見上の伝達

五八八　伝達は、容易にわかるように、混合作用と合致する。それは現実の伝達でも外見上の伝達でも同じである。それゆえわれわれは、先に必要な限り述べられたことを繰り返さない。

五八九　しかしながら本章でわれわれは、反射光によって起こる外見上の伝達の重要性をやや詳しく述べることにする。このひじょうによく知られてはいるが依然として予感に満ちた現象は、物理学者にとっても画家にとってもきわめて重大な意義をもっている。

五九〇　一定の色に特殊化された任意の有色の面を日向に置き、反射光を他の無色の対象の上に投射させる。この反射光は一種の適度に弱められた光、半光ないし半陰影であり、その弱められた本性のほかに面の特殊な色彩を一緒に反映している。

五九一　この反射光が明るい面に作用する場合、それは消されてしまい、随伴していた色彩はほとんど認められない。しかしこの反射光が陰影の個所に作用すると、σχιερόν（陰影）とのいわば魔術的な結合が現われる。陰影は色彩のほんらいの根本要素であり、ここでこの要素に陰影的色彩が照明しつつ、着色しつつ、生気を与えつつ加わる。こうして強烈であると同時に快適な現象が生じ、この現象はそれを利用するすべを心得ている画家にじつにすばらしく役立つ。これはいわゆる反射画法のひな型であるが、この画法が美術史において注目されたのはごく最近のことであって、その多種多様な可能性を用いるすべをめったに知らなかったのは理の当然である。

五九二　スコラ哲学者たちはこれらの色彩を表象的および意図的色彩（colores notionales und intentionales）と名づけた。歴史編がわれわれに全般的に示してくれるように、スコラ学派はこれらの現象にすでに充分に注目していたし、またそれらを適切に分類するすべを知っていたのである。もっとも、このような対象の研究方法はわれわれの方法とはひじょうに異なっている。

第四十八章　色彩の除去

五九三　物体が色彩をもとから具有するのであれ、われわれが物体に色彩を伝達したのであれ、色彩は物体からいろいろな仕方で除去される。それゆえわれわれは、われわれに有利なように物体から目的に即して色彩を取り除くことができる。しかし色彩はまたしばしば、われわれの意志に反して消失し、われわれに不利益をもたらすこともある。

五九四　自然の状態において白いのは土類だけではなく、植物性および動物性の原料もまた、その組織が破壊されることなしに、白色の状態に移されることができる。純白色のものはいろいろな用途のためにわれわれにとってきわめて必要であると同時に快適であり、われわれは特に亜麻や木綿の織物を色染めしないで用いるのを好む。また絹織物や紙その他のものは、白ければ白いほどわれわれには快い。またさらに、われわれが先にすでに見たように、染色術全体の主要な基盤は白い下地である。そこで染色の技術は半ば偶然的に、半ば熟慮を払ってこれらの原料から色彩を除去することに没頭し、これに関する無数の実験が行なわれて実際に多くの重要なことがらが発見された。

五九五　この色彩の完全な除去ということがほんらい漂白術の仕事であるが、この技術はいく人もの人々によって、より経験的あるいはより方法論的に論じられてきた。われわれはここでその主要な問題点をごく簡単に挙げることにする。

五九六　光は物体から色彩を除去する最初の手段の一つとみなされる。太陽の直射光だけでなく、穏やかな日光そのものもそうである。なぜなら、これら二つの光、すなわち太陽からの直接の光も派生的な空の光もボロニア燐*155に点火するように、両方の光はまた着色された面に作用を及ぼすからである。光が自分と親近性のある色彩をとらえ、炎のようなものをひじょうに多く内包している色彩にいわば点火し、燃焼させ、その色彩において特殊化されていたものを再びある普遍的なものに解消してしまうのであれ、われわれの知らない他の操作が起こるのであれ、いずれにしても光は着色された面に対して強大な力を発揮し、これらの面を多かれ少なかれ漂白してしまう。しかしながらここでも、種々の色彩はそれぞれ異なった耐久性と持続性を示し、黄色、特にある種の原料から調製されたものはここでまず最初に消えてなくなる。

五九七　しかし光だけでなく、空気も、そして特に水は色彩の除去に対して強力な作用を及ぼす。ある人々が観察したと主張するところによれば、撚糸を充分に湿らせて、夜分芝生に広げておくと、同じく充分に湿らされて日光にさらされたものより、もっとよく漂白されるとのことである。もちろんこうして、ここでも実証されると思われるのは、水が一つの溶媒であり、偶然的なものを取り消し、特殊なものを普遍的なものへ還元するということである。

五九八　反応薬によってもまた、このような色彩の除去は惹き起こされる。アルコールには、植物を色づかせるものを吸収し、それでしばしばひじょうに持続的に着色される特殊な傾きがある。硫酸は特に羊毛と生糸に対して、はなはだ色彩除去の効果がある。だれも知らない人がいないように、黄変したり染《しみ》のついた白いものをもとどおりにしたいと思うときには、亜硫酸ガスが用いられるのである。

五九九　強烈な酸類が簡便な漂白剤として推奨されるようになったのは最近のことである。

六〇〇　反対の意味で同様に作用するのはアルカリ性の反応薬、灰汁《あく》そのもの、灰汁と化合してせっけんとなった油脂などである。このようなことはすべて、明確にこの目的のために著わされた書物の中で詳しく述べられている。

六〇一　ところで努力のしがいがあると思われるのは、光と空気がどの程度まで色彩の除去に対して作用を及ぼすのか、ある種の精密実験を行なってみることである。たとえば、排気鐘を真空にしたりふつうの空気あるいは特別な気体で満たし、揮発性であることが知られている種々の色素をその中で光にさらしてみるとよいであろう。そして、発散した色彩のなにがしかが再びこのガラス面に付着したり沈澱物のようなものが現われたりしないかどうか、次にこの再び現われてきたものが目に見えなくなったものとまったく同じものであるかどうか、あるいはそれが変化をこうむったかどうか観察してみることである。熟練した実験者たちは、このためにおそらくいろいろな装置を考案することであろう。

六〇二　このようにわれわれはまず第一にわれわれの意図にかなった種々の自然の作用を考察してきたが、われわれに反目して作用するものについてもなお少し述べる必要がある。

六〇三　美術の宿命は、人間精神の努力を傾注した最も美しい作品でさえ時がたつうちにいろいろな仕方でそこなわれるということである。そこで変色しない顔料を見出し、これらの顔料をなんらかの方法で相互にまた下地と一致させ、それらの持続性をそうすることによっていっそう確保しようとする努力がつねに払われてきた。これについては、いろいろな画派の技術がわれわれに充分な知識を与えることができる。

六〇四　ここでまた適当と思われるのは、われわれが染色術の面で大いにそのおかげをこうむっているある技芸について述べることである。それは毛氈織のことである。すなわち、絵画のきわめて微妙な色調を模倣するためにまったく多種多様に染色された原料をしばしば並べて使わなければならないことになって、人々が間もなく気づいたのは、色彩が必ずしもすべてもちが同じではなく、ある色彩は他の色彩よりも早く織絵から除去されてしまったことである。それゆえ、すべての色彩と色調に同一の持続性を確保しようとする熱烈な努力が生まれた。これは特にフランスのコルベールのもとで行なわれ、この点に関する彼の処理方法は染色術の歴史において画期的なものである。いわゆる模様染めは、束の間の優美さをめざすだけであったので、特別なギルドになってしまった。これに反して、色のもちを保たせようとする技術の基礎づけは、それだけいっそう真剣に求められた。

こうしてわれわれは、色彩の除去と輝くような色彩現象の消失的かつ移ろいやすいことを考察しているうちに再び持続性の要求に戻ってきた。そしてまたこの意味でわれわれの論述の輪を再び閉じることになるのである。

第四十九章　色彩の命名法

六〇五　これまでわれわれは色彩の生成・進展・親近関係について述べてきたが、それに従えば、色彩のどの命名法が今後望ましく、これまでの命名法のうち何を保存すべきか、まえよりもよく概観されるであろう。

六〇六　色彩の命名法はすべての術語的名称、特に感覚的対象を表示する名称と同様、特殊なものから出発して普遍的なものにいたり、普遍的なものからまた特殊なものへ戻った。種名が属名となり、その下位にまた個別のものがおかれたのである。

六〇七　この道を歩むことができたのは、昔の語法が流動的で不明確であったからである。特に太古の時代においてはいまよりも活発な感性的直観に頼ることができたためである。対象の諸性質を不明確にしか表示しなかったのは、だれもがそれらの性質を想像力の中ではっきり把握していたからにほかならない。

六〇八　純粋な色相環は範囲の狭いものであった。しかしそれは、無数の対象において特殊化および個性化され、副次的規定の諸条件を伴っているように思われた。ギリシア人およびローマ人の多種多様な表現*156を見るならば、いろいろな言葉がいかに流動的かつなげやりにほとんど色相環全体の周辺にわたって用いられてきたかを認めて微笑を禁じえないであろう。

六〇九　のちの時代になると、染色術の多種多様な操作により、多くの新しい色調が出現した。流行色とそれらの名称さえ、個性化された夥《おびただ》しい数の色彩を提示していた。近代語の色彩語彙をもわれわれはおりにふれて引用するつもりであるが、そのさい示されるのは、より正確な規定語がつねに探し求められ、固定されたもの、特殊化されたものを言語によっても確保し個別化しようとする努力がなされてきたことである。

六二〇　ドイツ語の術語に関して言えば、その長所は、われわれが四つの単綴の、もはやその起源を思い起こさせない名称、すなわちGelb（黄）、Blau（青）、Rot（赤）、Grün（緑）という言葉を有していることである。これらの言葉は色彩の最も普遍的な要素を想像力に提示するだけであって、特殊化されたものを指し示しているわけではない。

六二一　これら四つの名称の各中間領域になお二つの規定語をもうけるならば、すなわちRotgelb（赤黄色）とGelbrot（黄赤色）、Rotblau（赤青色）とBlaurot（青赤色）、Gelbgrün（黄緑色）とGrüngelb（緑黄色）、Blaugrün（青緑色）とGrünblau（緑青色）という名称を設定するならば、色相環の種々の色調を充分明確に表現することになるであろう。これらにさらにHell（明）とDunkel（暗）の表示を付け加え、なおまたSchwarz（黒）、Weiß（白）、Grau（灰色）、Braun（褐色）という同じく単綴の言葉を用いて色のきたなさをある程度まで暗示するならば、現われてくる諸現象が発生論的な仕方あるいは原子論的な仕方で生じたのかどうかに心を煩わすことなく、それらをかなり充分に表現することができるであろう。

六二二　しかしながら、そのさい特殊な個性的表現を用いてもつねに有利な面があるので、われわれもOrange（橙色）とViolett（菫色）という言葉を利用してきたのである。なおまたわれわれは中央に位置する純粋な赤を表示するためにPurpur（深紅色）という言葉を使ってきたが、それはホネガイ（Purpurschnecke）の分泌液が良質の亜麻布にしみ込んだとき特に、主として日光によって色相環の最高点に到達させられることができるからである。

第五十章　鉱　物

六六三　鉱物の色彩は[*157]すべて化学的な性質のものである。したがってその生成の仕方は、われわれが化学的色彩について述べたことからかなりよく説明されうる。

六六四　色彩の名称は外的な諸特徴の中で上位にある。そこで人々は近代科学の意味で、生起する現象を一つ一つ正確に規定し把握しようと大いに努力した。しかしそうすることによって、実際の使用にさいして多くの不都合が生ずる原因となる新しい困難を惹き起こしたように思われる。

六六五　もちろんこれも、ことのいきさつをよく考えるならば、すぐにもっともな理由が挙げられる。昔から色彩を取り扱う特権をもっていたのは画家である。特殊化された色彩として確定されていたのはごく少数であったが、それにもかかわらず種々の人為的混合によって無数の色調が現われてきて、自然の事物の表面を模倣するようになった。それゆえなんら不思議ではなかったのは、一般の人々もまたこの混合の道を歩み、画家に対して、自然の事物を判断し表示できるような色標を作成するよう呼びかけたことである。彼らが問うたのは、自然がいろいろな色彩をその内的な生き生きとした方法で生じさせるためにいかに仕事にかかるかということではなく、画家は生きたものに類似した仮象を描くために死せるものにいかに生気を付与するかということであった。したがって、つねに混合から出発し混合へ戻ったために、しまいには混合されたものを再び混合し始めるようにさえなった。それもいくつかの特殊化され個性化された奇妙な色彩を表現し区別するためである。

六六　ところで、鉱物の色彩語彙がこうして導入されたことについてはなお多くのことが指摘される。すなわち色彩のいろいろな名称は、たいていの場合に可能であったはずなのに、鉱物界からではなく、目に見える種々雑多な事物から取られた。しかし自分の領分にとどまっていたほうがずっと有利であったであろう。さらにあまりに多くの個々の特殊な表現が採用されたので、これらの特殊化された色彩の混合によって再び新しい規定語を作り出そうと努めながら、人々は、そうすることによって想像力に対して形象を、悟性に対して概念をまったく有名無実にさせてしまうということを考えなかった。そのようなわけで、しまいに、これらのある程度まで基本的規定語として用いられた個々の色彩名称は、たとえば相互にどのように導き出されるのかを知るためには必ずしもよく配列されていない。それゆえ学習者は各規定語を一つ一つ習得し、ほとんど死んだような既成の知識を覚え込まなければならない。いま暗示したことをこれ以上述べるのは、ここではあまり適当ではないであろう。

第五十一章　植　物

六二七　有機体の色彩は一般に高次の化学的操作とみなすことができる。古代人がこれらの色彩を煮沸（πέψις）という言葉で表現したのはそのためである。すべての基本的色彩は、混合された派生的色彩と同じく、有機体の表面に現われる。これに反して内部は、明るみに出されると、色がないとはいえないが、とにかく色あせて見える。しかし、有機的自然に関するわれわれの見解*158の一端はいずれ別のところで述べるつもりなので、ここでは以前に色彩論と関連づけられていたことだけを取り上げることにして、あの特別な目的のためにはさらに準備を進めることにする。ではまず植物について語ることにしたい。

六二八　種子・球茎・根その他、一般に光から遮断されているか、または大地によって直接取りかこまれているものは、たいてい白色を呈している。

六一九　暗闇の中で種子から育てられた植物は白いか、あるいは黄色味を帯びている。これに反して光は、これらの植物の色に作用しながら、同時にその形態に作用を及ぼす。

六二〇　暗闇の中で生長する植物は節から節へ長く伸びつづけるが、二つの節のあいだの茎は通常よりも長い。側枝はぜんぜんつくり出されず、植物のメタモルフォーゼは起こらない。

六二一　これに対して光は植物を直ちに活動的状態に移すので、植物は緑色を呈し、生殖にいたるまでのメタモルフォーゼの歩みは間断なく進行する。

六二二　われわれがすでに知っているように、茎葉[*159]は花および果実器官のための準備的前段階にすぎない。そこで茎葉の中にすでに、あらかじめ花の色を暗示する色彩を見ることができる。たとえばハゲイトウの場合がそうである。

六二三　白い花でその花弁が最高の純粋さに到達したものがある。しかし有色の花にもそのようなものがあり、それらの中では美しい基本的色彩現象がさまざまに見られる。そのほか部分的にだけ緑色から高次の段階をめざして進んでいったような花もある。

六二四　同一の属または同一の種の花でも、すべての色彩を有するものがある。バラやたとえば特にゼニアオイは色相環の大部分を通過する。[*160]すなわち白から黄色へ、次に赤黄色をへて深紅色にいたり、そこから深紅色が青に接近してとらえることのできる最も暗い色に変化する。

六二五　他の花は高次の段階からすでに始める。たとえばケシは橙色から出発して菫色のほうへ移っていく。

六二六　しかしながら種や属、そればかりでなく科や綱において恒常的とはいわないまでも支配的な色彩もある。特に黄色がそうである。青色は一般にずっと稀である。

六二七　果実の総苞が液汁を含んでいる場合にも似たようなことが起こり、総苞は緑色から黄色味を帯び、黄色をへて最高の赤にまで高められる。そのさい、外皮の色は成熟の段階を暗示している。あるものはまわりが一面に色づき、またあるものは日に当たる側しか色づいていないが、後者の場合、黄色がかなりの重畳的凝縮によって赤へと高進させられるさまをひじょうによく観察することができる。

六二八　また内部が色づいている果実もいくらかある。特に深紅のように赤い果汁がふつうである。

六二九　色彩が花の表面にも果実の内部深くにも見出されるように、色彩は残りの部分にも広がり、根と茎の液汁を色づける。しかもその色彩は豊富で強烈である。

六三〇　木材の色も黄色から種々の段階の赤をへて深紅色および褐色にまで及んでいる。青色の木材というものを私は知らない。このように有機組織のこの段階でもすでにプラス側が強烈に現われるが、植物の普遍的な緑において、プラスとマイナスの両側が平衡を保っているようである。

六三一　先に見たように、大地から萌え出る芽は大部分は白色と黄色味を呈しているが、光と空気の作用を受けて緑色に変化する。似たようなことは木々の若葉の場合にも起こる。たとえばシラカバに見られるように、その若葉は黄色味を帯びており、煎じると美しい黄色の液汁を出す。これらの若葉はその後ますます緑色になる。同様に他の木々の葉はしだいに青緑色に変わる。

六三二　このように黄色はまた青色の要素よりも本質的に葉に属しているようにみえる。なぜなら、青色の要素は秋になると消え失せ、葉の黄色は褐色に変わってしまったように見えるからである。しかし、これよりも注目に値するのは、木の葉が秋に再び純粋な黄色になったり最高の赤にまで高進させられたりする特別な場合である。

六三三　ところで二、三の植物には人為的処理によってほとんどまったく染料に変えられてしまう性質があり、この染料は他のいかなるものよりも良質かつ有効であって、無限に分割可能である。その実例はインジゴとアカネであり、その効力は著しい。地衣類もまた染色に利用される。

六三四　この現象に直接対立する他の現象もある。すなわち、植物の染色成分を抽出していわば単独で提示することができ、しかも植物の有機組織がそれによって損傷をこうむらないように見える現象である。花の色はアルコールによって抽出され、そのアルコールを染色する。これに対して花弁は白色を呈する。

六六五　反応薬を用いて花とその液汁をさまざまなかたちで処理することができる。多くの実験を重ねてこれを行なったのはボイルである。バラは亜硫酸で漂白し、他の酸でまたもとの色にすることができる。タバコの煙によってバラは緑色になる。

第五十二章　蠕虫・昆虫・魚類

六六六　有機体制の低い段階にとどまっている動物については、ここでとりあえず次のことを述べておきたい。地中に棲息し、もっぱら暗闇と冷たい湿気の中にいる蠕虫は色あせて見える。内臓寄生虫は暖かい水分によって暗闇の中で孵化され養分を得るのであるが、色はないと言ってよい。色彩を決定するためには明らかに光が必要であるように思われる。

六六七　水中に住む生物は、水がひじょうに密度の高い媒体であるにもかかわらずなお充分に光を通すので、多かれ少なかれ色づいて見える。きわめて純粋な石灰土に生気を与えているように見える植物性動物は大部分白い。しかしながら、サンゴ虫はいとも美しい橙色にまで高進させられていることがあり、この橙色は他の蠕虫の殻においては深紅色に近いまでに高まる。

六三八　甲殻類の殻は美しい模様と色どりをしている。しかしながら注意すべきことに、カタツムリも淡水産の貝殻も、海水産の貝殻ほど鮮かな色彩で彩られていることはない。

六三九　貝殻、特に巻貝の殻を眺めたとき気がつくのは、これらの貝殻が生ずるために一個の集合体をなす相互に類似した動物性器官[*161]が成長しながら前進し、これらの器官が一つの軸を中心に回転しながら、溝・縁・凹線・突起を順々に作っていくことにより、ますます大きな規模で殻を作り出していったということである。しかし同時に気がつくのは、これらの器官にはなんらかの多様な染色色素をもった液汁がそなわっていたに違いないということである。この液汁は貝殻の表面に、おそらく海水の直接の影響を受けながら、色どられた線・点・斑紋および種々の色調を間歇的に記し、こうして成長の高まる痕跡を貝殻の外側に継続的に残したのである。ただ内側はたいてい白色か、青白い色をしているのが認められる。

六四〇　貝殻の中にこのような液汁があるということは、このほか経験によっても充分に知られる。経験はまだ染液の状態にある液汁を見せてくれるからである。そのよい証拠はイカの液汁であるが、はるかに有力な証拠はいろいろなホネガイの中に見出される深紅の液汁である。この液汁は昔からひじょうに有名であり、近代においてもよく利用されている。すなわち、貝殻の中に棲息する多くの蠕虫の内臓の中にはある種の臓器があり、これが赤い液汁で満たされているのである。この液汁にはひじょうに強い持続的な染色色素が含まれているので、これらの動物のからだ全体をつぶして煮ても、この動物性肉汁からやはりなお充分に強い染液を取り出すことができたのである。しかし、この染色色素で満たされた臓器は動物から摘出されることができ、そうすることによってもちろん、より濃縮された液汁が得られる。

六四一 この液汁の特質は、それが光と空気にさらされるとまず黄色味を帯び、次に緑色がかって見え、それから青になり、つづいて菫色に変わり、しかもしだいに赤味を帯び、最後に太陽の影響で、特に薄地の上等の麻布に塗られた場合には、純粋な深紅色になるということである。

六四二 したがって、ここで見られるのはマイナス側から最高点にまで達する高進性ということになり、これは無機物の場合には容易に認められなかったものである。われわれはこの現象を、ほとんど色相環全体の巡回と呼んでもさしつかえないであろう。われわれの確信しているところによれば、的確な実験によって色相環の全巡回はほんとうに実現されうるであろう。なぜなら、酸を適切に用いることによって深紅が最高点から緋色のほうへ導かれるであろうことに疑いの余地はないと思われるからである。

六四三　この液汁は一方で生殖作用と関連しているように見える。実際、このような染色色素を含んだ卵、すなわち甲殻類に将来なるべきものの始まりが見出されるのである。しかし他方で、この液汁は高等動物において発達してくる血を暗示しているように見える。なぜなら、血は色彩の似たような性質をわれわれに見せてくれるからである。血は極度に薄めた状態では黄色に見え、血管の中を流れているときのように濃くすると赤く見える。しかも動脈血は著しく赤く見えるが、それはおそらく、呼吸のさいに起こる酸化作用のためである。静脈血はむしろ菫色に近いが、この色彩の可動性によって、われわれがすでに充分によく知っている色彩の高進と巡回のことを指し示している。

六四四　水の領域を立ち去るまえに、魚類についてなお二、三述べることにしたい。魚の鱗状の表面はしばしば、全体にまたは縞状にあるいは斑点状に一定の色彩に特殊化されているが、さらにしばしばある種の色彩変化を示し、これは鱗が甲殻類の殻・真珠母・真珠そのものとさえ親近性を有していることを示唆している。そのさい見逃してはならないのは、かなり暑い気候風土が水の中へも作用を及ぼしていて、魚類の色彩を生じさせ、美しくし、高めているということである。

六四五　オタヒチでフォルスター[*162]が観察した魚は、その表面がひじょうに美しい変化を示し、特に魚が死ぬ瞬間にひときわ美しかった。ここで思い出されるのはカメレオンや他の似たような諸現象であるが、これらの現象は将来いつか収集整理されるならば、これらの作用をもっとはっきり認識させてくれるであろう。

六四六　最後になお順番外ではあるが、ある種の軟体動物の色彩変化についても言及する必要があると思われる。またある種の海棲動物の燐光は色彩の変化を示しながら消えていくとのことである。

六四七　さて、われわれの考察を光と空気と乾燥した暖気に属している生物に向けるならば、われわれの周囲にあるのはますますもって生きた色彩の王国である。ここでは有機体制のすぐれた諸部分に基本的色彩がきわめて純粋かつ美しく現われている。しかしながらそれによって、まさにこれらの生物がなお有機体制の低い段階にあることが暗示されている。なぜなら、これらの基本的色彩はなお原色のまま彼らのもとで現われてくることがあるからである。ここでもまた高い気温がこの現象を仕上げるのに大いに寄与しているように見える。

六四八　昆虫の中には濃縮された色素そのものとみなすことができるようなものがある。その中で特に有名なのはコックス種の昆虫[*163]である。そのさい注意を怠ってはならないのは、植物に寄生するばかりでなく、その中に侵入して巣をつくるという彼らの生活様式が同時にまた例の隆起瘤をつくり出し、これらが媒染剤として色彩を固定させるのに大いに役立っているということである。

六四九　しかし、色彩の強烈な力が規則的な有機体制と結びついて最も著しく現われるのは、その発達のために完全なメタモルフォーゼを必要とする昆虫においてである。それは甲虫や、とりわけ蝶類においてそうである。

六五〇　ほんとうに光と空気の所産と呼んでもよいような蝶類は、青虫の状態においてすでにしばしば、いとも美しい色彩を現わす。これらの色彩はすでに特殊化されていて、蝶の未来の色彩を暗示している。この考察は、将来さらに追求されるならば[*164]、有機体制の多くの秘密にきっと喜ばしい洞察をもたらすに違いない。

六五一　ところで蝶の羽を仔細に眺め、その網状の組織の中に腕の痕跡を発見し、さらにこのいわば平たくされた腕が繊細な羽毛でおおわれ飛翔器官に定められていった様子を見ると、多種多様な彩色作用が行なわれるさいの法則のようなものを認めることができるように思われる。これについては将来さらに詳しく説明しなければならないであろう。

六五二　そもそも高い気温が生物の大小、形態の完成、色彩のすばらしさのいかんに影響があることは、あえて述べる必要もないと思われる。

第五十三章　鳥　類

六五三　さて、高等な有機体のほうへ進んでいけばいくほど、皮相的かつ当座の間に合わせに二、三のことをあれこれ書き記すほかはない。なぜなら、このような生物に自然的に起こるすべてのことはひじょうに多くの前提からの結果なので、これらの諸前提を少なくとも暗示することなしには不充分なあやふやなことしか言い表わすことができないからである。

六五四　植物においてわれわれが見出すのは、その高次の部分、すなわち完成された花と果実が茎の上にいわば根をおろしていて、*165 根がそれらに最初にもたらした液汁よりも精妙な液汁から養分を得ているということである。また有機物を自分の要素として取り扱う寄生植物は、その生長力と性質が著しくすぐれていることがわかる。同様にわれわれは、鳥の羽毛をもある意味で植物になぞらえることができる。羽毛は、そのほかにもなお多くのものを外部へ放出しなければならない鳥の身体の表面から生じた最後のものであり、それゆえひじょうに豊かにしつらえられた器官になっている。

六五五　羽茎は比較的めだつほどの大きさに成長するだけでなく、全面的に枝状に分岐している。ほんらいこれによって羽茎は羽毛になるのである。枝状に分岐した羽毛の多くはさらにまた細分化されるが、これによって再び植物を思い起こさせる。

六六六　羽毛は形態も大きさも種々異なっている。しかしそれはつねに同一の器官であり、この器官が生じてきた身体部分の性状に従って形成され変形されるだけである。

六六七　形態とともに色彩もまた変化する。[*166] そしてある種の法則が一般的な彩色作用をも、またこう呼んでよければ特殊な彩色作用をも支配している。すなわち、この特殊な彩色作用によって個々の羽毛がまだらになるのである。じつにこの法則から色とりどりの羽毛の模様が生じ、最後にあのクジャクの尾の眼状斑紋が現われてくる。これと似ているのは、われわれが前に植物のメタモルフォーゼの機会に[*167]説明した法則である。これについては次の機会を捉えて述べるつもりである。

六六八　時間と事情が許さないため、ここではこの有機体の法則を割愛せざるをえない。しかし、いろいろな化学的作用について触れることはやはりわれわれの義務である。これらの化学的作用は、羽毛の彩色のさいに、われわれがすでにもう充分に知っている仕方でいつも現われてくる。

六六九　羽毛にはあらゆる色彩がある。しかしながら全体として、赤に高進していく黄色の羽毛は青色のよりもしばしば見られる。

六七〇　羽毛およびその色彩に対する光の影響はきわめて顕著である。たとえばある種のオウムの胸の上にある羽毛はほんらい黄色であるが、鱗状に突き出ている部分は、光に照らされると黄色から高進して赤になる。そこでこのような動物の胸は真赤に見える。しかし羽毛に息を吹きかけると黄色が現われてくる。

六六一　そのようなわけで、羽毛のあらわな部分と静止した状態でおおい隠されている部分とはまったく截然と分かれている。その結果、たとえばカラスの場合でも雑多な色彩の変化を示すのはあらわな部分だけであって、おおい隠された部分はそうではない。この手びきに従えば、引き抜いて乱雑にされた尾羽でも、すぐにまた元のように並べることができるのである。

第五十四章　哺乳動物と人間

六六二　ここで基本的色彩[*168]はわれわれのもとからまったく姿を消し始める。われわれは最高の段階にあるので、ここにはほんのわずかのあいだしかとどまらない。

六六三　哺乳動物は一般的に言って明確に生命の側にある。哺乳動物において外部に現われてくるすべてのものは生命の発露である。この動物の内部についてわれわれはいま語るわけではないので、ここでは表面についてだけ二、三述べることにする。毛髪はすでに次のことによって羽毛から区別される。すなわち、それらはむしろ皮膚に属し、単純かつ糸状であって、枝状に分岐していない。しかしまた、身体の種々の部分において毛髪は鳥の羽毛のように長短、柔剛および色彩の有無の違いがあり、これらすべては以下に示されるような法則に従っている。

六六四　白と黒、黄色・橙色および褐色はさまざまな仕方で入れ替わる。しかしながら、これらの色彩の現われ方はけっして基本的色彩を思い起こさせるようなものではない。それらはむしろすべて有機的煮沸によって抑制され混合された色であり、これらの色を有している生物の発展段階を多かれ少なかれ表わしている。

六六五　表面を観察している限りにおいて形態学上の最も重要な考察の一つは、四足動物においても皮膚の斑点がその下に位置する内的部分となんらかの関係を有していることである。ちょっと眺めると、自然はここできわめて恣意的に作用しているように見えるけれども、深遠な法則がやはり首尾一貫して守られているのである。もちろん、この法則を説明し適用することは、周到な配慮と誠実な関心があって初めてよくなしうることである。

六六六　サルの場合にある裸の部分が雑多な色彩を帯びて、基本的色彩を伴ってさえ現われるということは、このような生物が完全性から遠く隔たっていることを暗示している。なぜなら、生物が高等であればあるほど、その内部の素材的なものはすべて加工されていると言えるからである。したがって、その表面が内部と本質的な関連を保っていればいるほど、その表面には基本的色彩の現われる余地が少ない。なぜなら、すべてが合わさって一つの完全な全体をなすところでは、特殊なものがそここに孤立して存在することは許されないからである。

六六七　人間について言うべきことはほとんどない。なぜなら人間は、われわれがいま逍遥しているほんらいの領域である一般自然科学とはまったく切り離されているからである。人間の内部に対しては[*169]ひじょうに多くのものが費やされているので、その表面はいろいろなものが節約されてさしつかえなかったのである。

六六八　動物は皮膚のすぐ下にある皮下筋肉によって、利益を得ているというよりはむしろ重荷を負わされている。また多くの余分なものがしきりに外部へ出たがっているのが認められる。たとえば大きな耳や尾、またこれに劣らず毛髪・たてがみ・絨毛などである。これを見ると、自然は多くのものを分かち与え浪費しなければならなかったことがわかる。

六六九　これに反して人間の表面はなめらかできれいであり、毛でおおい隠されているというよりはむしろ飾られているごく少数の個所を除いて、最も完全な個所では美しい形態を見せてくれる。なぜなら、ついでに言わせてもらうならば、胸や腕やすねに毛があり余るほど生えているのは強さよりもむしろ弱さを示唆しているからである。そのようなわけで、動物的な強い本性をなお有しているということに惑わされて、ときおりこのような毛むくじゃらな英雄を礼讃したのはおそらく詩人たちだけである。

六七〇　しかしながら、本章でわれわれが何よりも語らなければならないのは色彩についてである。人間の皮膚の色はさまざまな差異があるとはいえけっして基本的色彩ではなく、有機的煮沸によって最高度に加工された現象である。

六七一　皮膚と毛髪の色が性格の違いを示唆していることは疑問の余地がないであろう。実際、われわれはブロンドの髪の人間と褐色の髪の人間の著しい相違をすぐに認めるのであり、このことから、われわれは、いくつかの有機組織のうちの一つが優勢になるとこのような差異が生ずるのではないかという推測に導かれた。同じことは諸国民に対しても適用されうると思われるが、そのさいたぶん認められるに違いないのは、ある種の色彩がある種の容貌とも[*170]一致しているということである。これに対してわれわれはすでにモール人の人相によって注意を促されたのである。

六七二　ところで、ここで次のような懐疑家の疑問に答えておくのが適当であろう。すなわち、人間の容貌および身体と皮膚の色はみな等しく美しく、ただ習慣とうぬぼれによってあるものが他のものより好まれるだけではないのかという疑問である。しかし、これまでに見聞したすべてのことがらの結果として、われわれはあえて次のように主張したい。白人、すなわちその表面が白色から黄色味や褐色や赤味を帯びた色への変化を示している人間、要するにその表面が最も未決定の色に見え、何かある特殊な色彩に傾くことがほとんどない人間は最も美しい[*171]、と。形態のことが将来また問題になる場合にも、人間の姿態のこのような最高の現われが直観されうるようになるであろう。もちろん、これによって昔からある論争がきっぱり解決されたというわけではない。なぜなら、外的なもののこのような指示的意味をなんとしても疑ってかかる人々がたくさんいるからである。いまここで言い表わされたことはただ、観察と判断を繰り返し確実性と内面の安らぎを求めてやまない心情から生じたものなのである。では最後になお、基礎化学的色彩論に関係する二、三の考察を付け加えることにしたい。

第五十五章　有色照明の物理的および化学的作用

六七三　無色の照明の物理的および化学的作用はすでに知られているので、ここで長々とそれについて解説する必要はおそらくないであろう。無色の光は種々異なった条件のもとで熱を惹き起こしたり、ある種の物体に発光を伝達したり、酸化還元に作用を及ぼしたりする。これらの作用の種類と強さには多くの差異が見出されるであろう。しかし有色照明の場合[*172]に現われるような、ある対立関係を指し示すかのような違いではない。これについて以下に簡単に説明を加えたいと思う。

六七四　有色の照明が熱を惹き起こす作用については次のことが言える。ひじょうに感度の高いいわゆる大気寒暖計で暗室の温度を測定する。それにつづいて寒暖計の球を暗室に射し込む太陽の直射光に当てると、ごく自然なことに、中の液体ははるかに高い温度を示す。次に色ガラスをそのまえに宛てがうと、当然また温度の減少がつづいて起こる。それはまず第一に、直射光の作用がガラスによってすでにいくらか妨げられているからであるが、しかし次に何よりも、色ガラスが暗いものとして光をより少ししか通過させないからである。

六七五　しかしここで注意深い観察者には、ガラスにどの色彩がついているかによって熱を惹き起こす度合に違いのあることが明らかになる。黄色と橙色のガラスは青色と菫色のガラスよりも高い温度を惹き起こすが、この差異は重要である。

六七六　この実験をいわゆるプリズム・スペクトルを用いて行なおうとするのであれば、寒暖計でまず部屋の温度をはかり、次に青色の光を寒暖計の球に当てる。するとやや高い温度が現われ、残りの色彩を次々に寒暖計の球に当てるにつれて、ますます上昇する。橙色において温度は最も高くなるが、橙色の下のほうでは[*173]さらに高い。

水プリズムを用いて白光が完全に中央に来るような装置を作ると、この屈折されてはいるがまだ着色されていない光は最も温度が高い。これに反して残りの色彩は前述のような作用を示す。

六七七　ここで問題なのはこれらの現象を暗示することであって導出によって説明することではないので、ことのついでに次の所見だけを述べておきたい。すなわち、スペクトルの赤の下で光はけっして完全に区切られているのではなく、屈折されてその進路からそらされた、プリズムの色彩像のあとからいわば忍んで来る光が依然として認められる。したがって、さらによく考察するならば、目に見えない光線[*174]やその屈折などに逃げ場を求める必要はほとんどないと思われる。

六七八　有色の照明による光の伝達も同じ差異を示している。ボロニア燐に光は青色と菫色のガラスによっては伝達されるが、黄色と橙色のガラスによってはけっして伝達されない。そればかりでなく次のようなことさえ観察されたといわれている。すなわち、菫色と青色のガラスによって灼熱光を伝達された燐は、そのあとで黄色と橙色のガラス板の下に置かれると、暗室の中で放置されていた燐よりも早く光が消えてしまうとのことである。

六七九　これらの実験は先行した諸実験と同様、プリズム・スペクトルを用いて行なうこともできるが、現われる結果はつねに同じである。

六八〇　有色の照明が酸化還元に及ぼす作用については次のようにして知ることができる。純白の塩化銀を水に溶かして細長い紙片に塗り、これを光に当ててある程度灰色になるようにし、それからこれを三片に切る。そのうちの一片を変わらない見本として本の中にはさんでおき、第二片を橙色のガラス、第三片を菫色のガラスの下に入れる。するとこの最後の紙片はますます暗い灰色になり、還元作用を示すであろう。橙色のガラスの下にある紙片はだんだん明るい灰色になり、こうして最初のより完全な酸化の状態に再び近づく。これら二つの変化は見本の紙片と比較することにより確信することができる。

六八一　これらの実験をプリズム像についても行なうために、あるすばらしい装置が作られた。結果はこれまで言及されたことがらと一致している。詳しいことはあとで論述するつもりであるが、そのさいある綿密な観察者*175の研究を利用させてもらうことになるであろう。彼はこれまでこれらの実験を念入りに行なってきたのである。

第五十六章　光線屈折による収色性の場合の化学的作用

六八二　最初に読者にお願いしたいのは、われわれが先に（二八五―二九八）この題目について論述したことをもう一度調べていただくことである。そうすればここでさらに繰り返す必要がないからである。

六〇三　ガラスに一定の性質を付与し、それが前よりはるかに強く屈折することなしに、すなわち像を著しく変位させることなしに、はるかに幅の広い色彩辺を生じさせるようにすることができる。

六〇四　この性質はガラスに金属酸化物によって伝達される。鉛丹が純粋なガラスと緊密に融合一致したときこの作用を惹き起こすのはそのためである。フリントガラス（三九一）はこのような、鉛酸化物を用いて調製されたガラスである。この方法をさらに推し進めて作られたのが、いわゆるアンチモンバターである。これは最近の製法によれば純粋な液体状をなしていて、レンズやプリズムの形をした容器に入れて利用される。これを用いると、屈折がそれほどでなくともひじょうに強い色彩現象が惹き起こされ、われわれが余剰色と呼んだものもひじょうに鮮明に提示されることができた。

六〇五　ところで、ふつうのガラス[*176]は主として砂とアルカリ塩が融合してできるので、少なくとも大部分はアルカリ性である。このことを考慮するならば、純アルカリ性の溶液と純粋な酸性液との関係を明らかにするような一連の実験は教えられるところ多いと思われる。

六〇六　さてマクシマムとミニマムが見出されれば、次の問題は、屈折にほとんど依存せずに増減する色彩現象が像の変位にさいしてまったくゼロになりうるようななんらかの屈折媒体を考え出すことができないかどうかということである。

六八七　それゆえ、この最後の点にとっても第三編全体にとっても、そればかりでなく色彩論そのものにとってきわめて願わしいのは、日進月歩する新しい見解のもとで化学研究に携わっている学者たちがこの分野にも手を出し、われわれがほとんど概略的に暗示したにすぎないことを徹底的に追求し、科学全体にふさわしい普遍的な意味で研究してくださることである。

第四編　内的関連の概観

六八八　われわれはこれまで種々の現象をほとんど無理に引き離して区別してきたが、これらの現象はその本性に従って、またわれわれの精神の欲求にもとづいて繰り返しもとのように一つになることを求めてやまなかった。われわれはこれらの現象をある方法に従って三編に分けて論述した。すなわち、色彩をまず第一に眼そのものの消失しやすい作用および反作用として述べた。次に無色・半透明・透明・不透明な物体がそれぞれ光、特に光像に対して及ぼす一時的な作用として。最後にわれわれが到達した点は、色彩を持続的ないし物体に真に内在していると確実にみなすことができるところであった。*177

六八九　この連続的な順序でわれわれは、できうる限り、諸現象を規定し、区分し、配列しようと努めた。いまやわれわれはもはやこれらの現象を混合したり混乱させたりすることを恐れる必要はないので、第一に、これらの現象について完結された範囲内であらかじめ言いうる普遍的なことを述べ、第二に、この特殊な範囲が親近関係を有する他の分野の自然現象といかに密接に関連し、これらの自然現象といかに鎖のように結び付けられるかを暗示する試みを企てることができる。

色彩の容易な生成

六九〇　われわれが観察したように、色彩はいろいろな条件のもとでひじょうに容易にかすみやかに生ずる。光に対する眼の感受性、光に対する網膜の規則的反作用は瞬間的にかすかな色彩変化を惹き起こす。適度に弱められた光はどのようなものでも色彩を帯びているとみなすことができる。それればかりでなく、いかなる光も、それが眼で見られる限り、色彩を帯びていると呼んでさしつかえない。無色の光とか無色の面というものは、ある程度まで抽象の産物である。経験の中でわれわれがそれらを知覚することはほとんどない。

六九一　光が無色の物体に触れ、それから反射したり、それにそって回折したり、それを通過したりすると、直ちに色彩が現われる。ただ、われわれがここで考慮しなければならないのは、これまでしばしば力説してきたように、屈折とか反射とかいうような主要条件がこの現象を生じさせるために充分ではないということである。なるほど光はそのさいしばしばそれ自体で作用する。しかしそれ以上に境界を伴った特定の光として、すなわち光像として作用する。媒体の曇りはしばしば不可欠の条件であり、また多くの有色現象には半陰影と二重陰影が必要とされる。しかし全般的に色彩は瞬間的かつきわめて容易に生ずる。そのようなわけでさらに、圧迫・息吹・回転・加熱によって、またなめらかできれいな物体および無色の溶液に対するいろいろな種類の運動や変化によって色彩は直ちに惹き起こされる。

六九二　物体の成分の中で、他のものとの混合によってであれそのほかの規定要素によってであれ、ほんのわずかな変化が行なわれさえすれば、色彩がその物体に生ずるか、あるいはその物体において変化する。

色彩のエネルギー

六九三　物理的色彩、特にプリズムによる色彩は、かつてその特別なすばらしさとエネルギーのために、強烈な色彩（colores emphatici）と呼ばれた。しかしさらに考察すると、すべての色彩現象に著しい強烈さを容認することができる。ただしその前提は、これらの色彩現象が最も純粋かつ完全な条件のもとで提示されることである。

六九四　色彩の暗い本性、その高い飽和性、この性質によってまさに色彩は厳粛であると同時に魅力的な印象を惹き起こす。色彩は光が条件を加えられたものとみなすことができるが、色彩も光なしですますことはできない。なぜなら、光は色彩が現われてくるための作用因の一つ、色彩現象の基盤、輝き出て色彩を啓示する強烈な力にほかならないからである。

色彩の決定性

六九五　色彩の生成と自己決定は同一である。光が普遍的な未決定性のまま現われて[*178]対象を提示すると現在の事象がいかにもつまらなく見えるのに対して、色彩はいつでも特殊化されて、特徴的かつ意義深く現われる。

六九六　一般的に見て色彩は二つの方面に向かって自己決定を行なう。色彩が提示する対立関係をわれわれは分極性と名づけ、プラスとマイナスによってひじょうによく表示することができる。[*179]

プラス	マイナス
黄	青
作用	脱作用
光	陰影
明	暗
強	弱
暖	寒
近	遠
反発	牽引
酸との親和性	アルカリとの親和性

両側の混合

六九七　この特殊化された対立関係[*180]をそれら自身の中で混ぜ合わせても、両側の性質は互いに打ち消されることはない。しかし、これらの性質が平衡点にもたらされ、両者のいずれをも特に認識できないようにされると、この混合は眼に対して再び特殊な性質を帯びる。

すなわち、それは一つの単一のものとして現われ、そのさい、われわれは合成されたということをもはや考えない。この単一のものをわれわれは緑と呼ぶ。

六九八　さて同じ源泉から生ずる二つの相対立する現象が寄せ合わされても互いに消し合わず、第三の快適に知覚しうるものに結合される場合、この現象はすでに調和というものを示唆している。*181 より完全なものはまだあとに残っている。

赤への高進

六九九　青と黄が濃くなると、同時に必ず他の現象が一緒に現われてくる。色彩というものは、その最も明るい状態においてさえ暗いものである。それが濃くされるならばますます暗くなるのは必然的であるが、しかし同時にある輝きを帯びる。これをわれわれは赤味を帯びたという言葉で表わす。

七〇〇　この輝きは増大しつづけ、高進の最高の段階においては優勢を占めるようになる。強烈な光の印象は漸消して深紅色になる。プリズムによる実験の橙色の場合、それが直接には黄色から生じたにもかかわらず、黄色のことを考えるものはほとんどいない。

七〇一　高進は無色の曇った媒体によるだけでもう起こる。われわれがここで見る作用は最高の純粋さと普遍性を有している。有色の特殊化された透明な溶液は、階段状の容器に入れて観察すると、この高進性をひじょうに著しく示す。この高進性は絶え間なくすみやかに、かつ連続的に起こる。それは普遍的であって、生理的色彩の場合にも物理的および化学的色彩の場合にも現われる。

高進した両端の結合

七〇二　単純な対立関係にある両端は混合によって美しい快適な現象を惹き起こしたが、高進した両端は結合されるとさらにいっそう優美な色彩を生ずるであろう。そればかりでなく、色彩現象全体の頂点がここにあるとさえ考えられるのである。

七〇三　実際またそのとおりである。なぜなら純粋な赤が生ずるからである。その高い品位のために、われわれはこの赤をしばしば深紅色と呼んできた。

七〇四　深紅色が現象の中で生ずる仕方にはいろいろな種類がある。すなわちそれは、プリズムによる実験の場合には菫色の辺と橙色の縁を重ね合わせることによって、化学的実験の場合には高進を継続させることによって、生理学的実験の場合には有機的対立関係によって現われる。

七〇五　顔料として深紅色が生ずるのは混合や一致によってではなく、ある物質を色相環の最高点に固定することによってである。画家が三つの原色というものを考えざるをえなかったのは、彼がこれらから他のすべての色を合成するからである。これに反して物理学者は二つの原色だけを考え*182、これらから残りの色彩を展開したり合成したりする。

多種多様な色彩現象の全体性

七〇六　多種多様な色彩現象をその種々異なる段階に固定し、並列したまま眺めると全体性が生ずる。この全体性は眼にとって調和そのものである。

七〇七　色相環はわれわれの眼前に出現し*183、生成変化の多種多様な関係はいまや明瞭となる。二つの純粋な根源的に相対立するものが全体の基盤である。次に現われるのは高進性で、これによって、これらの対立するものはともに第三のものに近づく。それによってどちらの側にも最深最高のもの、最も単純かつ最も多くの条件を加えられたもの、最も卑俗なものと最も高貴なものが生ずる。次に問題になるのは二つの合一作用（混合とでも結合とでも呼んでさしつかえない）であり、一方は単純な最初から対立しているものの合一作用、他方は高進した対立しているものの合一作用である〔図⑨〕。

色彩現象全体の調和

七〇八　全体性を並列して見ることは眼に調和的な印象を与える。ここで考慮すべきことは、物理的対立関係と調和的対比関係の違いである。前者は、分離したものとみなされる限りの純粋なむき出しの根源的二元性にもとづいている。後者は派生的な、展開され提示された全体性にもとづいている。

七〇九　あらゆる個々の対比関係は、調和的であるためには、全体性を含まなければならない。これについて教えられるところ多いのは生理学的実験によってである。[*184] 色相環全体をめぐるあらゆる可能な対比関係の説明はほどなく行なわれる。

色彩の一方の側から他方への容易な転位性

七一〇　色彩の可動性をわれわれはすでに高進性および色相環の巡回にさいして考慮せざるをえなかった。しかしまた色彩は、向こう側へまたこちら側へとさえ必然的かつすみやかに移動する。

七二　生理的色彩は暗い下地と明るい下地とでは現われ方が異なる。物理的色彩の場合、客観的実験と主観的実験の結合はきわめて注目に値する。薄膜干渉による色彩は透過光と反射光の場合とでは正反対になるとのことである。化学的色彩が熱とアルカリによって反転させられることは、当該の個所で充分に示したところである。

色彩の容易な消滅

七三　色彩のすみやかな惹起と自己決定が行なわれてからこれまで考慮されたこと、すなわち混合・高進・結合・分離および調和への要求などはすべて、きわめてすみやかに、かつ待ちかまえたように起こる。しかしまた色彩は、これと同じくすみやかにまったく消滅してしまう。

七三　生理的色彩現象はどのようにしても確保することはできない。物理的色彩現象は外的条件が存続するあいだしか持続しない。化学的色彩現象そのものは大きな可動性を有し、相対立する反応薬によってこちら側あるいは向こう側へ移動させられるだけでなく、消し去られてしまうことさえある。

色彩の持続性

七二四　化学的色彩はひじょうに永い持続性を実証している。融解によってガラスの中に固定されたり、自然によって宝石の中に固定された色彩は、あらゆる時の力と反対の作用にうち勝つ。

七二五　染色術はそれなりに色彩をひじょうに強力に固定する。いつもは反応薬によって容易にこちら側あるいはあちら側へ移動させられる顔料も、媒染剤によって物体の表面あるいは内部に伝達されてきわめて永続的になる。

第五編　隣接諸領域との関係

哲学との関係

七二六　物理学者に対して哲学者であることを要求することはできない。しかし、彼が充分な哲学的素養をもち、自己と世界を根本的に区別し、高次の意味で再び世界と合一しうるようになることを期待することはできる。物理学者は直観に即した方法を形成すべきである。彼は直観を概念に、概念を言葉に変えてしまい、これらの言葉があたかも対象そのものであるかのように取り扱ったりしないよう警戒しなければならない。また彼は、現象を哲学的領域にまで引き寄せようとする哲学者の努力に精通していることが望ましい。

七二七　哲学者に対して物理学者であることを要求することはできない。それにもかかわらず、哲学者が物理学の領域に対して働きかけることは是非とも必要であり、かつまたひじょうに願わしい。そのために彼が必要とするのは個々のことではなく、個々のものが統合される究極の点への洞察だけである。

七二八　われわれは以前（一七五以下）、ことのついでにこの重要な考察に言及したが、ちょうど適当な場所なので、ここでもう一度それを言い表わすことにする。物理学および他の多くの科学に起こりうる最悪のことは、派生的なものを根源的なものとみなし*186、根源的なものが派生的なものからは導き出されえないのに、根源的なものを派生的なものから説明しようとすることである。これによって生ずるのは果てしない混乱、無用な言葉のかき集め*187、そして、真実がちょっとでも現われ強力になろうとするところで逃げ口上を探し求めようとする絶えざる努力である。

七二九　観察者ないし自然研究者は、現象が臆見といつも矛盾衝突するために、このようにさんざん苦労している。これに対して哲学者は、自分の領域の中では誤った結論でも依然として操作しつづけることができる。というのは、いかなる結論も全面的に誤りということはなく、したがってそれはフォルムとして一切の実質を欠いていてもなんらかの形で認められうるからである。

七三〇　これに対して、物理学者が根源現象と名づけられたものの認識に到達できるならば、彼はもう安全であり、哲学者もまたそうである。物理学者がもう安全というのは、彼が自分の科学の限界に到達したということ、彼が経験の高所に立っていて、ここからうしろを振り返ると経験のあらゆる段階を展望することができ、前へ向かうと理論の国へ入っていけないまでも少なくともその中を覗き見ることができるということを確信するからである。哲学者が安全であるというのは、彼が物理学者の手から最後のものとして受け取ったものが、いまや彼のもとで最初のものとなるからである。彼がもはや現象のことで心を煩わさないのは当然である。ふつうの意味で現象とは派生的なものであって、すでに科学的に収集整理されているか、経験的な個々の場合においては散在し混乱したまま感覚のまえに現われるかのいずれかである。彼がこの道をも歩み通すことを望み、個々のことを一瞥する労をいとわないのであれば、容易にこれを行なうことができる。他のやり方をする場合には、中間領域にあまりにも永くとどまるか、さっと通り過ぎてこれらの領域を精確に知ることはないかのいずれかであろう。

七三 この意味で色彩論を哲学者に近づけることは著者の願いであった。実際に執筆されたものにおいてこれが多くの理由からたとえ成功しなかったとしても、著者はこの著作の改訂や論述されたものの要旨を再説する機会に、また論争編および歴史編においてこの目標をつねに念頭におき、将来多くのことがもっとはっきり言い表わしうるようになったとき、この考察に立ち戻るであろう。

数学との関係

七三二　自然科学の全範囲を研究しようとする物理学者に対して、数学者であることを要求することはできる。中世において、数学は自然の秘密をわがものとしようとするさいに用いた種々の道具の中で最もすぐれたものであった。今日においてもなお自然科学のある分野において、測定術は当然のことながら主流を占めている。

七三三　著者はこの方面での素養をなんら誇ることができないので、測定術に依存しない諸領域*188にだけとどまることにする。これらの領域は近代において広く門戸が開かれたものである。

七三四　だれもが認めるように、数学は人間の最もすばらしい道具の一つとして物理学に対してある面から裨益するところひじょうに大きかった。しかし、数学がその研究方法の誤った適用により、この科学にじつに多くの害を及ぼしたことも否定できないであろう。わずかながらこれを是認する人々がまったくいないわけではない。

七三五　特に色彩論ははなはだしい損害を受け、その進歩はひじょうに阻害された。なぜなら、色彩論と他の測定術を欠かすことのできない光学とを混同してしまったからである。しかし色彩論はほんらい光学からまったく切り離して考察されうるものである。

七三六　そのうえなお悪いことに、ある偉大な数学者が色彩の物理的起源についてまったく誤った固定観念を抱き、測定技術者としての彼の大きな功績によって、彼が自然研究者として犯した誤りを、絶えず偏見に捉われている世間の人々のまえで長期にわたって正当化してしまったのである。

七三七　本書の著者は色彩論を徹頭徹尾、数学から引き離しておくよう努めた。もっとも、測定術の助力が願わしいような問題点[*189]も明らかに二、三生じてきた。著者が幸いにもこれまで友誼を保ってきた先入見のない数学者たちがもし他の仕事に妨げられることなく、彼と共同でことに当たることができたならば、その研究にはこの面からなんらかの功績が得られたであろう。しかし、この欠陥もまた思いがけず長所となるかもしれない。なぜなら、色彩論がいったいどこで数学者の助けを必要とし、また自然科学のこの部門を完成するために数学者はいかにして自己の本分を寄与しうるかということをみずから探求することが、いまや才気に富む数学者の仕事になりうるからである。

七三八　そもそも一般論として望ましいのは、外国のすぐれたものをわがものとすることによって多くの立派な業績をあげているドイツ人が徐々に共同研究の習慣[*190]をつけてほしいということである。現在はこの願いと正反対の時代である。だれもが独創的な見解をもとうとするだけでなく、研究生活をつづけながら他人の努力とは実際に無関係ではなくとも、無関係であるかのように思い込もうとするのである。ひじょうにしばしば目にすることであるが、多くの業績をあげた学者たちでさえ自分自身、すなわち、彼ら自身の著述や雑誌や事典類しか引用していないことがある。そうする代わりに、いく人かの人が共同研究のためにもし招集されるようにでもなったら、個人のためにも社会のためにもどんなに有益であろうか。われわれの隣人であるフランス人のやり方はこの点で模範的である。これはたとえばキュヴィエ[*191]の著述『動物誌提要』（Tableau élémentaire de l'Histoire naturelle des animaux）に付された自序の中で喜ばしくも見られるとおりである。

七三九　諸科学のいろいろな分野とその歩みを誠実な目で観察してきた人ならば、次のような疑問さえ投げかけるであろう。すなわち、たとえ密接な関係を有しているにしても、かくも多くの研究と努力を一身に集めるというのは果たして有益なことであろうか。また人間性は狭く限られているので、たとえば探求し発見する者と実際に処理し応用する者とを区別するほうが、より適当ではないだろうか、と。事実、近代において、天空を観察し星を探し求める天文学者と、天体の軌道を計算し全体を統合し精密に規定する学者とは、ある程度まで分離したのである。色彩論の歴史はわれわれをこのような考察にしばしば連れ戻すであろう。

染物師の技術との関係

七三〇　われわれの研究にさいして、数学者は避けて通ったが、これに対してわれわれは、染物師の技術を充分考慮に入れるよう努めた。色彩を化学的見地から論じている第三編は最も完備した委曲を尽くしたものではないにしても、この編およびわれわれが色彩について言い表わした一般的なことがらの中に、染物師はこれまでのなんの慰めにもならなかった理論におけるよりもはるかに満足を見出すであろう。

七三一　この意味で染色術の入門書を考察するのは興味深いことである。カトリック教徒というものは、教会に入っていくときには、聖水で身を清め司祭のまえでうやうやしく跪くが、そのあとでは特別な信心もなしに日常的なことがらを友人と話したり、色恋にふけったりすることがあるかもしれない。それと同様に、すべての染色術入門書はかたどおり理論をありがたそうに述べることで始めるが、そのあとでは、この理論から何が生ずるのか、この理論がなんらかのことを解明し、実際の取り扱い方になんらかの利益をもたらすのかどうか、その気配さえ見出されないのである。

七三二　これに反して、染色術の実際面を知悉している学者たちは、在来の理論と仲たがいし、その弱点を多かれ少なかれ暴露し、自然と経験により即した普遍的なものを探し求めざるをえない。色彩論の歴史においてカステル[192]とギューリヒ[193]の名が出てくる場合には、これについてもっと詳しく論じなければならないであろう。そのさいまた同時に次のことを示す機会もあるであろう。すなわち、絶え間なく行なわれてきた経験論も、偶然的なものを手当たりしだいにかき集めているうちに、それが閉じ込められていた範囲を真に脱して、高い完成されたものとして理論家の手に渡され、彼が明るく澄んだ眼と誠実な心情をそなえている場合には大いに尊重されるであろう。

生理学および病理学との関係

七三三　色彩を生理学的および病理学的見地から考察する第一編において、われわれはほとんど一般的に知られている現象しか伝えることをしなかったが、これに対して二、三の新しい見解は生理学者に歓迎されなくはないであろう。特にわれわれが彼を満足させたいと望んでいるのは、孤立していたある種の現象を類似した同様の諸現象と関連させ、そうすることによってある程度まで彼の予備的研究を行なったことによってである。

七三四　病理的色彩を扱った付録について言えば、これはもちろん不充分であり脈絡を欠いている。しかし現代にはひじょうにすぐれた学者たちがおり、彼らはこの専門分野に通暁し博識であるばかりでなく、同時にまた深い教養の持主として尊敬されているので、これらの章節を書き直し、私が暗示したことを充分に記述し、同時に有機体に対する高次の洞察と関連させることは、彼らにとって造作もないことである。

博物学との関係

七三五　博物学もまた徐々に、自然現象を高次の現象から導き出すことへつくり変えられていくことが期待できる。その限りにおいて、著者もこれに関して二、三のことを暗示し予備的研究をなしえたように思う。色彩はじつに多種多様なかたちで生物の表面に現われ、目に見えるものとなるが、このような色彩は外的徴候の重要な一部分であって、これによってわれわれは内部で起こっていることを知覚するのである。

七三六　一面から見れば、色彩はなるほどその不確定性と融通性のためにあまり信用できない。しかしこの可動性がまさに恒常的現象として現われる限り、それはまた躍動する生命の一標識となる。著者がひたすら願っているのはただ、閑暇に恵まれ、これに関して観察したことを、ここではその機会がなかったある順序に従ってもっと詳細に説明しうることである。

一般物理学との関係

七三七　一般物理学の現在の状態は、われわれの色彩論にとっても特に好都合であるようにみえる。というのは、自然科学は多種多様な不断の研究によってしだいにきわめて高い水準に達したので、際限のない経験論を方法論的な中心[*194]に引き寄せることはもはや不可能ではないように思われるからである。

七三八　われわれの特殊な範囲から遠く離れすぎていることは考慮しないとしても、初源的な自然現象を独断的とはいわないまでも少なくとも教示の目的のために言い表わす種々の公式があるので、記号の一致を通して間もなくまた必然的に意味内容の一致に到達しそうな趨勢が見られる。

七三九　自然の忠実な観察者は、他のことではいかに考え方が異なっていても、次の点においては意見が一致するであろう。すなわち、現象[*195]してくるもの、われわれが現象として出会うすべてのものは、合一の可能な根源的分裂あるいは分裂に達しうる根源的な統一のいずれかを暗示し、実際またこのようにして提示されざるをえない。合一したものを分裂させ、分裂したものを合一させることは自然の生命である。これはわれわれが生きて働き存在している世界の永遠の収縮と弛緩、永遠の結合と分離、呼気と吸気である。

七四〇　われわれがここで数として、すなわち一および二として言い表わしているものが高次の生命の営みであることは自明である。同様に第三、第四とさらに発展していくものの現象もつねに高次の意味で理解すべきであり、特にこれらすべての表現には真の直観が付与されなければならない。

七四一　鉄というものを、われわれは他のものと異なる特殊な物体として知っているが、それはわれわれにとって、多くの関係および用途という観点からのみ注目に値する未決定な存在である。しかし、いかにちょっとしたことでこの物体の未決定性は放棄されることだろうか。ある種の分裂が起こると、それは再び自己と合一しようとして自己自身を探し求め、そうすることによっていわば魔術的な関係を自分と同じようなものに対して獲得し、この分裂を、それはまたしても合一にほかならないのであるが、その全種属を通してつづけていく。ここでわれわれは未決定な存在である鉄というものを知る。鉄において分裂が生じ、増殖しては消滅し、容易にまた新たに惹起されるのが見られる。われわれの考えではそれは一つの根源現象であって、根源現象は直接的に理念のもとにあり、地上的なものをもはや一切認めないものである。

七四二　電気の存在の仕方もまた独特である。未決定なものとしての電気をわれわれは知らない。それはわれわれにとって無に等しいもの、ゼロ、ゼロの点、未決定の点であるが、この点はすべての現象するものの中にあると同時に原点であり、ここからちょっとした誘因によって二重現象が出現する。この二重現象は再び消滅する限りにおいてのみ現われるものである。二重現象の出現を惹き起こす条件は、特殊な物体の性状に従って無限に異なっている。ひじょうに異なった物体を相互に機械的に磨擦するきわめて粗雑な場合から、まったく同質でありながらごくささいなことで規定性の異なる二つの物体をかすかに接触させる場合にいたるまで、電気現象はたちどころに起こり、そればかりでなく顕著で強力である。しかもそれはひじょうに明確かつ特有のものなので、われわれは分極性すなわちプラスとマイナスの公式を北と南、またガラスと樹脂として自然に即した形で適切に応用するのである。

七四三　この現象は特に表面にそって現われるけれども、けっして表面的なものではない。それは物体の性質の確定に対して作用を及ぼし、化学においてきわめて支配的に現われるあの偉大な二重現象、すなわち酸化還元に直接に作用しながら関連する。

七四四　諸現象のこの系列[*196]、この範囲、この円環の中へ色彩現象をも近づけ包括することこそ、われわれの努力の目標であった。われわれが成功しなかったことは、他の人々がなしとげてくれるであろう。われわれは光と闇という始原的な巨大な対立を見出したが、この対立はより普遍的に光と光ならざるものという言葉で表現することができる。われわれはこの対立を仲介し、そうすることによって目に見える世界を光と陰影と色彩から造り出そうとした。そのさいわれわれが現象を説明するために用いた種々異なった公式は、磁気学・電気学および化学において伝えられてきたものである。しかしわれわれはさらに前進せざるをえなかった。なぜなら、われわれは高次の領域にあって、より多様な関係を表現しなければならなかったからである。

七四五　電気およびガルヴァーニ現象はその普遍性のゆえに特殊な磁気現象よりは高く離れているとするならば、次のように言うことができる。すなわち色彩は、同一の法則のもとにあるとはいえはるかに高く位置し、眼という高貴な感覚に対して働きかけることにより、その本性を有利に呈示できるのである。試みに、黄色と青の赤への高進、これらの高次の両端の深紅への結合および低い両端の緑への混合から生ずる多様性を比べてみるがよい。磁気と電気の現象を把握するための図式と比べると、ここではなんと比較にならないほど多種多様な図式が生ずることだろうか。これら二つの現象はまた、低い段階にあるので、普遍的な世界に浸透し生気を与えることができても、高次の意味で人間のもとにまで高まり、彼によって美的に利用されることはできないのである。一般的かつ単純な物理的図式はまずそれ自身の内部で高められ多様化されるのでなければ、高次の目的に役立つことはないのである。

七四六　われわれがこれまで普遍的にも特殊的にも色彩について徹底的に述べてきたことをこの意味で思い起こすならば、ここでわずかに暗示されているにすぎないことを、人々はみずから詳述し説明するようになるであろう。色彩論という美しい主題はこれまで原子論的な偏狭固陋《へんきょうころう》と孤立の状態に追いやられていたが、色彩論をここから再び現代の喜ぶ活動的生活の普遍的な発生論的流れに返してやることがもし可能ならば、知識と学問、また手工業と美術にとって慶賀すべきことであろう。このような感情がわれわれの心の中で生き生きと起こってくるのは、色彩論の歴史が多くの有能な洞察力に富む学者たちを次々にわれわれに示してくれるときである。彼らはその確信することがらを同時代者たちのもとで貫徹することにまだ成功しなかったのである。

音響論との関係

七四七　さて、色彩の感覚的精神的作用とそこから生ずる美的作用に移行するまえに、ここで色彩と音響の関係*197についても二、三述べておく必要がある。

色彩が音響とある種の関係を有することは昔から感じられてきた。これを証明しているのは、一時の思いつきから、あるいは詳細にこれまでしばしば行なわれてきた両者の比較である。そのさい人々が犯した誤りはもっぱら次のことにもとづいている。

七四八　色彩と音響はけっして相互に比較されえない。しかし両者は高次の公式に関係づけられ、それぞれ独自にではあるが、両者とも高次の公式から導き出されることができる。同じ山に源を発する二つの川がまったく異なった条件のもとで二つの正反対の地方へ流れ下り、その結果、両者の進む全道程においてただの一個所も互いに比較されえないように、色彩と音響も同じ関係にある。両者は普遍的な初源的作用であり、分離と統合、上下の変動、左右の動揺という一般的法則に従いながら、まったく異なった方面へ、それぞれ異なった仕方で、異なった媒介要素に対して、異なった感覚のために作用するのである。

七四九　われわれが色彩論を一般自然科学に結びつけたやり方を正しく理解し、われわれが見逃したり見落としたりしたことをすぐれた天分によって補ってくれる人がもしいるとすれば、音響論はわれわれの確信によれば一般物理学に完全に関係させることができるであろう。現在それが一般物理学の内部で孤立しているのは、いわば歴史的理由によるにすぎないのである。

七五〇　しかし最大の難点と思われるのは、不思議な経験的、偶然的、数学的、美的、天才的方法で生じた既成の音楽を物理学的研究のために破壊し、その最初の物理的要因へ解消してしまうことである。学問と芸術が出会うこの接点において、これについてもまた、多くのすぐれた予備的研究が行なわれたあとで触れる機会がおそらくあるであろう。

言語と術語に関する結びの考察

七五一　いくら考慮しても充分すぎるということがないのは、言語というものがほんらい象徴的、比喩的なものにすぎず、対象をけっして直接にではなく、たんに反映において表現するにすぎないということである。これは特に次の場合がそうである。すなわち、経験の範囲に接近するのみで、対象というよりは活動作用と呼ぶことのできる存在、同様に自然科学の領域において絶えず運動状態にある存在が問題となる場合である。これらの存在はしっかりと把握されえないものであるが、それらについてやはり語らなければならない。それゆえあらゆる種類の公式を探し求め、それらに少なくとも比喩的に近づこうとするのである。

七五二　形而上学的公式は幅も深さも大きいとはいえ、それらを適切に満たすためには豊富な実質が要求される。さもなくばそれらは空虚である。数学的公式は多くの場合にひじょうに都合よく適用される。しかし、それらにはつねに何かぎこちない生硬なものが付きまとい、われわれは間もなくその不充分さを感ずる。なぜなら、基本的な場合においてさえ、われわれはつとに数式でははかりえないものに気づくからである。さらにまた数学的公式は、このための特別な素養をもった人々の限られた範囲内においてしか理解されない。機械論的公式はもっと一般向きであるが、それだけに通俗的でつねに何か粗野なものが残っている。機械論的公式は生きたものを死んだものに変えてしまう。それらは内部の生命を殺しておいて、外部から不充分なものを近づけるのである。粒子説的公式もそれらと密接な関係がある。これらの公式によって躍動するものは硬直化し、観念と表現は粗雑になる。これに反して精神的公式は、もちろんより微妙な関係を表現しはするが、たんなる比喩のように思われ、実際また最後には気のきいた言葉の遊びになってしまうようである。

七三三　しかしながら、これらすべてのものの見方や表現をはっきり意識して用い、多種多様な言葉で自然現象に関する種々の考察を人に伝えることがもしできるならば、また一面性に陥らず生き生きとした感覚を生き生きと表現することがもしできるならば、多くの喜ばしいことが伝えられうるであろう。

七三四　しかしながら、記号を事物と取り違えず、存在するものをつねに生き生きと心に思い描き、それを言葉によって殺さないようにするのは、なんとむずかしいことであろうか。そのうえわれわれは近年さらに大きな危険に陥った。*198 というのは、われわれは認識可能かつ知ることの可能なすべてのものから種々の表現と術語を受け入れ、それらを用いて単一な自然についてわれわれが直観したことがらを表現するからである。天文学・宇宙論・地質学・博物学、そればかりでなく宗教と神秘主義さえ援用されるが、いかにしばしば、普遍的なものが特殊なものによって、初源的なものが派生的なものによって、解明されるよりはむしろおおい隠されてしまうことだろうか。われわれはこのような言葉がいかなる欲求から生じ流布されていくかを知っている。またこの言葉がある意味で必要欠くべからざるものになることも知っている。しかし、確信をもち、よく意識して控えめに用いるのでなければ益はない。

七三五　しかしながら最も願わしいのは、ある範囲の個々のことがらを表示しようとするさいの言葉をその範囲自体から取り、最も単純な現象を根本公式として取り扱い、多種多様な現象をそこから導き出し説明することである。

七三六　根本記号が現象そのものを表現するこのような記号言語が必要不可欠かつ適切であることをひじょうによく感じたために、磁石から借りてきた分極性の公式を電気その他に転用することになった。その代わりに用いられうるプラスとマイナスも多くの現象に適用されてきわめて適切であることがわかった。音楽家でさえおそらく他の専門分野のことなどまったく気にもかけずに、自然によって促されて音調の主要な差異を長調（Majeur）

と短調（Mineur）という言葉によって表現するようになった。

七五七　そのようなわけで、われわれもまたかなりまえから分極性という表現を色彩論に導入したいと願っていた。それがどの程度まで正当であり、どのような意味で行なわれるかは、本書が明らかにするであろう。このような象徴的な取り扱い方はいつもそれ自身の直観を伴わなければならないであろうが、これによって初源的な自然現象をわれわれのやり方で互いに結びつけ、そうすることによって、ここではたんに一般論としておそらく充分明確には言い表わされなかったものを、もっとはっきりさせる機会が将来いつかあるであろう。

第六編　色彩の感覚的精神的作用

七五八　色彩は始原的自然現象の系列の中でひじょうに高い位置を占め、自分に割り当てられた単純な範囲をきわめて大きな多様性で満たした。それゆえ次のことを聞いても、少しも不思議はないであろう。すなわち色彩は、それが主として帰属している眼という感覚およびその仲介により心情に対して[*199]、その最も普遍的かつ初源的な現象のまま、われわれがその表面に色彩を知覚する物質の性状あるいは形態との関係なしに、個々には一定の特殊な作用、並置された場合には調和的あるいは特徴的、しばしばまた不調和な作用、しかしつねに明確な著しい作用を惹き起こし、この作用は精神的なものと直接につながっている。色彩が美術の一要素として見られる場合、最高の美的目的を達成するための手段の一つとして利用されうるのはそのためである。

七五九　人間というものは一般に色彩に対して大きな喜びを感ずるものである。眼が色彩を必要とするのは、それが光を必要とするのと同じである。曇った日に太陽が景色の一部をところどころ照らし、そこの色彩を目に見えるようにしてくれるときのさわやかな気分を思い出されるがよい。有色の宝石には病を癒す力があるとされたのは[*200]、この言い表わしがたい深い慰藉の感情から生じたのかもしれない。

七六〇　われわれが物体の表面に知覚する色彩は、眼とまったく異質のもので、それによって初めて眼がこの感覚へいわばスタンプを押されるようなものではない。そうではなく、この視覚器官はつねにみずから色彩を生み出す素質を有しており、自分の本性に適合したものが外部からもたらされたり、自己決定の可能性がある方向に著しく確定されたりする場合に、快い感覚を享受するのである。

七六一　現象の対立関係という理念から、われわれがこの対立関係の特別な諸規定について得た知識から、われわれは次のことを推論することができる。すなわち、色彩の個々の印象は混同されえないものであって、これらの印象は一定の特殊な作用を及ぼし、決定的に特殊な状態を生きた視覚器官の中に生み出すに違いない。

七六二　心情の中においても同様である。経験の教えるところによれば、個々の色彩はそれぞれ独特の気分を心情に与える。才気豊かなあるフランス人について次のような物語がある。「彼と夫人との会話の調子は、もとは青色であった彼女の部屋の家具を彼女が洋紅色に変えて以来変わってしまった、と彼は主張していた。」(il prêtendoit que son ton de conversation avec Madame étoit changé depuis qu'elle avoit changé en cramoisi le meuble de son cabinet qui étoit bleu.)

七六三　これらの個々の著しい作用を完全に感じとるためには、眼がただ一色で取り巻かれているようにしなければならない。たとえば、一色に塗られた部屋の中にいるとか、一枚の色ガラスを通して見るとかしなければならない。そうすると人は色彩と同一化し、色彩は眼と精神を自分と同じ調子にする。

七六四　プラス側の色彩[*201]は黄色・赤黄色（橙色）・黄赤色（朱色）である。これらの色彩は活発で、生き生きとした、内的欲求にあふれる気分にする。

黄色

七六五　これは光に最も近い色彩である。この色彩は曇った媒体によってであれ、あるいは白い面からのかすかな反射によってであれ、光をちょっとでも弱めることによって生ずる。プリズムによる実験の場合にはこの色彩だけが幅広く明るい空間に向かって伸び、両極がまだ分離したままのところ、すなわち黄色が青と混合して緑色にならないうちは、きわめて美しい純粋な状態で見られることができる。化学的な黄色がいかに白いものから生じてくるかは、当該の個所で[*202]詳細に述べておいた。

七六六　黄色は最も純粋な状態においてはつねに明るいという本性をそなえ、明朗快活で優しく刺激する性質を有している。

七六七　このような程度の黄色は身のまわりのものとして、すなわち衣服・カーテン・壁紙などとして快適である。純金は特に光沢が加わる場合には、この色彩がいかにすばらしいものかを改めてわれわれに教えてくれる。また強烈な黄色が光る絹地、たとえば繻子《しゅす》の上に現われる場合、華麗かつ高貴な作用をする。

七六八　それゆえ、黄色がきわめて暖かい快い印象を与えるというのは経験に即している。絵画においても黄色が明るく照らされた活動的な方面に多く用いられるのもそのためである。

七六九　この暖かくする効果を最も生き生きと認めることができるのは、黄色のガラスを通して、特にどんよりとした冬の日に風景を眺める場合である。眼は楽しくされ、胸は広がり、心情は朗らかにされ、暖かい風がまともにわれわれに吹きつけてくるような気がする。

七七〇　黄色は純粋かつ明るい状態においては快適で喜ばしく、また強烈なときは明朗かつ高貴なところを有しているが、これに反してこの色彩がきたなくされたり、ある程度までマイナス側に引き込まれる場合にはきわめて敏感であり、ひじょうに不快な作用を及ぼす。

そこでたとえば、緑がかった硫黄の色には何か不快なものがあるのである。

七七一　黄色が不純で質のわるい物の表面、たとえばふつうの布地やフェルトなどに伝達され、そのエネルギーが完全には現われてこない場合に、このような不快な作用が生ずる。わずかな気のつかぬほどの運動によって火と黄金の美しい印象は不潔できたならしいという感情に変化し、栄誉と歓喜の色彩は一瞬のうちに恥辱と嫌悪と不快の色彩に変えられてしまうのである。破産者のかぶる黄色い帽子やユダヤ人のマントに付けられた黄色の輪の模様はここから生じたのかもしれない。そればかりでなく、いわゆる姦婦色というものは、もともと汚ない黄色にほかならない。

赤黄色

七七二　いかなる色彩も静止しているとはみなされえないので、黄色もまたひじょうに容易に濃厚にし暗くすることによって赤味を帯びたものにまで高められることができる。黄色はエネルギーを増し、赤黄色になってより強烈、かつよりすばらしく現われる。

七七三　われわれが黄色について述べたすべてのことはここでも当てはまり、ただ程度が高くなるだけである。眼に暖かさと歓喜の感情を与えるのはほんらい赤黄色である。というのは、赤黄色こそ高次の灼熱の色と沈みゆく太陽のやわらかい反照を代表しているからである。それゆえ赤黄色は身のまわりの物においても快く、衣服としては程度の差はあっても喜ばしいか、あるいはすばらしい。少しでも赤味を帯びると黄色はすぐに違った様相を呈する。イギリス人とドイツ人が淡黄色の明るい革色で満足するのに対して、フランス人が愛好するのは、カステル神父がすでに述べているように、高進して赤味を増した黄色である。そもそもフランス人が喜ぶ色彩はすべて、プラス側に見出されるものである。

黄赤色

七七四　純粋な黄色がひじょうに容易に赤黄色に変わっていくように、赤黄色が黄赤色に高進することも抑制することができない。赤黄色はわれわれになお快い明朗な感情を与えることができたが、これは高度の黄赤色において耐えがたいほど強烈なものにまで高進する。

七七五　プラス側はここでその最高のエネルギーを示し、したがって、エネルギッシュかつ健康で粗野な人間が特にこの色彩を喜ぶのはなんら不思議ではない。未開民族のもとでこの色彩を好む傾向が強いことはすでによく認められている。子どもたちも、したい放題にされて色を塗ったくり始めると、朱色をふんだんに使うであろう。

七七六　完全に黄赤色の面をじっと見つめさえすれば、この色彩はほんとうに視覚器官の中へ食い入ってくるような気がする。それは信じられぬほど心情を震撼させ、かなりの程度の暗さにおいてもこの作用を保持する。

黄赤色の布の出現は動物を不安にさせ興奮させる。また私の知っていたいく人かの教養ある人々は、いつものようにどんよりとした日にだれかが緋色の上着を着ているのに出会うと、耐えがたく思われた。

七七七　マイナス側の色彩は青・赤青色・青赤色である。これらの色彩が惹き起こすのは、不安な弱々しい憧憬的気分である。

青色

七七八　黄色がつねに何か光を伴っているように、青はつねに何か暗いものを伴っていると言うことができる。

七七九　この色彩は眼に対して不思議な、ほとんど言い表わしがたい作用を及ぼす。青は色彩として一つのエネルギーである。しかしながら、この色彩はマイナス側にあり、その最高に純粋な状態においてはいわば刺激する無である。それは眺めたときに刺激と鎮静を与える矛盾したものである。

七八〇　高い空、遠くの山々が青く見えるように、青い面もわれわれから遠のいていくように見える。

七八一　われわれから逃れていく快い対象を追いかけたくなるように、われわれは青いものを好んで見つめるが、それは青いものがわれわれに向かって迫ってくるからではなく、むしろそれがわれわれを引きつけるからである。

七八二　青色はわれわれに寒いという感情を与え、また陰影を思い出させる。それが黒から導き出されていることは前述のとおりである。

七八三　青一色の壁紙を張られた部屋はある程度まで広く見えるが、ほんらい空虚で寒く感じられる。

七八四　青いガラスは対象をもの悲しげに見せる。

七八五　青がプラス側から多少とも分有するのは不快ではない。淡緑色はむしろ愛すべき色彩である。

赤青色

七八六　黄色がすぐに高進の状態に見出されたように、青においても同じ性質が認められる。

七八七　青はひじょうにゆるやかに赤のほうへ高進し、マイナス側にあるにもかかわらず、それによって何か活動的なものを保持するようになる。しかし、赤青色の刺激は赤黄色のそれとはまったく異なった種類のものである。その刺激は活気づけるというよりは、むしろ不安にさせるものである。

七八八　高進性それ自体が抑制しがたいように、この色彩についてもどんどん先へ進んでいきたい願いが起こってくる。しかしそれは、赤黄色の場合のようにつねに活動的に前進するのではなく、休息できるような点を見出すためである。

七八九　ひじょうに薄められた状態でこの色彩はリラという名で知られている。この状態でも、それには楽しそうなところはないにしても何か活発なものがある。

青赤色

七九〇　前述の不安は高進性が進展するにつれて増大する。したがって、まったく純粋な飽和した青赤色の壁紙は一種の耐えがたい雰囲気であるに違いない、と主張することができるであろう。この色彩が衣服・リボンその他の装飾品として現われてくる場合に、ひじょうに薄く明るく用いられるのはこのためである。そうすれば上記の本性に従って、この色彩の及ぼす刺激は独特である。

七九一　高位聖職者たちはこの不安な色彩をわがものにしてしまったが、彼らはひたすら先を急ぐ不安な昇進階段の上で絶えず枢機卿の緋衣をめざして努力するのだ、と言ってもおそらくさしつかえないであろう。

赤　色

七九二　この名称を用いる場合、赤の中で黄色または青の印象を与えるかもしれないものをすべて遠ざける。ここではまったく純粋な赤、白い陶磁皿の上ですっかり乾いた完全なカーミンを考える。われわれはこの色彩を、その高い品位のゆえに、しばしば深紅色と呼んできた。もっとも、われわれの知る限り、古代人の深紅色はどちらかといえば青色の側に引き寄せられていた。

七九三　深紅色のプリズムによる生成を知っている人は、この色彩が現実的にも可能的にも他のすべての色彩を含んでいるとわれわれが主張しても、だれもパラドックスとは思わないであろう。

七九四　黄色と青の場合にわれわれは赤へと迫る高進性を見、そのさいのわれわれの感情について述べたが、いまや考えられるのは、高進した両極の合一において理想的満足と呼んでもよいような心情の鎮静作用が起こりうるということである。こうして物理的現象の場合に、あらゆる色彩現象の中のこの最高のものは二つの相対立する末端が一つに合わさることから生じてくる。これらの両端は合一のために徐々にみずから準備してきたのである。

七九五　これに反して顔料としては、この色彩現象は既成のものとして、また最も完全な赤としてエンジムシから取った紅色の中に現われる。しかしながらこの原料は、化学的処理によってプラス側にもマイナス側にも引き寄せられ、せいぜい最上質のカーミンにおいてまったく平衡を保っているとみなされることができる。

七九六　この色彩の作用はその本性と同じく比類がない。その与える印象は厳粛と品位とならんで愛らしさと優美である。前者の印象を与えるのはその暗い濃厚な状態において、後者の印象を与えるのはその明るい薄められた状態においてである。こうして老年の品位も青春の愛らしさも同一の色彩に包まれることができるのである。

七九七　深紅色に対する摂政者たちのねたみについては歴史がわれわれに多くのことを物語

っている。この色彩のかもしだす雰囲気はつねに厳粛で華麗である。

七九八　深紅色のガラスを通して見ると、明るく照らされた風景はものすごく見える。最後の審判の日に天と地をおおう色調[*203]はこのようであるに違いない。

七九九　染色術がこの色彩を作り出すために主として用いる二つの原料、すなわちケルメスおよびコチニールなどのエンジムシは多かれ少なかれプラス側とマイナス側に傾き、また酸とアルカリの処理によっていずれかの側に引き寄せられる。そこでまた次のことが認められる。すなわち、フランスの緋色が黄色味を帯びていることからわかるように、フランス人はプラス側に執着する。これに反してイタリア人はマイナス側を固執するので、彼らの緋色にはどこか青味が感じられる。

八〇〇　同様のアルカリ処理によって洋紅色が生ずるが、この色彩はフランス人のひじょうにきらうものであるに違いない。というのは、彼らは「洋紅色のようなバカ」(sot en cramoisi) とか「洋紅色のような悪意」(méchant en cramoisi) という表現を、没趣味と悪の最たるものを示すために用いているからである。

緑色

八〇一　最初の最も単純な色彩とみなされる黄色と青をその最初の出現のさいにすぐ、その作用の第一段階において重ね合わせると、緑色と呼ばれる色彩が生ずる。

八〇二　われわれの眼は緑色の中に現実的満足[*204]を見出す。二つの母色、黄と青が混合のさいにまったく均衡を保ち、どちらの色彩も特に認められない場合、眼と心情がこの混合されたものの上で安らぐことは、単純なものの場合と変わらない。われわれはそれ以上を欲することはなく、またそうすることもできない。いつもいる部屋の壁紙のために、たいてい緑色が選ばれるのはこのためである。

全体性と調和

八〇三　これまでわれわれは論述の都合上、眼は何かある個々の色彩と同一化することを強要されうるとみなしてきた。しかしながら、これが可能なのはただ一瞬のあいだにすぎないであろう。

八〇四　なぜなら、われわれがある色彩によって取り巻かれ、この色彩がその性質の感覚をわれわれの眼の中に惹き起こし、このような仕方によって、この色彩と同一の状態にあくまでとどまることをわれわれに強要する場合、それは強制された状況であって、視覚器官はそこにとどまることを好まないからである。

八〇五　眼は色彩を見ると直ちに活動状態におかれる。そしてその本性に従って即座に他の色彩を無意識かつ必然的に生み出すが、この色彩はすでに与えられている色彩とともに全色相環の全体性を包含している。個々の色彩は、一定の特殊な感覚によって、眼の中に普遍性を求める内的欲求を呼び起こすのである。

八〇六　この全体性を知覚し自分自身を満足させるために、眼は有色の空間とならんでいつも無色の空間を求めるが、それは要求された色彩をこの空間に生み出すためである。

八〇七　したがって、ここにこそあらゆる色彩調和の根本法則があり、これについては、われわれが生理的色彩編において示した諸実験をみずから検証することによって、だれでも自己の経験を通して確信することができるのである。

八〇八　さて、色彩の全体性が外部から眼に対象としてもたらされる場合、それは眼を楽しませる。というのは、眼自身の活動の総体が現実として眼前に現われるからである。それゆえまず第一に、これらの調和的組み合わせの種々の場合について語ることにする。

八〇九　これらを最も簡単に知るために、前述の色相環の中に一本の動く直径があると考え、これをぐるっとまわしてみる。すると両端は次々に要求し合う色彩を示すことになるが、これらの色彩はもちろん最終的には三つの単純な対立関係に還元される〔図⑩〕。

八二〇　黄色は赤青色を要求し[*205]

　　青は赤黄色を要求し、

　　　深紅色は緑色を要求する。

その逆も同様である。

八二一　われわれの仮定した長針が自然に即して配列された色彩の中心を軸に移動するにつれて、この長針の他の端は反対側の目盛を先に進んでいく。このような装置によって、他を要求するどの色彩に対しても要求された色彩は簡単に示されるのである。このために特別な色相環を作成し、われわれの色相環のようにはっきり色分けされておらず、絶えず進展しながら種々の色彩とその中間色を示すようにすれば、きっと無益ではないであろう。なぜなら、われわれがいま直面しているのはひじょうに重要な点であって、われわれの注意をすべて傾注する価値があるからである。

八二二　先に個々の色彩を検討したとき、われわれはある程度まで病理的な刺激を受けた。というのは、われわれは個々の感覚にひきずられて、活発に内的な欲求を感じたり、弱々しくかつ憧憬的になったり、高貴なものへ高められたり卑俗なものへ引きずりおろされるような思いをしたからである。ところが、われわれの視覚器官に生まれつきそなわっている全体性への欲求は、われわれをこの制約された状態から連れ出してくれる。眼は自分に押しつけられた個々の色彩と対立するものを生み出し、それに伴い満足すべき全体性をつくり上げることによって、みずからを自由な状態にするのである。

八二三　狭い円環の中で示されているこれらのほんらい調和的な対立関係は、このようにひじょうに単純ではあるが、その与える示唆はまことに重要である。もともと自然の意図は、われわれを全体性によって自由へと高めることであり、われわれがこのたび手にした自然現象は美的な使用に直接役立ちうるのである。

八二四　それゆえわれわれは、前述したような色相環は素材としてもすでに快適な感覚を惹き起こす、と言い表わすこともできる。しかし、ここで考慮しなければならないのは、これまで虹[*206]を色彩の全体性の一例とみなしてきたのは不当だということである。なぜなら、虹には主要な色彩である純粋な赤ないし深紅色が欠けているからである。深紅色が生じえないのは、この現象のさいには在来のプリズム像の場合と同じく橙色と菫色が互いに触れ合うことができないからである。

八二五　そもそも自然は、色彩の全体性が完全にそなわっているような普遍的現象をわれわれに示してくれることはけっしてない。このような現象がまったく美しい状態で生じさせられるのは実験によってである。しかしこの完全な現象が円環状に総括されるありさまを、われわれは紙の上に顔料で彩色することによって最もわかりやすくすることができる。こうしてわれわれは、自然的素質があり多くの経験と訓練を重ねたあとでは、ついにこの調和の理念でまったく満たされ、この理念が精神的にいつもわがものとなっていることを感ずるのである。

特徴のある組み合わせ

八〇六　これらの純粋に調和的な、自分自身から生ずる組み合わせはつねに全体性をそなえているが、これらのほかになお他の組み合わせがある。それらは恣意的につくり出され、次のようにして最も簡単に表示される。すなわち、これらの組み合わせは、われわれの色相環においては直径ではなく弦に従って見出され、中間の色彩が一つ飛び越されるような具合になる〔図⑪〕。

八〇七　われわれはこれらを特徴のある組み合わせ[*207]と呼ぶ。それらはすべて意味深いものを有しているからである。この意味深いものはある種の表現をもってわれわれに迫ってくるが、われわれを真に満足させてはくれない。というのは、特徴のあるものはすべて、それが解消されることなしに、ある関係を保っている一つの全体から一部分として踏み出ることによってのみ生ずるからである。

八一八　われわれは色彩の生成の仕方およびそれらの調和的関係を知っているので、恣意的な組み合わせによる色彩の特徴も異なった意味をもっていることが予想される。これらの特徴を個々に検討することにしよう。

黄色と青色

八一九　これは特徴のある組み合わせの中で最も単純なもの*208である。ここにはあまりにも少ししかない、と言うことができる。なぜなら、この組み合わせには赤の痕跡がまったく欠けているので、それには全体性があまりにも多く欠如しているからである。この意味でそれを貧相と呼ぶことができるし、またこれらの両極がその最低の段階にあるので、卑俗と呼ぶこともできる。しかしながらこの組み合わせの長所は、それが緑色、したがって現実的満足に最も近いところにあるということである。

黄色と深紅色

〈二〇〉これは一面的であるが、明朗で華美なところもある。プラス側の両端が並列していても、不断の生成が表現されていないのがわかる。

顔料によるそれらの混合から黄赤色が期待されるので、この組み合わせはある程度までこの色彩の代わりとなる。

青色と深紅色

〈二一〉マイナス側の両端のうち上端の深紅色はプラスの側に傾く。両者の混合によって青赤色が生ずるので、この組み合わせの効果もこの色彩に近づくであろう。

黄赤色と青赤色

〈二二〉これらの色彩は組み合わされると、プラス側とマイナス側の高進した両端として何か興奮させるもの、高尚なものを有している。それらは、物理的実験のさいに両者の結合から生ずる深紅色の予感のようなものをわれわれに与える。

八二三　これら四つの組み合わせ[*209]の共通点は、それらがもし混合されるならば、われわれの色相環の中間色を生じさせるだろうということである。実際、それぞれの組み合わせが小さな部分から成り立ち、遠くから眺められる場合には、そのように見える。青と黄の細い縞の面は少し離れたところからは緑色に見える。

八二四　ところで、眼が青と黄色を並列して見る場合、それはつねに緑を生み出そうとする不思議な努力を示すのであるが、結局それを実現できず、したがって個々においては鎮静をもたらすことができず、また全体としても全体性の感情を惹き起こすことができない。

八二五　これでわかるように、われわれがこれらの組み合わせを特徴のある組み合わせと呼んだのは不当ではなく、またそれぞれの組み合わせの特徴はそれを合成する個々の色彩の特徴に必然的に関係するのである。

特徴のない組み合わせ

八二六　われわれが問題にする最後の種類の組み合わせは、色相環から容易に見出されうる。すなわち、それは前のよりも小さな弦によって[*210]暗示される組み合わせで、中間の色彩全体ではなく、一つの色彩から他の色彩への弧を飛び越える場合である。

八二七　これらを特徴のない組み合わせと呼ぶことができるのは、それらが接近しすぎているために、その印象が意味深いものとなりえないからである。しかしながら、それらはたいていなんらかの進展を暗示しているので、依然としてなにがしかの権利を主張している。もっとも、この進展の度合いはほとんど感じることができない。

八二八　こうして黄色と黄赤色、[*211]黄赤色と深紅色、青色と青赤色、青赤色と深紅色は高進性と最高点に最も近い段階を表現しており、量の割合が適当であれば悪い効果を与えることはない。

八二九　黄色と緑にはつねにどこか卑俗な明るさがある。しかし青と緑はいつも卑俗でいやらしいところがある。昔のドイツ人がこの最後の組み合わせを愚者の色[*212]と呼んだのもこのためである。

これらの組み合わせと明暗の関係

八三〇　これらの組み合わせはひじょうに多様化されることができる。というのは、両方の色彩を明るくしておくか、両方の色彩を暗くしたり、一方の色彩を明るくして他方を暗くして一緒にすることができるからである。しかしながら、一般論として当てはまったことは、いかなる特殊な場合にも[*213]必ず当てはまる。そのさいに起こる無限に多様なものの中から次のことだけを述べることにする。

八二一　プラス側は黒と組み合わされるとエネルギーを増し、マイナス側は弱まる。プラス側は白および明るいものと組み合わされると力が弱まり、マイナス側は明朗さを増す。深紅と緑は黒と一緒になると暗く陰気に見えるが、これに反し白と一緒にすると楽しそうに見える。

八二二　そのうえすべての色彩は多かれ少なかれきたなくされ、ある程度まで識別できなくされてから、相互にあるいは純粋な色彩と組み合わされることができる。これによって両者の関係は無限に変化されるが、しかしそのさい、純粋な色彩について当てはまったことはすべて当てはまる。

歴史的考察

八二三　前章において色彩調和の諸原則を論述したが、そこで言い表わしたことをいろいろな経験や実例と結びつけてもう一度繰り返しても不適当ではないであろう。

八二四　前述の諸原則は人間の本性および色彩現象の一般に認められた諸関係から導き出された。経験においてわれわれが出会う多くのものは、これらの原則に合致することもあれば、矛盾することもある。[*214]

八二五　自然人、未開の民族、子どもたちは最高のエネルギーを有する色彩、したがって特に橙色をひじょうに好む。彼らはまた雑多な色彩を好む。この雑多な色彩が生ずるのは、いろいろな色彩がその最高のエネルギーのまま調和的均衡なしに組み合わされる場合である。しかし、この均衡が本能的あるいは偶然に守られる場合には、快適な作用が生ずる。私は次のことを思い出す。アメリカ帰りのヘッセンの一士官がインディアンふうにけばけばしい原色で顔を塗り立てたところ、それによって一種の全体性が生じ、なんら不愉快な印象を与えなかった。[*215]

八二六　南欧の諸民族は衣服にひじょうに派手な色彩を用いる。彼らが容易に手に入れることのできる絹物がこの好みを助長している。また特に女たちはきわめて派手な胸衣やリボンを身につけていながらつねにまわりの風景と調和しているが、それはこれらの衣装が天地のすばらしい輝きを凌駕することがないからである。

八二七　染色術の歴史の教えるところによれば、諸国民の服装にはある種の技術上の長所・利点がひじょうに大きな影響をおよぼしていた。たとえばドイツ人がよく紺色の服を着ているのは、青が永もちのする地色だからである。また多くの地方では、いなかの人々はみな緑色の厚い綿布の服を着ているが、それはこの生地が緑色によく染まるからである。旅行者がこの点によく注意するならば、快適で有益な観察がすぐに得られるであろう。

八三八　色彩はいろいろな気分を惹き起こす一方で、いろいろな気分や状態に順応することもある。活発な国民、たとえばフランス人は特にプラス側の高進した色彩を愛するが、イギリス人やドイツ人のような穏和な国民は麦わら色ないし黄褐色を好み、これに合わせて紺色の服を着る。イタリア人やスペイン人のように品位を求めてやまない国民は、着用するマントの赤色をこころもちマイナス側に引き寄せる。

八三九　衣服を着る場合[*216]、色彩の性格は人間の性格と関係がある。そこで個々の色彩および組み合わせと顔色・年齢および身分との関係をよく観察することができる。

八四〇　若い女性はバラ色と淡緑色を好み、老人は菫色と濃い緑色を重んずる。ブロンドの女性は菫色と淡黄色を好み、ブリュネットの女性は青と橙色を愛する。いずれも正当な理由がある。

ローマの皇帝たちは深紅色に対してひじょうに嫉妬深かった。シナの皇帝の衣装は橙色に深紅の刺繍がしてある。彼の召使たちと聖職者たちもレモン色の着用を許されている。

八四一　教養のある人々は色彩をきらう傾向がある。このようなことになるのは、視覚器官が虚弱なためと、趣味が不確かでとかくまったくの無へ逃げ込もうとするためである。女性の服装はいまやほとんど白一色で、男性のはもっぱら黒である。

八四二　そもそも、ここで次のような観察を述べるのは必ずしも不適当ではないであろう。すなわち、人間というものはとかく人目に立ちたがるものであるが、同時にまた自分と同じような人々のあいだに姿を消したがるものなのである。

八四三　黒色はヴェネツィアの貴族に共和制的平等を思い出させるためのものであった。

八四四　北欧の曇った空がどれくらい色彩を徐々に駆逐してしまったかは、今後なお研究の余地があるであろう。

八四五　もちろん、純粋な飽和した色彩を用いる場合には多くの制約がある。これに反して、濁ってくすんだ色彩、いわゆるモード色には無数の微妙なニュアンスがあり、それらの大部分は優美さがないわけではない。

八四六　なお一言付け加えておきたいのは、ご婦人方が純粋な飽和した色彩を着用する場合、あまりよくない顔色をいっそう見ばえのしないものにする恐れがあることである。そもそもご婦人方というものは、輝くような身のまわりのものと均衡を保とうとするならば、おしろいで顔色を引き立てなければならないのである。

八四七　おもしろい研究がここでなお一つ残っているように思われる。すなわち、制服・仕着せ・帽章その他の記章を前述の諸原則に従って判定することである。一般論として言えると思われるのは、このような衣服あるいは記章が調和的色彩を有してはならないということである。制服には特徴と品位があってしかるべきであり、仕着せは卑俗にめだつものであってかまわない。色相環は範囲が狭いうえ、すでに繰り返し検討されたので、良い例にも悪い例にもこと欠かないであろう。

美的作用

〈四八〉 われわれはこれまで色彩の感覚的および精神的作用を個別的にも組み合わせにおいても論述してきたが、この作用からいまや芸術家のために美的作用が導き出される。これについても必要最小限の示唆を与えるまえに、われわれは絵画的描法の一般条件である光と影を論ずることにする。色彩現象は直接これと関連してくる。

明暗法

〈四九〉 われわれが物体的対象の現われ方を明暗法（clair-obscur）と呼ぶのは、これらの対象において光と影の作用しか観察されない場合である。

八五〇　狭い意味では、反射によって照らされる陰影部分もしばしばそう呼ばれる。しかしながらわれわれは、この言葉をここではその最初の一般的な意味に用いる。

八五一　明暗法をすべての色彩現象から分離することは可能であり、また必要である。芸術家は、明暗法をまず色彩から独立のものと考え、その全範囲をよく知ったとき初めて、この描法の謎を解くことであろう。

八五二　明暗法は物体を物体として出現させるが、それは光と影がわれわれに濃度というものを教えてくれるからである。

八五三　そのさい考慮の対象となるのは、最高の光、中間色調および陰影であり、陰影においてはまた物体そのものの影、他の物体に投げかけられた影、明るく照らされた影あるいは反射が考慮されなければならない。

八五四　明暗法の最も自然的な例として球形は一般的な理解のために好都合ではあるが、美的使用のためには不充分である。このような球形の融通無《む》礙《げ》な統一的まとまりによって、かえって霧のようなもうろうとした状態が生ずる。芸術的効果をあげるためには、球面にいろいろな面がつくり出されなければならない。そうすることによって、光と影の側面がそれ自身の内部で部分的により截然と分かれることができるからである。

八五五　イタリア人はこれを il piazzoso と呼んでいる。ドイツ語ではそれを面を有するものと呼ぶことができるであろう。したがって、球形が自然的明暗法の完全な例であるとすれば、多面体は人為的明暗法の一例であり、ここではあらゆる種類の光・半光・陰影および反射が認められるであろう。

八五六　ブドウの房は明暗法における絵画的全体のよい例としてあまねく知られている。その形からいってすばらしい群像をなしうるのでなおさらである。しかしブドウの房は名匠にしか役に立たない。名匠だけが、自分の仕事として心得ていることを実際にブドウの房の中に見ることができるのである。

八五七　多面体からでさえ依然として把握しにくい最初の理解を得やすくさせるために、われわれは立方体を提案する。その三つの目に見える側面は光と中間色調と陰影を別々に並列的に示している。

八五八　しかしながら、もっと複雑な形態の示す明暗法に移行するために、開かれた本の例を選ぶことにする。この例はわれわれにより大きな多様性をわからせてくれる。

八五九　古代ギリシア・ローマ時代のすばらしい彫像を見ると、このような作用のためにじつに適切に制作されていることがわかる。光の部分は単調に取り扱われているが、陰影の部分はそれだけ多く断続的に扱われ、多種多様な反射を受け入れられるようになっている。

そのさいには多面体の例を思い出すことができる。

八六〇　古代絵画のよい例となるのは、ヘルクラネウム[*217]の数々の絵と「アルドブランディーニの結婚式」[*218]である。

八六一　近代絵画の例はラファエッロの描いた個々の人物像、コレッジョやオランダ画派、特にリュベンスの絵画全体に見出される。

色彩への内的欲求

八六二　黒と白だけの芸術作品というものは美術においてはめったに現われてこない。ポリドロ[*219]の二、三の作品、ならびにわれわれの銅版画や腐蝕版画などはそのよい例である。これらの種類の絵は、形と明暗の釣り合いにだけかかわっている限り、尊重すべきものである。しかしながら、それらには眼を楽しませるものがほとんどない。それらは過度の抽象によって生じたものだからである。

八六三　芸術家が自分の感情に身を委ねると、なんらかの色彩を帯びたものがすぐに現われてくる。黒が青味を帯びるやいなや、黄色に対する要求が起こり、この黄色を芸術家は本能的にいくつかに配分し、灯火のなかで純粋に使ったり、赤味を加えたり、反射のなかの褐色としてきたなくしたりして全体を生気づけ、自分にいちばん適切と思われるようにする。

八六四　あらゆる種類の単彩画（Camayeu）が帰着する点は、結局、要求された対立関係あるいはなんらかの色彩効果がもたらされることである。そこでたとえばポリドロは、彼の黒白のフレスコ壁画において、黄色の容器その他これに類するものを導入したのである。

八六五　一般に人間は美術においては本能的にいつも色彩を求めてやまない。日常よく観察されるように、絵を描くことの好きな人々は白い紙に墨あるいは黒いクレヨンで描くことからしだいに色のついた紙に高まり、それからいろいろなクレヨンを用い、最後にはパステルに移っていく。顔が銀筆でスケッチされ、赤い頰で生気づけられ、色のついた衣服を着せられたのや、色とりどりの制服を着たシルエットまで見かけたのは、つい近頃のことである。また無色の人物に添えて色彩のある風景を描いたのはパオロ・ウッチェロ[*220]である。

八六六　古代人の彫刻でさえこの衝動にさからうことはできなかった。エジプト人はその浅浮き彫りに色を塗った。彫像には色のついた石の眼をはめ込んだ。大理石像の頭と四肢に斑岩の衣を添えたり、色とりどりの石灰華を胸像の基部に用いたりした。イエズス会士たちもローマにある彼らの聖アロイシウス像をこのようにして寄せ集めでつくり上げた。最近の彫刻は濃淡の色合いで身体と衣服を区別している。

明暗の釣り合い

八六七　線透視図法が対象の段階的差異を距離による外見上の大きさによって示すのに対して、色透視図法は対象の段階的差異を距離による明確さの多少によって見えるようにする。

八六八　眼の本性上われわれは遠くの対象を近くのものほど明確に見ることができないけれども、色透視図法はほんらい、すべての透明な媒体もある程度まで曇っているという重要な命題にもとづいている。

八六九　したがって、大気もつねに多かれ少なかれ曇っている。特に大気がこの性質を示すのは南欧において気圧が高く、空気が乾燥し、空に雲がないときであり、このようなときには、あまり離れていない対象の段階的差異をひじょうにはっきり観察することができる。

八七〇　一般にこの現象はだれにでも知られている。これに反して画家は、対象の間隔がごく小さい場合でもその段階的差異を現に見るか、あるいは見ることができると信じている。彼はこの段階的差異を実際的に描き出し、ある物体、たとえば真正面に向けられた顔の諸部分をそれぞれ微妙に区別する。そのさい権利を主張するのは照明である。照明が問題になるのは側面からであって、明暗の釣り合い[*221]は前方から奥行に向かう。

彩　色

八〇一　彩色の問題[*222]に移るにあたり、われわれが前提にするのは、そもそも画家がわれわれの色彩論の草案を読んでいて、彼ととりわけ関係のあるいくつかの章節に精通していることである。なぜなら、そうすることによって初めて彼は、自然の認識においても芸術への適用においても、理論的なものと実践的なものを等しく容易に取り扱うことができるようになるからである。

風景の彩色

八〇二　自然の中で彩色の最初の現象は明暗の釣り合いとともに始まる。なぜなら、色透視図法は曇った媒体の理論にもとづいているからである。空、遠くの対象、近くの陰影さえ青く見える。同時に、光り輝くものと明るく照らされたものは、段階的に黄色から深紅色にまで見える。多くの場合に直ちに色彩の生理的要求という現象が起こり、まったく無色の風景も、相互に作用し合うこれらの種々の規定要素により、われわれの眼前ですっかり色彩を帯びて見えるであろう。

対象の彩色

八七三　部分的な自然色は普遍的な基本的色彩ではあるが、われわれがそれらを知覚する物体とその表面の性質に従って一定の色に特殊化されている。この特殊化は無限に行なわれる。

八七四　目のまえにある染物が絹地であるか毛織地であるかということは大きな違いである。加工の仕方や織り方の種類が変わるだけでも、さまざまな相違が現われてくる。生地の粗さ、なめらかさ、光沢などが考慮されなければならない。

八七五　それゆえ、芸術にとってひじょうに有害な偏見は、すぐれた画家は衣服の生地などいちいち顧慮していてはならず、いわば抽象的な襞をとにかく描かなければならないというような見方である。これによって、すべての特徴のある変化がなくなってしまうのではなかろうか。レオ十世の肖像画にはビロード・繻子・波紋織がならんで描かれているが、そのためにこの絵のみごとさが減るとでもいうのだろうか。

八七六　自然の産物の場合、色彩は多かれ少なかれ変化し、特殊化し、そればかりでなく個性化して現われてくる。これは岩石と植物において、鳥類の羽毛や動物の毛においてよく観察することができる。

八七七　画家の主要な技能はあくまでも、特定の素材のあるがままを描き、色彩現象の普遍的なもの、基本色彩的なものを破壊することである。ここで最大の困難は人体の表面にある。

八七八　身体の色は全体としてプラス側にあるが、マイナス側の青味を帯びたものもかすかに入っている。色彩はその基本的状態から徹底的に遠ざかっており、*223 有機体制によって中性化されている。

八七九　風景の彩色と対象の彩色を調和させることは、色彩論においてわれわれが論じてきたことを考察すれば、才気豊かな芸術家にとってこれまでよりずっと容易になるであろう。また彼は無限に美しく、多種多様であると同時に真実な、さまざまな現象を描き出せるようになるであろう。

特徴のある彩色

八八〇　有色の対象の組み合わせおよびそれらが含まれている空間の着色は、芸術家の意図する目的に従って当然行なわれなければならない。このために特に必要なのは、色彩が個々においてまた組み合わせにおいて感情に及ぼす作用を知っていることである。画家が普遍的な二元論についてと同様、特殊な対立関係についても知悉していなければならないのはそのためである。そのようなわけで画家は、われわれが色彩の性質について述べたことによく通暁していなければならないのである。

八一　特徴的なことは[*224]三つの主要項目のもとで把握されうるが、われわれはこれらをとりあえず強烈なもの、温和なもの、光輝あるものと呼びたいと思う。

八二　第一のものはプラス側の優位によって、第二のものはマイナス側の優位によって、第三のものは色相環全体の全体性および均衡のある提示によって惹き起こされる。

八三　強烈な効果は黄・橙・深紅によって達成され、最後の深紅色はなおプラス側に保たれなければならない。菫と青はほとんどあってはならず、緑はなおさらあってはならない。温和な効果は青・菫・深紅によって惹き起こされるが、深紅色はマイナス側に引き寄せなければならない。黄と橙はほとんどあってはならない。しかし緑はかなり多くあってもよい。

八四　これら二つの効果を充分に発揮させようと思うならば、要求された色彩を最小限度にとどめ、全体性の予感がどうしても必要とするように見えるほんの少量だけこれらの色彩を見えるようにさせればよいのである。

調和のある彩色

八八五　これら二つの特徴のある規定要素はいま述べたような仕方である程度まで調和的と呼ばれうるのであるが、ほんらいの調和的作用が生ずるのは、すべての色彩が相互に均衡を保って用いられている場合のみである。

八八六　こうすることによって光輝あるものも快適なものも生じさせることができるが、しかし両者はつねにどこか普遍的なもの、この意味で特徴のないところを有しているであろう。

八八七　近代の画家たちの彩色がたいてい特徴がないのは、[*225]ここに原因がある。なぜなら、彼らが本能にのみ従うにしても、それが導いていく究極のものはやはり全体性であり、彼らは多かれ少なかれこの全体性を達成するとはいえ、それによって同時に、絵画がもちえたかもしれない特徴をなおざりにするのである。

八八八　これに反して前述の諸原則から目を離さないならば、どの対象に対してもそれぞれ異なった色調を確実に選択できることがわかる。もちろん、これらの原則を適用するためには無限のヴァリエーションが必要とされ、それらに精通した天才のみがよくこれらのヴァリエーションに対処するであろう。

真の色調

八八九　音調あるいはむしろ調性という言葉を[*226]今後も音楽から借りてきて彩色の場合にも用いようとすれば、これまでよりもっとよい意味でうまくいくであろう。

八九〇　そこで、強烈な効果をもった絵を長調の楽曲に、温和な効果の絵画を短調の曲になぞらえても、あながち不当ではないであろう。またこれら二つの主要効果のヴァリエーションに対しても、他の適当な比較が見出されうるであろう。

誤った色調

八九一　これまで色調と呼ばれてきたものは、絵全体の上にかけられた一色のヴェールのようなものであった。色調をふつう黄色にしたのは、本能的に絵を強烈な側に追いやろうとしたためである。

八九二　黄色のガラスを通して絵を見つめると、それはこの色調になって見えるであろう。この実験は何度も繰り返しやってみる価値があり、そうすることによって、このような操作のさいにほんらい何が起こっているのかを正確に知ることができる。それは一種の夜間照明ないし高進性であるが、しかし同時にプラス側を暗くしマイナス側をきたならしくする作用である。

八九三　この誤った色調は、何をなすべきか確実に知らないために本能によって生じたもので、全体性の代わりに均一性を生み出してしまったのである。

弱い彩色

八九四　この不確実さがまさに原因で、絵具の色をさんざん混ぜ合わせて灰色から灰色へと描き、色彩をできるだけめだたなく取り扱うのである。

八九五　このような絵画においては調和的対照はしばしばじつによく描かれているが、雑多な色彩になることを恐れるあまり気迫がない。

雑多な彩色

八九六　絵が雑多な彩色になりやすいのは、たんに経験的に不確実な印象に従って色彩をその強烈な力のままに羅列したいと思うような場合である。

八九七　これに反して、よく合わないけれども弱い色彩を並べると、効果はもちろんめだたない。画家の頼りない気分は観賞者にも伝染し、観賞者のほうでもほめることもけなすこともできない。

八九八　次のことも重要な観察である。すなわち、色彩を一枚の絵の中で正しく配置することはできても、色彩を光と影に関して用い方を誤ると、絵はやはり雑多な彩色にならざるをえない。

八九九　このような場合は、光と影がすでに素描によって与えられており、いわばこの素描の中に含まれているだけに、いっそう起こりやすい。これに反して、色彩は選択と恣意にあくまで委ねられている。

理論的なものに対する恐れ

九〇〇　これまで画家たちには[*227]、色彩およびこれに属することがらに関するすべての理論的考察に対する恐れ、あるいは強い嫌悪さえ認められたが、これはあまり悪くとることができなかった。なぜなら、これまでのいわゆる理論的なものは、根拠がなく、動揺し、むしろ経験をさし示していたからである。われわれの研究がこの恐れをある程度少なくし、芸術家がこれに鼓舞されて、前述の諸原則を実践的に検討し生かしてくれることを切望するしだいである。

最終目的

九〇一　なぜなら、全体の展望なしには最終目的は達成されないからである。われわれがこれまで論述してきたすべてのことを芸術家は銘記されたい。光と影、明暗の釣り合い、真実の特徴のある彩色の三つが一致することによってのみ、絵画は、われわれが現在眺めている側面から完成されたものとみなすことができるのである。

下地

九〇二　明るい下地の上に描くというのが、昔の芸術家たちのやり方であった。この下地はクレヨンから成り立っていて、カンヴァスあるいは画板の上に厚く塗られ、表面をなめらかにされる。次に輪郭が描かれ、絵は黒味ないし褐色を帯びた色で薄く塗られた。このようにあとは彩色をほどこすだけの絵で今日なお残っているものには、レオナルド・ダ・ヴィンチ、フラ・バルトロメオ作のものおよびグイド作のいくつかのものがある。

九〇三　彩色に取りかかり、白い衣装を描こうとした場合には、画家はこの下地をときどきそのままにしておくことがあった。ティツィアーノは晩年においてこのやり方をした。当時彼は仕事に自信をもち、わずかの労力で多くの成果を上げることができた。白っぽい下地は中間色調として取り扱われ、陰影がその上に塗られ、強い光の部分がそれに添えられた。

九〇四　彩色のさいには、いわば薄く墨で塗られた下絵がいつも作用していた。たとえば衣装を透明顔料で描くと、下地の白が透いて見え、色彩に生気を与えた。また陰影を表わすためにあらかじめ暗く塗られていた部分は、色彩を弱く見せることはあっても、この色彩が混合されたりきたなくされることはなかった。

九〇五　この方法には多くの長所があった。なぜなら、絵の明るいところには明るい下地が、陰影のあるところには暗い下地があったからである。絵全体は彩色されるばかりになっていた。画家が淡い色彩で描きさえすれば、光と色彩の一致調和は確実であった。現代においては水彩画がこれらの原則にもとづいている。

九〇六　ところで、油絵において現在もっぱら明るい下地が用いられるのは、中間色調が多かれ少なかれ透明であり、したがって明るい下地によってある程度まで生気づけられ、陰影そのものもそれほど容易に暗くはならないからである。

九〇七　しばらくは暗い下地の上に描いたこともあった。これを導入したのはおそらくティントレットであった。ジョルジョーネが暗い下地を用いたかどうかは知られていない。ティツィアーノの最もすぐれた絵は暗い下地の上には描かれていない。

九〇八　このような下地は赤褐色であったが、その上に絵を描くときは、きわめて濃い陰影が塗られた。光を表わす色は明るいところでひじょうに厚く塗られ、陰影のほうにかけてぼかされた。というのは、暗い下地は淡い色彩を通して中間色調として透けて見えたからである。この効果は、仕上げのさいに明るい部分に何度も手を入れたり、強い灯火を加えたりすることによって達成された。

九〇九　このやり方は特に仕事が早いために推奨されているけれども、結局は多くの不利な点がある。エネルギーの強い下地は増大してまえより暗くなる。明るい色彩が徐々に明澄さを失うにつれて、陰影の側がますます優勢になってくる。中間色調はますます暗くなり、陰影は最後には真暗になる。明るいのは濃く塗られた灯火だけで、画面には明るい斑点のようなものしか見えない。そのよい例はボローニャ画派とカラヴァッジョの絵画である。

九二〇　この項目を終えるにあたり、上薬をかけることになお言及するのは不適当ではない。これが行なわれるのは、すでに塗られた色を明るい下地とみなす場合である。そうすることによって色彩を混合したように見せかけたり、高めたり、色彩にいわゆる色調を与えることができる。しかしそのさい、色彩はますます暗くなる。

顔料

九二一　顔料は化学者と自然研究者の手からわれわれに与えられる。顔料に関しては多くのことが記載され、印刷によって公にされた。しかしながら、この題目はときおり新たに書き直される価値があるであろう。他方で師は弟子にこれに関する知識を伝え、芸術家は芸術家で知識を交換する。

九二二　その本性上、最も永もちのする顔料は何よりも探し求められる。しかし顔料の取り扱い方も絵の持続性に大いに寄与する。それゆえ、顔料はできるだけ少ししか使わないようにし、最も簡単な塗り方をするようにしたほうがよい。

九三　なぜなら、顔料を大量に用いることから、彩色にとって多くの不都合が生じたからである。どの顔料にも眼に対する作用という点で独自性があり、さらに技術的にも独自に取り扱われる必要がある。前者は、色彩の調和が少数の顔料よりも多くの顔料によっては達成しにくい原因であり、後者は、化学的な作用と反作用が顔料相互のあいだで起こりうる原因である。

九四　さらになおわれわれが考慮しておかなければならないのは、芸術家たちがとかく心を奪われるいくつかの誤った傾向についてである。画家たちはいつも新しい顔料を渇望し、このような顔料が一つ発見されると、それだけでもう芸術上の一大進歩をなしとげたように思っている。彼らはまた昔の機械的な取り扱い方の研究に熱中して時間を浪費する。われわれが十八世紀の末に蠟画術のことでさんざんむだな努力をしたのはそのよい例である。他の画家たちは新しい取り扱い方を発明しようと企てたが、それも徒労に終わった。なぜなら、あらゆる技術を生かすのはやはり最終的に精神のみだからである。

色彩のアレゴリー的、象徴的、神秘的使用

九一五　先に詳しく例証されたように、いかなる色彩も人間にそれぞれ独特の印象を与え、そうすることによって眼にも心情にもその本質を啓示する。ここから直ちに生ずる結論は、色彩がある種の感覚的、精神的、美的目的のために適用されうるということである。

九一六　したがって、自然と完全に一致するこのような使用は象徴的使用＊228と呼んでよいであろう。というのは、色彩はその作用に即して用いられ、真実の関係が直ちにその意義を言い表わすといえるからである。たとえば、深紅色が尊厳を表わす色彩として提示される場合、正しい表現が見出されたことに疑いの余地はないであろう。これはすべてすでに充分に説明されたとおりである。

九一七　これと密接な関係にある使用をアレゴリー的使用と呼ぶことができるであろう。この場合にはむしろ偶然的、恣意的なもの、因襲的とさえ言えるものがある。というのは、記号の意味がわれわれに伝承されて初めて、われわれはそれが何を意味しているのかということを知るからである。たとえば、希望を表わすとされている緑色がそうである。

九一八　最後にまた色彩が神秘的解釈をも許すことは、容易に推測される。事実、色彩の多様性が表現されている色相環の図式は、人間の直観にも自然にも属している根源的な諸関

係を暗示している。それゆえ、これらの諸関係を、それほど強力かつ多様に感覚に訴えてこない他の根源的諸関係を表現しようとする場合にも、いわば一つの言語として用いることができるということに疑いの余地はないであろう。数学者は三角形の価値と使用を重んずる。三角形は神秘主義者のもとでも大いに崇敬されている。三角形を用いるとひじょうに多くのことが図式化され、色彩現象も同様であるが、三角形を二つ逆向きに組み合わせると昔の神秘的な六角形に到達する。

九一九　黄色と青が分離することをまずよく理解し、特に赤へと高進することによって相対立するものが相互に接近し、第三のものにおいて結合一致することを充分に考察したならば、これら二つの分離して相対立するものに一つの精神的意義を賦与できるのではないかという特殊な神秘的思想がきっと湧き起こってくるであろう。そして、両者が下方には緑を、上方には赤を生み出すのを見て、下方にはエロヒムの地上の産物、上方にはエロヒムの天上の産物を思わざるをえないであろう。

九二〇　しかしながらわれわれは、本書を終える間ぎわに熱狂的な夢想にふけっているという疑いをかけられないようにしたほうが賢明であろう。われわれの色彩論が好評を博すれば、アレゴリー的、象徴的、神秘的適用および時代思潮に即した解釈の実例[*229]に欠けることはきっとないと思われるので、なおさらである〔図⑫〕。

結びのことば

永年にわたって執筆してきたこの研究を、私は結局最後に草案のままいわば即席に出版しなければならない破目になった。いまでき上がってきた校正刷に目を通しながら私は、ある細心な著述家がかつて洩らした願望を思い出した。彼は自分の著作をむしろまず草稿のまま印刷させ、それから再び新鮮な目で仕事に取りかかりたいと願っていたのであるが、それは、すべての欠陥が印刷されたものにおいては最もきれいな浄書原稿におけるよりもさらにはっきり現われてくるからである。

この願望がことさら生き生きと私の心に起こってきたのには、それなりの理由があった。なぜなら、本稿の継続的な編集の仕事[*230]がたまたま心情の落ち着きと集中を不可能にするような時期に当たっていたために、私は完全に浄書された原稿さえ印刷まえに通読することができなかったからである。

それゆえ、私が読者に言いたいことはまだまだたくさんあるのであるが、しかしその多くのものはすでに序論の中に見出される。さらにまた読者のお許しを得て私は、『色彩論』の歴史編においても私の研究とそれが受けた運命について述べたいと思っている。

しかしここで少なくとも一つのことを考察するのは不当ではないであろう。すなわち、それは次の疑問に答えることである。全生涯を学問のために捧げることのできない者でも学問のために何をなし、いかに活動できるであろうか。いわば他人の家の客人として、彼はその家の所有者にいかに利益をもたらすことができるであろうか。

芸術を高次の意味で考察した場合、願わしいのは、名匠のみが芸術にたずさわり、弟子は厳格に能力をためされ、愛好者は芸術にうやうやしく近づくだけで幸福に感じるということである。なぜなら、芸術作品はほんらい天才から生ずべきものであり、また芸術家は内実と形式を彼自身の存在の奥底から呼び起こし、素材に対して支配者としてふるまい、外面的影響はたんに自己完成のために利用すべきだからである。

しかしそれにもかかわらず、多くの理由から芸術家さえディレッタント*231を尊重しなければならないように、科学的な研究対象の場合にはいっそうはるかに、愛好者は喜ばしいこと有益なことをなしうるのである。科学は芸術よりもはるかに経験にもとづいており、経験することに適した人の数も多い。科学的なものは多方面から寄せ集められるので、多くの人手と頭脳なしですますことはできない。知識は伝承され、貴重な収集物は遺産として残されることができる。そして、一人の人間によって獲得されたものも、いつか多くの人々の共有するものとなるであろう。それゆえ、なんらかの形で学問に寄与できない人はいないのである。われわれが偶然や手仕事やちょっとした注意のおかげで得たものは、いかに多いことであろうか。健全な感性に恵まれたすべての人々、婦人、子どもたちはみな、生き生きとした注意深い観察をわれわれに伝えることができる。

したがって科学の世界では、科学のために何かしたいと思う者が科学に一生を捧げ、この世界の全貌を見きわめなければならないということを要求することはできない。そもそもこれは専門家にとっても高度の要求である。しかしながら学問一般の歴史、特に自然科学の歴史をよく調べると、多くのすぐれた成果が個々の専門分野における個々の研究者によって、またひじょうにしばしば素人によって[*232]なされたことがわかる。

興味・偶然あるいは機会に導かれて人間がたとえどの分野へ進もうとも、いかなる現象が特に彼の注意を引き、彼の関心を呼びさまし、彼を研究に専念させようとも、それは科学に裨益するであろう。なぜなら、明るみに出されたいかなる新しい関係も、いかなる新しい研究方法も、不充分なものも、誤謬でさえも役に立つか刺激となり、将来のためにむだにはならないからである。

この意味で著者は多少とも心を安んじて自分の仕事を振り返ってみたいと思う。このような考察をすることによって著者は、しのこしたことに対する勇気をふるい起こし、自分自身に満足していないにしても心の中で自信をもって、これまでの成果とこれからなすべきことを、現在および後世の同じ関心を有するすべての人々に推賞することができるのである。

多くの者が生を享《う》けて[*233]過ぎゆき、知識はいやまさん。

(Multi pertransibunt et augebitur scientia.)

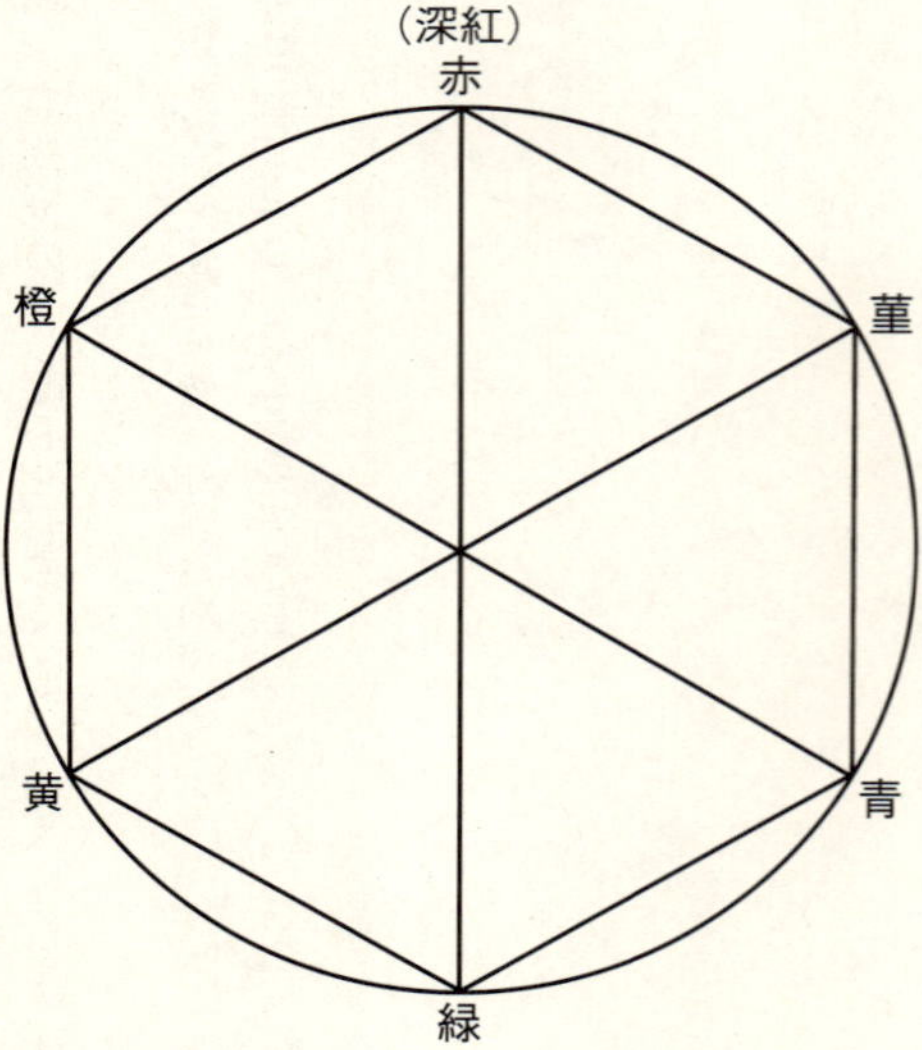

①ゲーテの色彩論において赤・橙・緑・青・菫の六つの基本的色彩はいわるゆ色相環として配列される。なお純粋な赤はしばしば深紅(色)と呼ばれる。

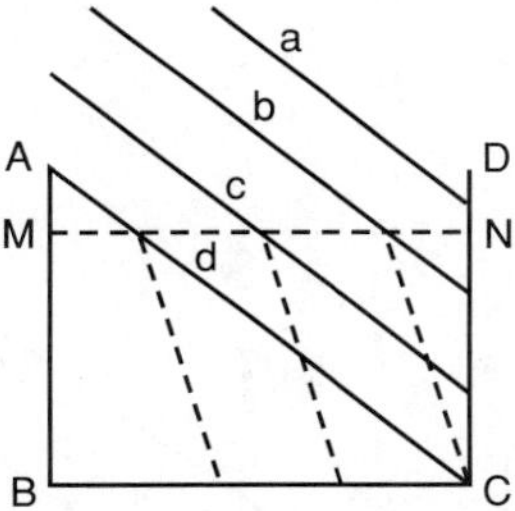

②第187節　からの容器ＡＢＣＤにａｂｃｄの太陽光線を投射させ、ＣＤの側面全体が照らされ、ＢＣの底面には光が当たらないようにする。次にこの容器にＭＮの線まで水を満たすと、光線は空気よりも密度の高い水によって屈折され、点線の方向に進む。それに伴いＢＣの底面も部分的に照らされることになる。

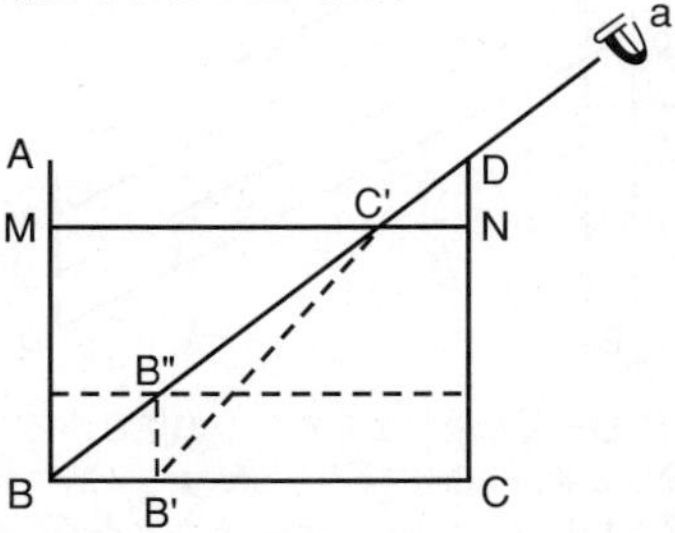

③第188節　太陽の位置ａにある眼は、ＡＢＣＤの容器がからの場合、ＡＢの側面を見ることはできるが、ＢＣの底面は見ることができない。しかしＭＮの線まで水をそそぐと、Ｂ'の点も見えるようになる。なぜなら、Ｂ'から出た光線はＣ'のところで屈折され、いまや眼のところまで達するからである。ところで眼はある対象を、その対象から発する光線が最後に眼に達するときの方向でつねに知覚し、また光線が実際に照射するところより遠くでは見ないのでＢ'の点をＢ"のところで知覚することになり、底面全体がもち上がったように見える。

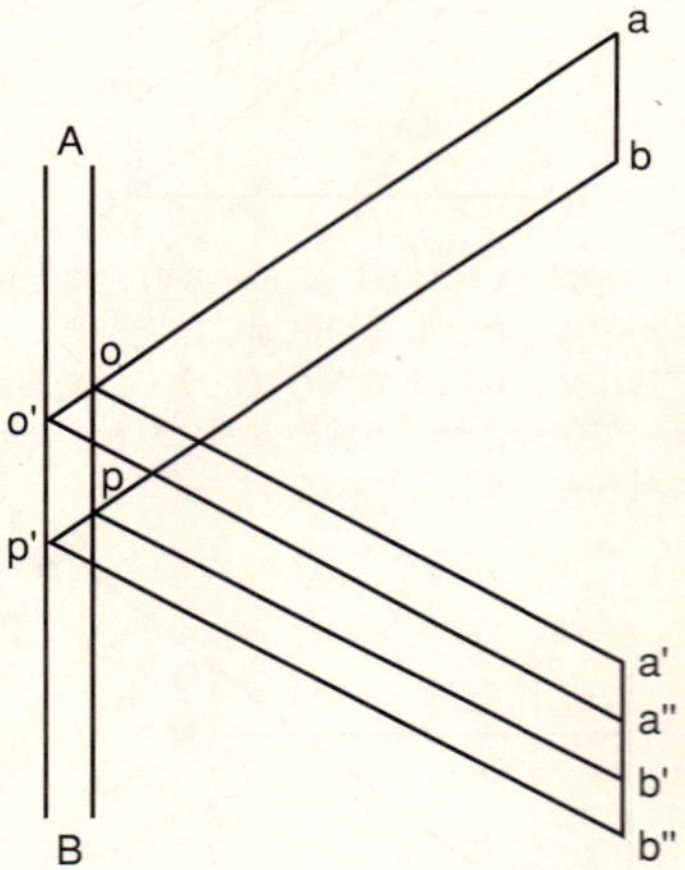

④第223節　ＡＢを一枚の鏡、ａｂを一つの像とする。するとＡＢに投射された光線は屈折の法則により、aoa'、ao' a''、bpb'、bp' b''の線に従って屈折される。こうして、鏡の表面と裏面における反射により、a' b' とa'' b'' という二つの像が成立し、これから部分的に重なり合うことになる。

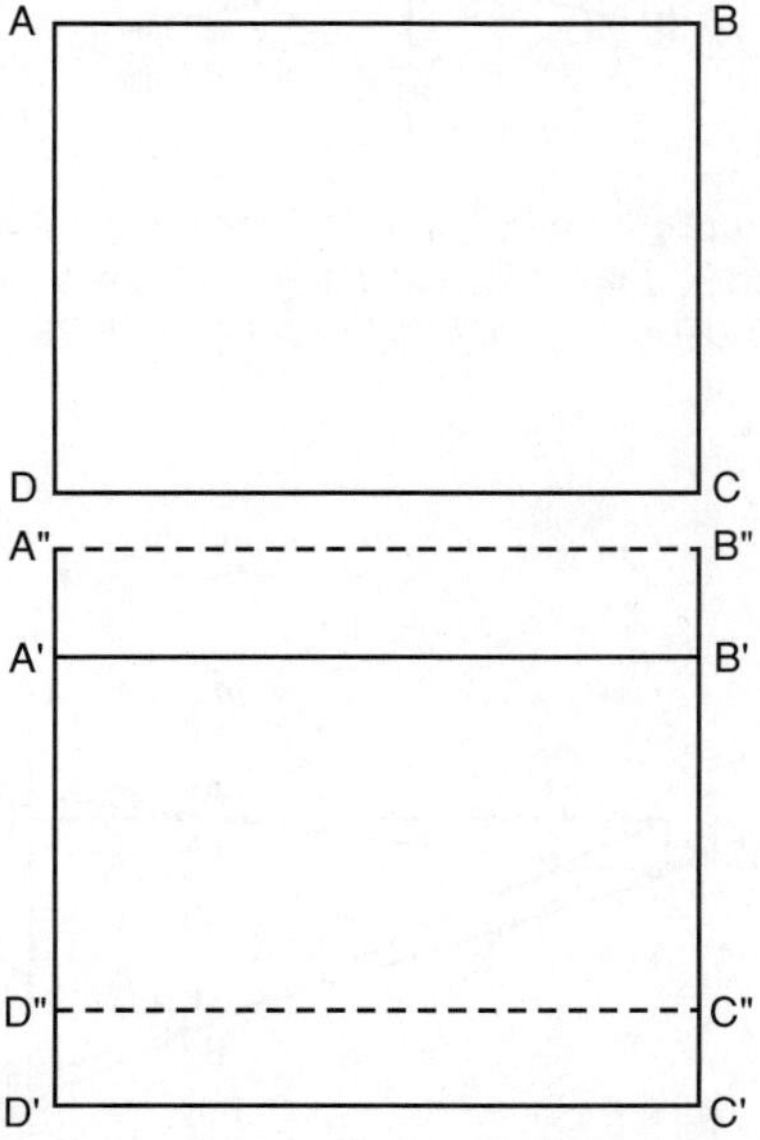

⑤第239節　ＡＢＣＤの像がプリズムによって変位されると主像と副像が生ずる。いま周囲が黒いと仮定すると、A" B" A' B' の空間では明るいものが黒地の上にあるので青く見える。逆にD" C" D' C' の空間では、白地の上に暗いものがあることになるので黄色が現われてくる。

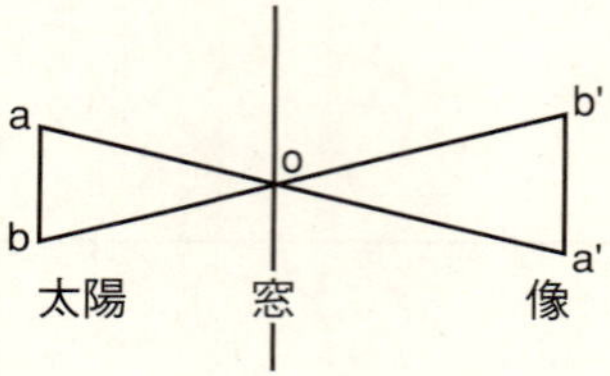

⑥第309節　太陽を一つの像ａｂとして把握すると、いかに小さな孔から射し込んでくる場合でも、光線は完全に平行であるとはいえない。なぜなら、Oの孔のところで光線は必ず交差し倒立像b' a' を生じさせるからである。

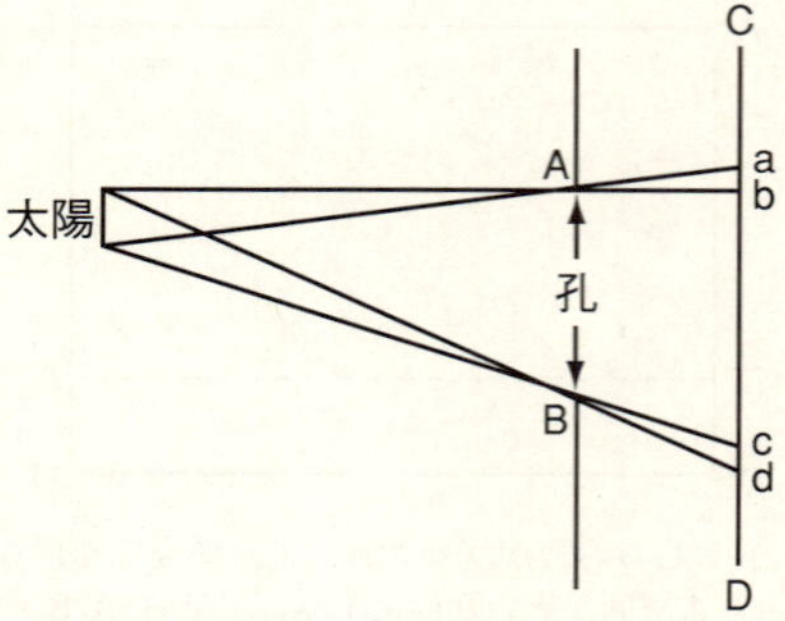

⑦第311節　太陽が比較的大きな孔ＡＢから照射する場合、ＣＤの壁に映るａｂがほんらいの太陽像である。しかし実際にはａｄの空間全体が照らされる。換言すれば、ａｄのいたるところに太陽像が存在しているのである。

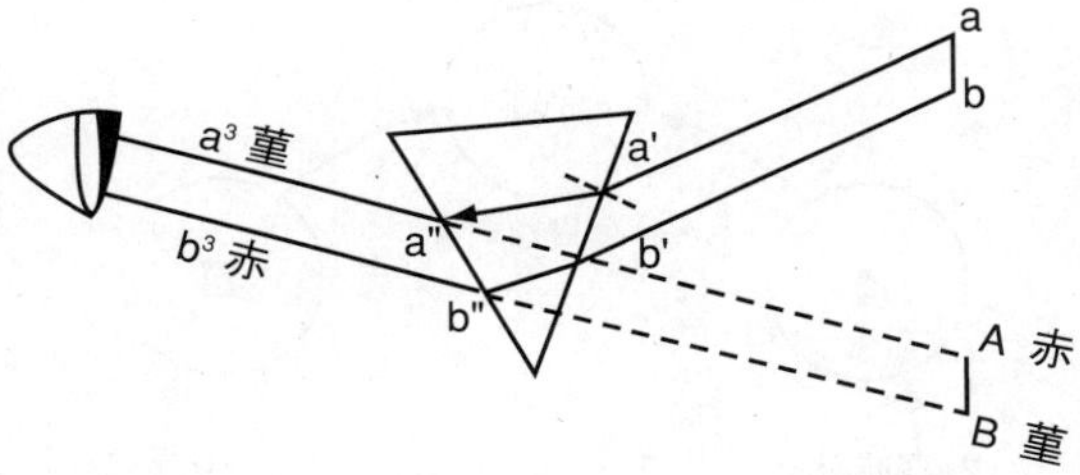

⑧第318節　プリズム現象の場合、 a bの像はa' b' およびa'' b'' の二個所で屈折されるが、主観的像としてはもち上がりの法則により点線ABのところで知覚される。客観的像の場合は上方に屈折されたままa^3b^3のところに現われるであろう。

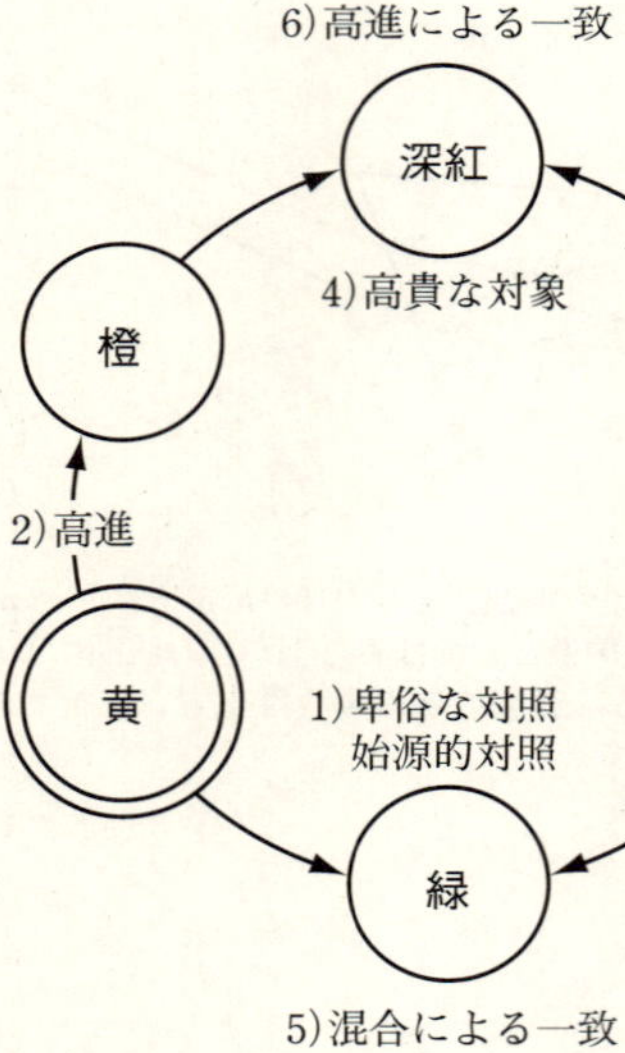

⑨第707節　色相環の成立を図式化すると、1)から5)までの諸段階が区別される。

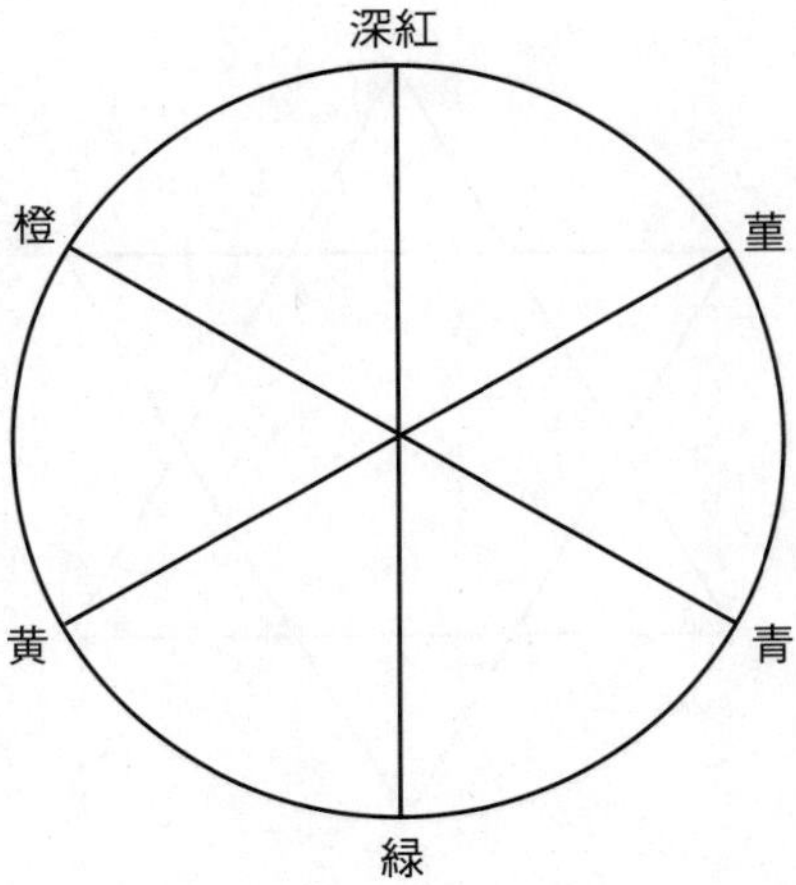

⑩第809節　色相環の中心を通る直線によって結ばれた二つの色彩は互いに要求し合う色彩であり、これら三つの対立関係はそれぞれ調和的全体性を成している。あお菫は厳密には赤青色、橙は赤黄色と表現されている。

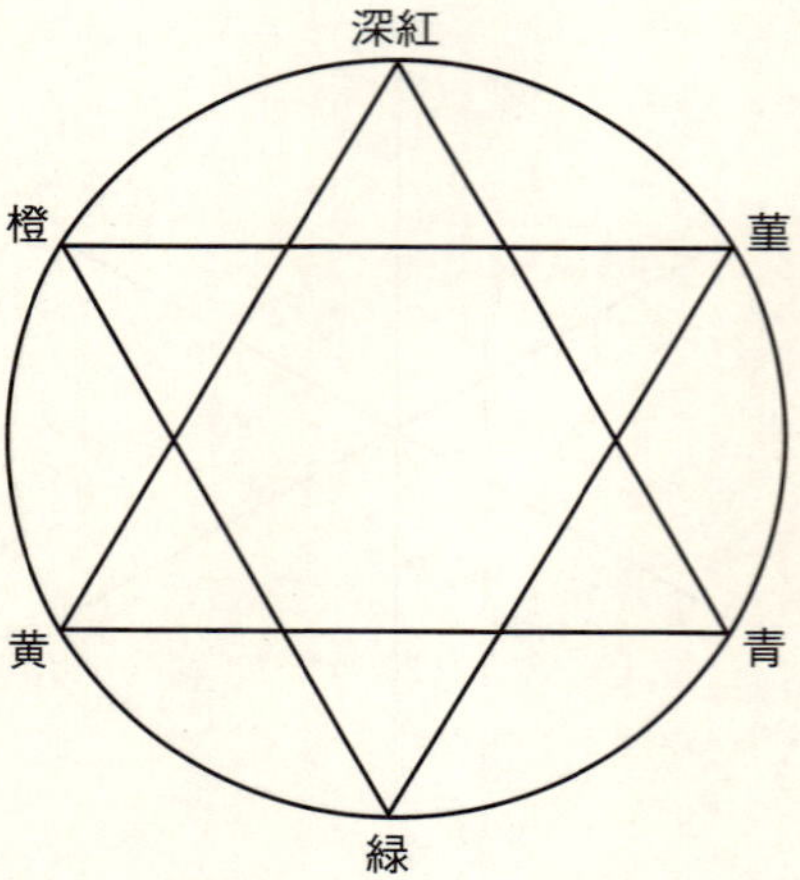

⑪第816節　色相環の隣接する色彩を一つ飛び越した弦の両端で対応する組み合わせは次の六通りにある。
黄色－青色　緑色－橙色（赤黄色）　黄色－深紅色　青色－深紅色
緑色－菫色（赤青色）　菫色－橙色

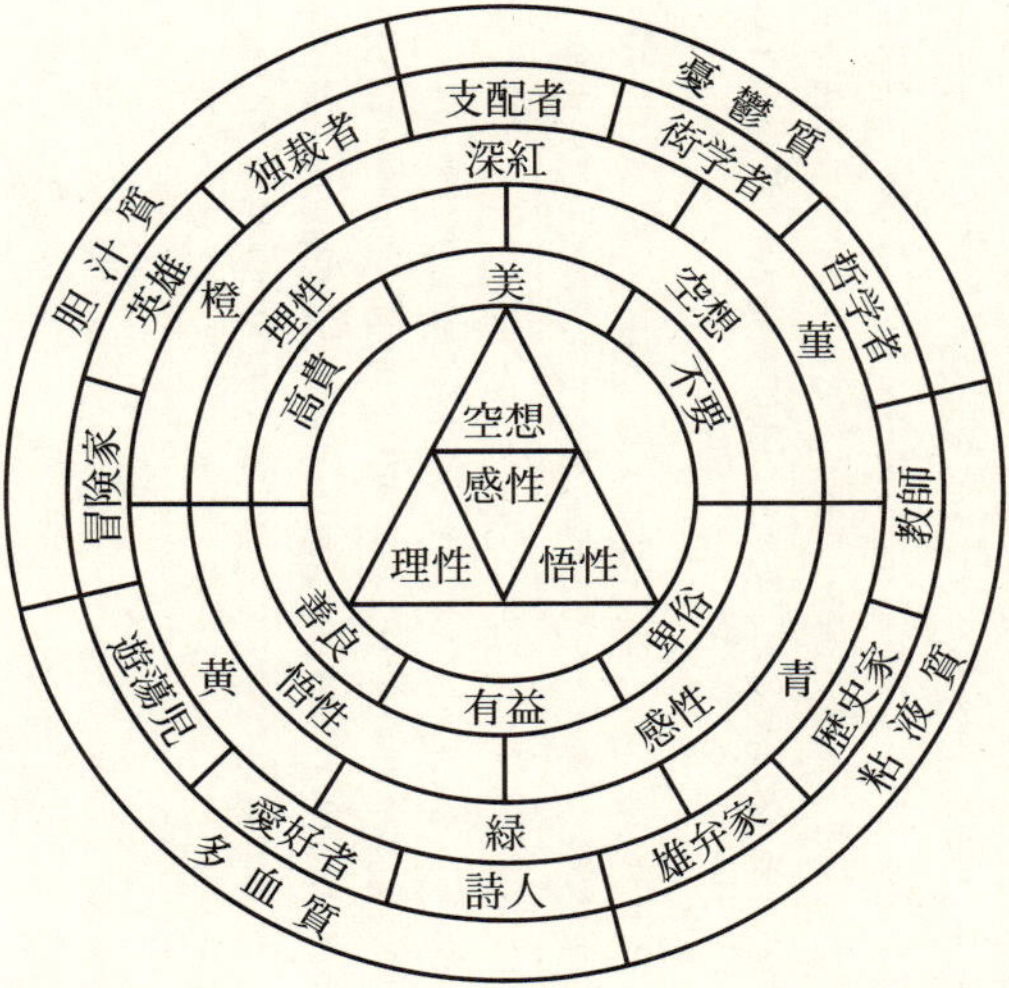

⑫第920節　色彩のアレゴリー的、象徴的、神秘的適用を暗示したゲーテの図式。

訳注

ゲーテの『色彩論』(Zur Farbenlehre) は、厳密にいえば、第一部教示編『色彩論草案』(Entwurf einer Farbenlehre)、第二部論争編『ニュートン理論の暴露』(Enthüllung der Theorie Newtons)、第三部歴史編『色彩学史のための資料』(Materialien zur Geschichte der Farbenlehre) から成り立っている。レオポルディーナ版『ゲーテ自然科学論集』で、それぞれ二六六頁、一九五頁、四二九頁の分量である。それはゲーテの全著作のなかで最も浩瀚《こうかん》なものであり、同時にまた彼の数多い自然科学論文のなかで唯一の包括的な著述である。発表当時から専門の自然科学者のあいだでほとんど無視されたこともあり、ゲーテがこの作品をことさら誇りにしていたことは、一八二七年二月一日付エッカーマンの『ゲーテとの対話』からよく知られている。

ゲーテの『色彩論』三部作が発表後一世紀近くも専門家のあいだで不評であった理由として、数学を用いない彼の研究方法が近代科学のそれとまったく異質であったこと、物理学的に明白な判断の誤りが多々あること、そして偉大な自然科学者ニュートンを執拗に攻撃していることの三つが挙げられる。しかしキルシュナー版(一八八三/九七年)におけるルドルフ・シュタイナー (Rudolf Steiner 一八六一—一九二五) の画期的な注釈いらいゲーテの『色彩論』に対する理解は徐々に深められ、現在では、ここにこそゲーテの精神のすべてが漲《みなぎ》っていること、また科学的にも正しい認識が少なからず含まれていることが、ますます認められてきた。

『ゲーテとともなる自然観照』(Naturschau mit Goethe, Stuttgart 1960) という優れた啓蒙的著述を遺した旧東独の物理学者E・ブーフヴァルト (Eberhard Buchwald) によれば、ゲーテの『色彩論』に対する今日の評価は、夜空にきらめくカシオペア座の形Wで暗示される。すなわち、第一部「教示編」(Didaktischer Teil) のまえがきと序論および第一編「生理的色彩」を高所の出発点とすれば、『色彩論』は第二、第三編の「物理的色彩」および「化学的色彩」において内容的に著しく下降し、第四、第五、第六編の「内的関連の概観」、「隣接諸領域との関係」および「色彩の感覚的精神的作用」において一つの頂点に達し、ここからまた第二部「論争編」(Polemischer Teil) という最底の段階に落ち込んだあと、第三部「歴史編」(Historischer Teil) において再び最高点にまで急上昇するのである。

ブーフヴァルトによってこのように高く評価されている「歴史編」の叙述は、事実、この数十年来わが国でも脚光をあびつつある科学史的研究の先駆的業績であって、ゲーテはこの中で、太古からギリシア・ローマ時代および中世をへて、十六世紀、十七世紀、十八世紀にいたる人類の色彩現象に対するあらゆる観察と考え方の一大パノラマを展開している。それはたんに色彩に関する科学史的な叙述であるばかりでなく、ゲーテの歴史観に裏打ちされた多彩なヨーロッパ精神史である。ゲーテは、科学が宗教とともに人間精神の最も重大な営みであり、科学の歴史のなかに世界史の本質的な一面が反映していることを認識した最初の人間の一人であるといってもおそらく過言ではないであろう。

次に第一の頂点とされている「生理的色彩編」は、たしかに自然科学的に最も異論の余地のないゲーテの学問的業績である。ここに言い表わされている科学的認識の本質的な部分は初めから広く認められており、ヨハネス・ミュラー、プルキニェ、ショーペンハウアーから現在にいたるまで、色彩の生理学的研究はすべてゲーテによって拓かれた道を歩んでいるのである。ゲーテに特徴的なことは生理的色彩現象が直ちに色彩の感覚的精神的作用と結びつくということであるが、この結びつきから展開される彼の色彩美学も、第二の頂点として、かの生理的色彩に対する洞察と同じく、現代において少しもその妥当性を失っていない。

＊1　これら二巻の書物——ゲーテの『色彩論』は一八一〇年に二巻に分けて出版されたが、そのうち第一巻は『教示編』と『論争編』、第二巻は『歴史編』を収録していた。また別巻として、ゲーテによって記述された十六葉の図版が添えられていた。注目すべきことに、ゲーテが生前に手がけた最後の『決定版全集』（一八二七／三〇年）全四〇巻に『色彩論』は含まれていない。エッカーマンの『ゲーテとの対話』一八三一年五月十五日付を参照。

＊2　自然現象に関するご進講——一八〇五年十月から翌年五月にかけて、ゲーテはいわゆる「水曜会」において、ルイーゼ大公妃を中心とするヴァイマル宮廷の貴婦人たちに、色彩学に関する十四回の講演を時に実験をまじえて行なった。これらの講演がきわめて有益であったことを彼は他の個所でも認めている。なおゲーテは『色彩論』第三部「歴史編」（本書では未訳出）巻末の「著者の告白」の終わりでもう一度ルイーゼ大公妃に恭順の意を表わしている。

＊3　少なくとも完結することは……——ゲーテの色彩に対する関心は第二次スイス旅行（一七七九年）の頃からイタリア旅行（一七八六—八八年）およびフランス従軍（一七九二年）をへて徐々に高まっていくのであるが、『色彩論』刊行後もゲーテは色彩研究を熱心につづけ、その成果を分冊誌『自然科学一般のために』の中で次々に発表した。

まえがき

＊4　まえがき――『色彩論』全体のための「まえがき」であって、本巻に訳出されている「教示編」のためには別個の「序論」が付されている。「教示編」がすでに印刷中の一八〇七年に書かれたこともあり、ゲーテはここで自然に関する彼の基本的な見方と確信を言い表わしている。

＊5　われわれが知覚するのは……――同じ見方は第七五一節においても述べられている。存在を作用ないし活動の面から把握するこの立場は、ゲーテの形態学思想の根底にもある。論文『動物哲学の原理』を参照。また人間の性格については、『ヴィルヘルム・マイスターの修業時代』第七巻第五章を参照。

＊6　光のはたらき――色彩が生ずるためには光がなければならない。しかし、光が色彩を生じさせるためには種々の条件が必要である。光の能動的作用としては、「序論」ですぐ述べられているように、光が未決定の動物的補助器官から眼という感覚器官を呼び起こすことが、また受動的作用としては、物理的色彩における光の屈折や曇った媒体のことなどが考えられる。

＊7　自然の全体――自然の全体性は、ゲーテの自然哲学における第一前提である。『色彩論』の方法論といえる前出の論文『客観と主観の仲介者としての実験』における「生きた自然の中では……」および「自然の中のすべてのもの……」を参照。

＊8　他の感覚に対しても……――ヘルダーの感覚論において耳が最も高貴な感覚器官であるのに対して、ゲーテにおいては眼こそ自然の啓示を感知する第一の器官である。『ヴィルヘルム・マイスターの遍歴時代』第三巻巻末の「マカーリエの文庫から」および『ファウスト』第二部第五幕の天使めく神父の言葉「この世の地上的な器官である私の眼のなかへ降りておいで」（一一九〇六―七行）を参照。

＊9　このように自然は……――「自然が語りかける」というゲーテの根本思想は、たとえば『神と世界』の「序詩」、『ヴィルヘルム・マイスターの遍歴時代』第一巻第三章、『箴言と省察』の中の「神と自然」と題された項目において繰り返し言い表わされている。

＊10　一つの金属――分極性が最も顕著に現われる磁石としての鉄のことが考えられている。第七四一節を参照。また『神と心情と世界』の中の詩「磁石の秘密……」および『箴言と省察』の「神と自然」、さらに『親和力』第二部第十一章を参照。シェリングの自然哲学およびロマン派の自然科学者ヨハン・ヴィルヘルム・リッター（Johann Wilhelm Ritter 一七七六―一八一〇）の一連の実験に代表されるように、自然全体の分極性を磁石のアナロジーにもとづいて考えることは、十八世紀後半のドイツ思想界においてきわめて盛んであった。ゲーテも『詩と真実』第一部第四章の中で、少年時代から磁石に関心があったと述べている。

＊11　時間と空間の中で……――理念と現象の本質的なちがいに関する前出論文『省察と忍従』の「自然研究は時間と空間の中に限定されている」を参照。

＊12　結合するか分離するかのいずれか――自然の中に認められる分析的および綜合的なやり方に関する前出論文『近代哲学の影響』の「自然が絶えず……」を参照。なお『親和力』の主題も第一部第四章に述べられているようにこの根本問題に深くねざしている。前出『箴言的論文「自然」への注釈』の「結合するために充分に分離し」を参照。

＊13　自然の言語――キリスト教の神学者が聖書から神の言葉を読み取ろうとするように、ゲーテは多種多様な、しかし統一的な自然の言語をいま特に色彩現象を通して知覚し、自然をより深く理解しようとしている。自然の言語が象徴性および比喩と不可分に結びついていることは、ゲーテの自然研究と詩作を

結びつける精神的な絆である。論文『気象学の試み』の冒頭の文章および『ファウスト』第二部の結句「すべての過ぎゆくものは比喩にほかならない」を参照。また第七五七節と第九一六節を参照。

＊14　なんらの理論的紐帯なしに……——理論とは、個々の経験を精神の力によって一つの全体にまとめ上げる試みであるが、この努力を怠ってはならないことについては、前出の論文『分析と綜合』を参照。また『ファウスト』第一部「書斎（二）」の一九三六行以下を参照。

＊15　われわれの恐れる抽象——「世界を奥の奥で統べているもの」（『ファウスト』第一部三八二―三行）を追求している限り、ゲーテの自然研究もなんらかの意味で抽象をめざしている。しかし、彼の根源現象はあくまで眼という感覚器官によって知覚されうるものである。

＊16　学問の歴史は学問そのもの——同様の見地からゲーテは、二つの論文『著者は自らの植物研究の由来を伝える』、『動物哲学の原理』および、本巻には訳出しなかったが、「歴史編」終章の「著者の告白」において、自己の動植物研究と色彩研究の歴史を物語ったのである。なおゲーテは美術の歴史についても同じ考えをもっていた。『ヴィルヘルム・マイスターの修業時代』第六巻を参照。

＊17　プリーストリ——Joseph Priestley（一七三三―一八〇四）はもともと神学者であったが、自然科学および哲学の研究にも熱心に従事した。一七七四年に彼は酸素を発見した。「歴史編」においても言及されている『光学の歴史』の原題名は The history and present state of discoveries relating to vision, light and colours. London 1772 である。

＊18　光の分解説——前出の論文『分析と綜合』におけるニュートン批判を参照。また『穏和なクセーニエ』の「みんないっせいに喋りたがり」以下の詩および「永遠の光の全一性をわかつことは」を参照。

＊19　不誠実になる危険——前出の論文『客観と主観の仲介者としての実験』の「いくら用心してもしすぎ

ることがないのは……」を参照。

＊20　第四部の補遺――この約束された第四部は刊行されることがなかった。その代わりとして、『歴史編』の末尾に『有色照明の作用』に聞するゼーベック（Thomas Johann Seebeck 一七七〇―一八三一）の論文がゲーテの短い序文を添えて印刷された。第六七三節を参照。

＊21　汝、もしこれより正しく……――ホラティウス『書簡集』I・六、六七以下。

序論

＊22　われらの書きしもの――ある草稿ではこのラテン語の引用にリンネの名が記されているとのことであるが、出典は諸家の研究にもかかわらず不明。

＊23　知識に対する欲求――経験を漸進的三段階に区別する前出の論文『経験と科学』を参照。また『ヴィルヘルム・マイスターの修業時代』第六巻で言及されている叔父の美術品収集の仕方を参照。

＊24　テオフラストス――Theophrastos（前三七二―二八七）、アリストテレスの直弟子。ゲーテは彼の小論文を『歴史編』の中で訳出している。

＊25　ボイル――Robert Boyle（一六二七―九一）はロンドンの王立協会の会員であった。ゲーテは彼の著述『色彩に関する実験史』（Experimenta et considerationes de colorilbus - seu initium historiae experimentalis de coloribus. London 1665）の一節を『歴史編』の中で訳出した。

＊26　眼が形を見ない――一八〇五―六年の論文『眼』にも同じ考えが言い表わされている。ヘルダーの『彫塑論』（一七七八年）と比較すると興味深い。ゲーテの所論はもちろん意識的に誇張されており、一

七九六年十一月十五日付シラー宛の書簡などにおいて、彼は形の重要性を指摘している。

＊27　絵画はカンヴァスの上で……――ゲーテの芸術観における重要な命題。『芸術論』、とりわけ『自然の単純な模倣、手法、様式』の論文を参照。

＊28　眼は光にもとづいて……――論文『骨学にもとづく比較解剖学総序説第一草案』第Ⅳ章の命題「動物は環境によって、環境に対してつくられる」を参照。内なる光と外なる光の一致という考え方は、大脳生理学的な解釈を許さない、ゲーテに特有の自然哲学的な神秘思想である。眼の特性については第三三節を参照。

＊29　イオニア学派――ここで考えられているのはソクラテス以前の哲学者たち、特にパルメニデスとエンペドクレスである。プラトンの『ティマイオス』（四五C）にも同様の思想が見出される。

＊30　もう一人の古代の神秘家――古代後期の哲学者プロティノスのことが暗示されている。ゲーテは青年時代にすでにプロティノスの新プラトン主義から強い影響を受けていたが、一八〇五年の夏にその一節を翻訳したプロティノスの著作『エネアデス』の一節（I・六、八）が引用された詩句のもとになっていると考えられる。なおこの詩は、『穏和なクセーニエ』にほぼそのまま収録されている。

＊31　自然公式――自然を根源的に把握するための基本概念。第七五二節では形而上学的、数学的、機械論的、粒子説的、精神的公式について語られ、第七五五節および第七五六節において分極性の「根本公式」の有用性が強調されている。論文『植物変態論』第一〇二節における「代数学の公式」を参照。

＊32　整然とした連続性において……――ゲーテがここで試みようとしていることは、学的現象をさらに純粋現象へ高めることである。前出の論文『経験と科学』を参照。

＊33　光と光ならざるもの――ゲーテの『色彩論』において光は既知のものとして前提されているが、「光

ならざるもの」(Nichtlicht) という形で闇もまたなんらかの意味で実体化されている。物理学においては闇はたんに光の欠如にすぎない。第七二五節において色彩学と光学がはっきり区別されていることからもわかるように、ゲーテの研究対象は「眼という感覚に対する自然の規則的な現象」としての色彩であって、光そのものではないのである。光と闇からの色彩の生成を壮大に歌い上げた『西東詩集』の「ズライカの書」における「再会」の詩を参照。

*34 たやすく環状に配列されうる――第五〇節において「色相環」(Farbenkreis) と呼ばれている。ゲーテが「基本的色彩論」としてこれ以後問題にする六つの色彩の相互関係については図①を参照。これらの色彩の図式を彼はすでに一七九三年七月に略述していた。なお「特殊化」の概念については、前出の論文『種々の問題』における「特殊化の衝動」を参照。

*35 半ば光、半ば陰影のようなもの――ゲーテは、すべての色彩を混合すると、白ではなく灰色が生ずると確信していた。それはニュートンを攻撃する重大な論拠の一つであった。当時は実験装置もまだ完備せず、ヘルムホルツが初めて純粋なスペクトル光線によって真の白色光を生じさせることに成功しているので、ゲーテの誤解もある程度やむをえなかったといえる。

*36 それらがまさに現象として現われ……――このような現象は第一七四節において「根源現象」と呼ばれる。

*37 他のすべての基本的現象との系列の中で……――これが可能になるのは、化学変化・磁気・電気においてあらゆる現象の基盤として確認されているような根源的分極性が色彩現象のなかにもあることを実証することによってである。第六九五節および第六九六節を参照。第五編「隣接諸領域との関係」のとりわけ第七四四節において、ゲーテはこの主要な意図がほぼ達成されたと確信している。まえがきの

「自然の言語」に関する注を参照。

＊38　数学者から好まれないのではないか……――詳細は「数学との関係」（第七二二―七二九節）を参照。また前出論文『客観と主観の仲介者としての実験』の「ほんらい数学的方法こそ」に関する注を参照。

＊39　どの方面からある知識や学問に……――「知識」（Wissen）と「学問」（Wissenschaft）のちがいについては、『箴言と省察』の「思考と行為」および「認識と学問」を参照。

第一編　生理的色彩

＊40　色彩論全体の基盤をなし……――ゲーテにおいて人間と世界、主観と客観は密接な相関関係にあり、主観の中にあるものはすべて客観の中にあり、客観の中にあるものはすべて主観の中にあって、しかも両者は完全に同一ではない。ゲーテが色彩現象の観察にさいして生理的色彩にまず注目するのは、視覚というものが客観的な自然の事象のたんなる反映ではなく、色彩の知覚には眼が活動的に関与していることを強調するためである（第六節および第三八節参照）。これによって現象は主観と客観の関係として成立する。したがって、色彩の客観的側面である物理的色彩の研究においても主観的実験が先に取り上げられ、主観と客観は区別されつつ切り離されることがない。そしてゲーテが最後に第六編において考察するのは、主観に及ぼす色彩の感覚的、精神的、美的作用である。主観と客観の「アマルガム法的融合」にほかならないゲーテの「対象性」について、前出論文『適切な一語による著しい促進』を参照。また『箴言と省察』の「認識と学問」を参照。

＊41　リツェッティ――Graf Joh. Rizetti（?―一七五一）はニュートンの理論を攻撃した。『歴史編』の

中でゲーテは、彼が「正しい道にあった」と述べている。

＊42 ビュフォン――George Louis Le Clerc Graf v. Buffon（一七〇七―八八）、『博物誌』を著わした有名な自然研究者。『動物哲学の原理』の後半部におけるゲーテの評価を参照。

＊43 シェルファー――Carl Scherffer（一七一六―八三）、イエズス会士で、ウィーンの数学および物理学の教授であった。『歴史編』の中でゲーテは、彼の論文Abhandlung von den zufälligen Farben, Wien 1765を論評している。

＊44 ハンベルガー――Georg Alb. Hamberger（一六六二―一七一六）、イェーナの数学と物理学の教授。ゲーテは『歴史編』の中で、彼の論文Dissertatio de opticis oculorum vitiisに言及している。

＊45 ダーウィン――Rob. Waring Darwin（一七六六―一八一八）、イギリスの医師で王立協会の会員。彼の著述On the Ocular Spectra of Light and Colours, 1785は、『歴史編』の中で論評されている。

＊46 病理的色彩――ゲーテの形態学によれば、有機体におけるすべての異常は、ある組織ないし器官が極端に発達しすぎることから生ずる。しかし、それはつねに正常なものからの逸脱であって、そこにも一種の法則性が認められる。したがって、病的な現象もまた正常な生理的現象の解明に役立つのである。第一〇二節参照。また『動物哲学の原理』の後半部あるいは『神と世界』の中の教訓詩「動物の変態」の第三節を参照。

＊47 眼がそれによって外界と結ばれ……――『神と心情と世界』の二行詩「暗闇で収縮していると……」を参照。

＊48 眼は徐々に感受性を……――いわゆる順応現象。

＊49 ウォール博士――Doktor Martin Wall（一七四七―一八二四）、オックスフォード大学の化学教授。

＊50　暗い対象は同じ大きさの……――いわゆる光滲ないし放散現象。

＊51　ティコ・ブラーエ――Tycho Brahe（一五四六―一六〇一）、天文学者。『箴言と省察』の「認識と学問」を参照。

＊52　日常生活において――ゲーテはある日の夕方、黒いむく犬の網膜上の残像を実際に体験し、それを「復活祭の散歩」の中で叙述している。『ファウスト』第一部一一四五―五七行を参照。

＊53　明方の空を背景にした――第二〇節から第二八節までに取り扱われているのは、明暗が原像と同じままの、いわゆるポジティブ残像である。これに対して、第二九節は明暗が反転するネガティブ残像の一例である。

＊54　軽気球の陰影――軽気球が当時いかに大きな社会的関心を集めていたかについては、『箴言と省察』の「社会と歴史」を参照。なお、次段落のベッカリーア神父（Giacomo Battista Beccaria　一七一六―一八一）はトリノの物理学教授。

＊55　高次の原理――この現象は第六〇節において高次の原理から導き出される。第三八節および第四八節も参照。

＊56　眼がその状態の転換を……――エッカーマンの『ゲーテとの対話』一八二七年二月一日付を参照。

＊57　収縮と弛緩――第七三九節および前出論文『近代哲学の影響』の「人間精神の収縮と弛緩」に関する注を参照。ゲーテにとって呼吸と心臓の脈動こそ、「自然の言語」と密接に関連した象徴性ないし比喩の代表例であった。

＊58　この印象の漸消には……――本書には収録していないが、以下の諸節には本来、図版Ⅰの10が対応している。

＊59　この現象の時間単位の関係――ゲーテがこの実験を行なったのは、一七九四年七月五日のことである。

＊60　鮮かな色彩の紙――図版Ⅰの1と10を参照。

＊61　向かい側の白い壁の上に……――これと同様の観察をゲーテは第三次スイス旅行のおりにシャフハウゼンのラインの滝で行なっている。『スイス旅行』一七九七年九月十八日朝の記述を参照。また『ファウスト』第二部六〇〇九行以下を参照。

＊62　正反対の色彩と陰影とをもった胸像画――図版Ⅶを参照。

＊63　一人の友人――一七九九年六月十九日付シラー宛の書簡によれば、この友人はゲーテの美術上の助言者であったスイスの画家ハインリヒ・マイアー（Johann Heinrich Meyer 一七六〇―一八三二）であった。『イタリア紀行』一七八六年十一月二日ローマで記述されている若い画家は彼である。

＊64　正反対の色彩が――第三七節から第五五節まで、いわゆる連続の対比が観察されてきたのに対して、第五六節から第五八節までは、いわゆる同時の対比が論じられている。

＊65　要求された色彩は……――要求された色彩が互いに高めあうことをレオナルド・ダ・ヴィンチがすでに確認していると言われる。

＊66　三つの原色――ゲーテによれば赤・黄・青である。それは画家たちの共通の見方であるが、赤色光線と緑色光線を合わせると黄色になることから、科学的には赤・緑・青が三原色と呼ばれる。第五五二節および第七〇五節を参照。

＊67　広範な観察領域を一巡し……――色彩調和の理論は第六編「色彩の感覚的精神的作用」において展開されることになる。第八〇三―八三二節を参照。全体性への欲求については第三三節を参照。また『箴言と省察』の「芸術と芸術家」を参照。

＊68　有色の陰影――有色の陰影は、青年時代の読書日記『エフェメリーデス』（一七七〇年）の記入から知られるように、ゲーテが最初に観察した色彩現象であった。彼は晩年においてエッカーマンとしばしばそれについて語っている。『ゲーテとの対話』一八二六年十二月二十日および二十七日、一八二九年二月十九日および二十日、一八三一年二月二十日を参照。なお前出『客観と主観の仲介者としての実験』の『光学への寄与』についての注を参照。

＊69　この陰影が青色であることは……――この青色はほんらい眼の主観的活動から生じた視覚現象である。

＊70　キルヒャー――Athanasius Kircher（一六〇二―八〇）、イエズス会士で、最初ヴュルツブルクの数学・哲学・ヘブライ語の教授であった。彼は色彩を「光と陰影の子ども」と呼んでいる。

＊71　二重の陰影――図版Iの5と6を参照。

＊72　ソシュール――彼のモンブラン登攀は一七八七年八月三日に行なわれ、その体験記は同年に出版された。

＊73　ある冬のハールツ旅行のおりに……――この旅行は一七七七年十一月二十九日から十二月十六日にかけて行なわれた。「冬のハールツの旅」の詩を参照。旅行の事情は『滞仏陣中記』一七九二年十一月デュースブルクの項に詳述されている。ゲーテがブロッケン山に登ったのは十二月十日のことであるが、下山のさいの色彩体験がいかに感激に満ちたものであったかは、一八二〇年の『「冬のハールツの旅」注解』の中でなお当時体験した有色の陰影に言及し、『色彩論』の第七五節を明示していることからも窺われる。なお『神と心情と世界』の「なぜならもっとも曇ったものが……」および「きみは王者の……」の詩を参照。

＊74　赤味を増した黄色――これは橙色ないし朱色に近く、陰影の青紫色はその要求された色彩である。同

様に緑色の陰影は夕日の深紅色の光に対する要求された色彩である。第七八節および『ファウスト』第二部一一七〇七行を参照。

＊75　自然はこのように……——自然がこのようにいたるところで自分自身と一致しているのであれば、自然は色彩の美的作用や形態の法則性を通して芸術とも必然的に結びつくことになる。それゆえゲーテにとって芸術は「第二の自然」である。『イタリア紀行』の一七八七年一月二十八日ローマおよび「第二次ローマ滞在」一七八七年九月六日の「通信」を参照。また前出論文『近代哲学の影響』および『プロピュレーエン』への序言』を参照。

＊76　底が鏡面のようになっていて……——図版Iの9を参照。この現象は第二二四節の二重像と密接に関連している。

＊77　ランベルト——Johann H. Lambert（一七二八—七七）、物理学者、天文学者、哲学者。光の測定に関する彼の著述 Photometria は一七六〇年に出版された。

＊78　ブゲール——Pierre Bouguer（一六九八—一七五八）、パリの水理学教授。ランベルトと同時期に測光器を発明した。

＊79　ラムフォード——Benjamin Thompson Rumford（一七五三—一八一四）、王立協会の会員。有色の陰影と色彩の調和について著述を残している。彼が一七九五年の論文の中で、陰影の色彩は「眼の錯覚」(ein optischer Betrug) ではないかという臆測を表明したとき、ゲーテは「眼に錯覚があるというのは神を瀆すものだ」と激しく反発した。

＊80　照明された面の縁——図版Iの3を参照。

＊81　主観的暈——以下の諸節については図版Iの4を参照。

てであった。

＊82　デカルト――デカルトがこの現象を観察したのは、一六三六年、アムステルダムへの旅の途上においてであった。

＊83　波動状の運動――光の波動説とは異なるとはいえ、ゲーテがここで波のイメージを用いているのは注目に値する。

＊84　病理的色彩――以下の諸節については図版Iの2、8、11を参照。また第四節の同見出しの注を参照。

＊85　二人の青年――そのうちの一人はギルデマイスターという名前のイェーナの法律学生であった。この色盲の被験者についてゲーテは、一七九八年十一月十九日および一七九九年二月十二―十四日の日付で精確な記録をとっている。なおこの実験にはシラーも参加している。イギリスの化学者ダルトン(John Dalton)も一七九八年に自己の色盲に関する実験を行なっているが、その理論的解釈を与えたのはゲーテが最初である。

＊86　彼らが青をぜんぜん知らず……――「歴史編」巻末の「著者の告白」の中でゲーテは、女流画家アンゲリカ・カウフマンがローマで彼のために青を含まない風景画を描いたことを物語っている。

＊87　青色盲――この術語はシラーに由来するのであるが、上述の現象は今日では赤緑色盲と説明されている。

＊88　ガルヴァーニ電気の光――この現象をゲーテはヨハン・ヴィルヘルム・リッターを通して知った。まえがきの「一つの金属」に関する注を参照。

＊89　ビュッシュ――Johann Georg Büsch（一七二八―一八〇〇）、ハンブルクの文筆家。ゲーテの色彩学関係の書類の中に彼の論文 Tractatus duo optici argumenti, Hamburg 1783 からの抜粋が保存されている。

＊90　ツァンベッカリ――Graf Francesco Zambeccari（一七五六―一八一二）、スペインの海軍将校。軽気球乗りとして有名であったが、ボローニャで気球の墜落事故のため死亡した。

第二編　物理的色彩

＊91　物理的色彩――眼の活動的な関与について述べた「生理的色彩編」につづいて、色彩の生成過程が第二編において示される。『年代記』によれば、ゲーテはこの部分を一八〇六年に書き終えた。

＊92　種々異なった条件――原因・結果を問うのではなく、ある現象が生ずるためのあらゆる条件を細大洩らさず追究するというのが、ゲーテの研究方法の特徴である。「まえがき」の「光のはたらき」に関する注を参照。

＊93　光には三様の条件が……――以下の四種類の色彩のうち、ゲーテは『色彩論』の完成後、光線反射および薄膜干渉による色彩をもはや論じなかった。これに対して、彼が特に関心をもって研究したのは、物理的色彩に属するいわゆる分極光線（entoptisch）による内視的色彩であった。

＊94　自然の手引きに従って……――「まえがき」に述べられているように、ゲーテにとって自然研究はあくまで自然の自己啓示に耳を傾け、自然の語る象徴的言語を理解することである。前出論文『近代哲学の影響』の「自然に即した方法」を参照。

＊95　物理的色彩の核心――諸現象の系列を重んずるゲーテが光線屈折による色彩をあえて最初に取り扱うのは、彼の究極の目標である根源現象がここで最もよく示されるからである。第一七四節を参照。

＊96　曇った媒体を通して……――第一五〇節と次節で初めて言い表わされているのが根源現象である。

『箴言と省察』の「認識と学問」、『神と心情と世界』の一連の二行詩および『ファウスト』第二部七〇二五―三五行を参照。

＊97 根本現象――根源現象は「根本現象」(Grundphänomen) とも呼ばれる。第一七四節を参照。

＊98 シロッコ――『穏和なクセーニエ』の「友人たちよ　暗室から逃げだすがいい」の詩の第二節を参照。

＊99 ロウソクの光の下部に見られる――図版Ⅰの7を参照。

＊100 ところで煙も……――レオナルド・ダ・ヴィンチもこれと同じことを観察している。

＊101 白檀の浸出液――この浸出液はかつて腎臓病の薬として用いられた。なお。白檀 (Santalum album) に対する別名 Guilandina はリンネの誤りとのことである。

＊102 さる高名な神学者の肖像画――イェーナ大学のプロテスタント神学者デーダーライン (Johann Christoph Döderlein) の肖像画にまつわるこの出来事は、ゲーテの一七九七年五月三十日の日記に記録されている。

＊103 根本現象ないし根源現象――「根源現象」(Urphänomen) という言葉をゲーテはここで初めて用いた。これに実質的に相当するのは、前出の『客観と主観の仲介者としての実験』の中の「高次の経験」および『経験と科学』の中の「純粋現象」である。なお次節のほか、第一七七節、第七二〇節、第七四一節を参照。また『箴言と省察』の「神と自然」を参照。エッカーマンの『ゲーテとの対話』一八二八年十二月十六日、一八二九年二月十八日、一八三一年二月二十日、一八三一年十二月二十一日付でも根源現象が話題になっている。

＊104 二つの相対立するものから……――晩年の論文『気象学の試み』にも同じ考え方が述べられている。

＊105 人間とそれ以外のものとの関係――主観と客観の関係については、第一節「色彩論全体の基盤をな

し」の注を参照。主観と客観は厳然と分かたれてはいるが、眼が太陽によって造り出されたことにより、また色彩現象の成立に眼が活動的に関与していることにより、両者の関係は密接に保たれている。理念と経験のほんらい越えがたい間隙を埋めようとする努力も、主観と客観のこの関係によってある程度まで可能になる。前出の論文『省察と忍従』の冒頭の文章を参照。

＊106 われわれの五官は健康である限り……――『神と世界』の中の詩「遺言」の第三節を参照。

＊107 一面からすでに明らかにされた自然の秘密――分極性と高進性の根本概念を指している。前出の『箴言的論文「自然」への注釈』を参照。

＊108 像の変位――この変位された像は非現実的なものにすぎないので、ゲーテがそれを実在的なものと考え、そこから現実的な作用を導き出そうとしているのは根本的な誤りとみなされている。

＊109 屈折の作用が現われても……――第一九五節以下の主観的実験の諸観察は第三〇六節以下の客観的実験と並行して叙述されている。

＊110 最も単純な像から……――第一九九節から第二〇七節までの叙述については、図版IIおよびIIaを参照。

＊111 暗い境界を明るいもののほうへ移動させると……――この現象をゲーテはフランス従軍中に観察している。『滞仏陣中記』一七九二年八月三十一日付の記述を参照。

＊112 この現象がつねに……――序論に述べられているように（一二〇頁）、ゲーテにとってこれらの生成しつつある色彩はけっして感覚を欺くものではなかった。

＊113 自然全体の中を見まわし……――前出の『客観と主観の仲介者としての実験』の中の「生きた自然の中では」に関する注を参照。

＊114　アイスランド結晶――アイスランド産の重屈折に適した方解石ないし氷州石のこと。

＊115　曇った像――二重像とその曇りということから、ゲーテは次節において、プリズムによる色彩をも曇った媒体による色彩の生成という根源現象から導き出そうとしている。しかし、ここには光学的な重大な誤認があると考えられている。

＊116　肉眼と心眼ではっきり把握していなければ……――心眼とは理念を見る「精神の眼」(Augen des Geistes) のことで、ゲーテの自然科学論集の中でしばしば言及される。前出の『近代哲学の影響』の「研究者の直観のまえで」の注を参照。また『ヴィルヘルム・マイスターの修業時代』第八巻第八章を参照。

＊117　色彩は次のように現われる――これら二つのスペクトルのうち上段は黒地の上の白い細長い紙片を、下段は白地の上の黒い細長い紙片をプリズムを通して眺めたときに生ずる。

＊118　いわば消失していた主像――主像は、中央で閉じていないスペクトルに残っている白ないし黒の個所である。

＊119　灰色の像を用いて繰り返すと……――第二四八節から第二八三節までの観察については、図版Ⅲを参照。なおこれらの叙述は『光学への寄与』第二集の第九三節から第一二二節までに相当している。前出の『光学への寄与』についての注を参照。

＊120　これらの実験のために用意された図版――図版Ⅲおよび図版Ⅳの上図を参照。

＊121　桃色――『光学への寄与』においてゲーテは深紅色に相当するものを桃色と呼んでいた。第二七三節と第二八二節にこの術語が統一されずに残ってしまったように思われる。

＊122　前述の種々の実験は……――第二五八節から第二八三節まで、および次節の諸実験はニュートン理論

を反駁するためのものである。

*123 この色彩現象が屈折にいつでも随伴する――ニュートンの理論によれば屈折のさいには必然的に色彩が生ずる。したがって彼は、屈折作用にもとづくレンズを色収差なしに製作することは不可能と考えていた。色収差のない望遠鏡を一七五七年に最初に製作したのはイギリスの光学職人ドーロント（John Dollond 一七〇六―六一）であった。またドイツで初めて色収差のないプリズムやレンズなどの光学装置を製作したのはフラウンホーファー（Joseph Fraunhofer 一七八七―一八二六）であった。

*124 化学的な見方――ガラスの化学的性質を指している。次節から明らかなように、ゲーテはそのさい酸とアルカリの対立関係を考えている。第四九一節を参照。

*125 色彩現象の増減――増加には黄色の系列の色彩が、減少には青の系列が属している。これら二つの系列は第五〇三節および第五〇四節においては能動側および受動側、第五一四節および第五一五節においてはプラス側およびマイナス側と呼ばれているが、以後はプラス側およびマイナス側に統一して訳出することにする。

*126 一つのやや象徴的な図表――ゲーテによって記述された十六葉の図版（本文庫未収録）。

*127 実験装置について論ずる項目――ゲーテは『色彩論』の第四部補遺において実験器具の記述を予定していた。「まえがき」の「第四部の補遺」の注を参照。

*128 直線によって図示することができ……――以下の客観的実験（第三〇六―三三四節）のために図版VとVIを参照。

*129 太陽そのものでさえ……――物理的色彩の領域において太陽像は決定的な意義をもっている。第三三六節、第三六七節、第三九四―三九九節、第四〇二―四〇七節を参照。

＊130　大きな水プリズム――ゲーテが実際に用いていた水プリズムの模型図である図版Ⅷを参照。

＊131　みずから記述した順序に反して……――第一四〇節によれば、光線反射による色彩、光線回折による色彩、光線屈折による色彩、薄膜干渉による色彩の順に取り扱われるべきであった。

＊132　この論述全体は……――一八二九年二月十九日および一八三一年十二月二日の日記においてゲーテは再びこの可能性を検討している。

＊133　境界を伴って条件をもうけられた光――ゲーテにとって太陽も一つの光像、すなわち太陽像であるが、このように境界という条件によって制約されることも光の受動的作用の一つと考えられる。「まえがき」の「光のはたらき」に関する注を参照。

＊134　クモの巣の色彩――この色彩はほんらい光線回折による色彩に属している。

＊135　戸外に連れ出す――これはゲーテの自然観察の根本的特徴の一つである。『穏和なクセーニエ』の詩「友人たちよ　暗室から逃げだすがいい」の第一節を参照。

＊136　ある友人――一八〇三年から一八〇八年までゲーテの息子アウグストの家庭教師およびゲーテの秘書として同家に居住していたリーマーは、光線回折による色彩の研究に特に熱心に協力した。

＊137　これから経験する色彩――いわゆる薄膜干渉による色彩をゲーテは一七九二年のフランス従軍中にすでに観察している。『滞仏陣中記』一七九二年十月を参照。

＊138　詳しい実験については……――ここで計画されている実験についてはなんの記録も残っていない。なお第一条件のもとで生ずる色彩は一般にニュートン・リングとして知られている。

＊139　分極的対立によって……――序論の「他のすべての基本的現象との系列の中で」の注のほか第七三九節および『箴言と省察』の「神と自然」を参照。

＊140　われわれの論述の連続性——生理的色彩から物理的色彩をへて化学的色彩にいたるゲーテの首尾一貫した叙述の仕方は、彼の科学方法論的前提からの帰結として、それなりに高く評価されるべきであろう。

第三編　化学的色彩

＊141　化学的色彩——一七九三年九月九日付のヤコービ宛の書簡から、ゲーテが当時すでに化学的色彩を研究していたことがわかる。

＊142　白は純粋な曇りの……——第一四六節および第一四七節を参照。

＊143　この場合に考えられることは……——一七九八年以来、ゲーテは dynamisch および atomistisch という言葉をシェリングとともに、個とかかわる経験的な原子論的思考と存在および生成に向けられ普遍から出発する発生論的な見方を区別するために用いた。ゲーテはこれら二つの見方をいま、色彩が原子論的に混合するか、あるいは発生論的に一致するかどうかということを区別するために適用している。第五三八節以下、第五七一節および第七四六節を参照。一八〇〇年一月二日付ヤコービ宛の書簡においてゲーテは、dynamisch（力動的）という言葉が genetisch（発生論的）という概念と本質的に異ならないことを暗示しているので、あえてこの訳語を用いることにした。なお手稿『地質におけるダイナミズム』、『ヴィルヘルム・マイスターの遍歴時代』の「マカーリエの文庫から」および『箴言と省察』の「認識と学問」を参照。また論文『植物生理学の予備的研究』の「発生論的な扱い方」および「有機的統一」を参照。

＊144　種々の金属が……——ゲーテは一七九三年十月四日から七日にかけて金属酸化物に関する一連の実験

を系統的に行ない、図表のためのメモを残している。

＊145　量的関係が……――物理学において刺激の量的な差異として記述されるものが人間の体験においてはつねに質的な価値をもつというゲーテの洞察は、感覚論にとってきわめて重要である。

＊146　黄色と青のあいだに……――序論ですでに述べられていたように、黄色と青はそれぞれ光と闇から生ずる。これら二つの根源的な色彩は原子論的に結合されると緑になるが、発生論的に高進すると赤ないし深紅において一致するのである。

＊147　鉱物性カメレオン――マンガン酸カリの別名。

＊148　隠顕インキ――塩化コバルトの水溶液のことを指している。

＊149　これらの混合を……――色彩の混合を数字で規定する方法を最初に徹底的に開発したのはヴィルヘルム・オストヴァルト（Wilhelm Ostwald 一八五三―一九三二）である。

＊150　こうして生ずる灰色は……――ゲーテにとって灰色は一つの質的存在であって、実際の印象に反して白とみなす（第五五八節）ことはナンセンスである。ニュートン理論の暗黙の反駁については、序論の「半ば光、半ば陰影のようなもの」に関する注を参照。当時は光の色と物体の色がはっきり区別されていなかったので、ゲーテの誤解もある程度やむをえなかった。なお全体性および調和に関しては、第七〇六節以下を参照。

＊151　この上薬によって……――上薬の意義についてゲーテは第九〇四節以下および第九一〇節で再び論じている。

＊152　デラヴァル――Eduard Hussey Delaval（一七二九―一八一四）の著書 Versuche und Bemerkungen über die Ursache der dauerhaften Farben undurchsichtiger Körper, Berlin 1788 をゲーテは『歴

史編』の中で論評している。

＊153 すべての生あるものは色彩へ……——『ファウスト』第二部冒頭の「優美な地方」を思い出させる。四七二五行以下を参照。

＊154 すべての老衰したものは……——『形態学序説』第二論文「研究の意図」の最後の段落を参照。

＊155 ボロニア燐——硫化バリウムから成り、露光のあと暗闇の中でしばらく光っている。第六七八節参照。ゲーテはこの鉱物をイタリア旅行中に知った。『イタリア紀行』一七八六年十月二十日ボローニャを参照。しかし『若きヴェルターの悩み』第一部七月十八日ですでに言及されている。

＊156 ギリシア人およびローマ人の多種多様な表現——『歴史編』に「ギリシア人とローマ人の色彩の名称」という一章がある。

＊157 鉱物の色彩は……——鉱物の色彩は薄膜干渉による色彩の枠内でも言及されていたが（第四四九節）、ゲーテはここで鉱物の色彩のみが純粋に化学的性質のものであることを強調している。これに対して有機体の色彩は有機体に特有の内的過程（第六一七節）によって規定されている。

＊158 有機的自然に関するわれわれの見解——ゲーテは有機的自然に関する論文集をすでに一八〇七年に計画していたが、分冊誌『形態学のために』が実際に刊行されたのは一八一七年のことであった。ちなみに、『形態学序説』の第一論文および第二論文は「イェーナ、一八〇七年」の日付になっている。

＊159 茎葉——詳細は一七九〇年の論文『植物変態論』を参照。茎葉の緑の中に青と黄が含まれ、高次の段階の花や果実において赤が現われてくるのはきわめて象徴的である。

＊160 色相環の大部分を通過する——植物の色彩は黄色または青の系列のなかで変化し、他方の極に移行することはない。これは色素の中で酸またはアルカリが作用している場合が多いためである。第四九二節

を参照。

＊161　相互に類似した動物性器官――生物が不完全であればあるほど、各部分は類似している。『形態学序説』の第二論文「研究の意図」を参照。

＊162　フォルスター――Georg Forster（一七五四―九四）は父とともにクックの第二次世界一周航海（一七七二―七五年）に参加した。ゲーテと文通関係にあった彼はフンボルト兄弟の友人でもあった。

＊163　コックス種の昆虫――この種に属しているのは、たとえばエンジムシである。これらの昆虫はサボテンに寄生している。

＊164　将来さらに追求されるならば……――ゲーテの言葉に刺激されてこの研究を行なったのは、有名な生理学者ヨハネス・ミュラー（Johannes Müller 一八〇一―五八）である。

＊165　いわば根をおろしていて……――ゲーテは根や茎がまだ大地に属していて、ほんらいの植物はその上に生長してくると考えていた。彼の『植物変態論』においても根はほとんど考察の対象になっていない。

＊166　形態とともに色彩もまた変化する――これはゲーテの形態学における根本的確信である。

＊167　植物のメタモルフォーゼの機会に……――『植物変態論』第五章「花冠の形成」を参照。

＊168　基本的色彩――色相環を形成する六つの基本的色彩は無機物においては外部から規定され、どのようにも並列して現われることができる。これに対して有機体内部の色彩は、有機体に内在する法則性に従って、全体との関連から生み出される。

＊169　人間の内部に対しては……――人間は一般自然科学の領域を支配する法則性よりも高次の自然法則のもとにある。『形態学序説』第二論文「研究の意図」を参照。いま人間の内部にひじょうに多くのものが費やされているならば、「平衡の法則」により外部からそれに反比例して何かが差し引かれることに

なる。論文『骨学にもとづく比較解剖学総序説第一草案』の第Ⅳ章を参照。

＊170 ある種の容貌とも……――青年時代にゲーテはラファーターの観相学（Physiognomik）の研究に協力し、早くから人間の容貌と性格の関係に注意を促されていた。『詩と真実』第四部第十八章を参照。

＊171 人間は最も美しい――一八〇五年の論文『ヴィンケルマン』の「美」の章を参照。

＊172 有色照明の場合――ゲーテは有色の光が植物に及ぼす影響を一七九〇年代の初めから繰り返し研究していた。彼が『約束された補遺の代わりに』として印刷したゼーベックの論文は最後の章でこの問題を扱っている。

＊173 橙色の下のほうでは……――ゲーテはスペクトルの各部分に温度差があることに大きな関心を持っていたが、橙色の下は赤外線の部分に当たるので、不可視光線を認めざるをえないことになる。

＊174 目に見えない光線――前節にもかかわらずゲーテはここでスペクトルの赤または青の末端の先になお不可視光線が存在することを否定している。色彩現象を感覚によってのみ観察することの限界が示されている。

＊175 ある綿密な観察者――ゼーベックのこと。

＊176 ふつうのガラス――第二九〇節の叙述から明らかなように、ゲーテは屈折の強さをガラスの酸性成分に、屈折の弱さをアルカリ性成分に帰している。これは、彼が一般にスペクトルの赤ないし黄の側を、リトマス試験紙を用いたとき酸によって惹き起こされる場合のようにプラス側と呼び、青のマイナス側がアルカリに属しているとみなしていることと関連している。

第四編　内的関連の概観

＊177　無理に引き離して……――前出の『箴言的論文「自然」への注釈』の注「結合するために充分に分離し」を参照。

＊178　普遍的な未決定性のまま――現象するものはすべて対立関係において現われるという根本思想は、第三八節および第七三九節においても言い表わされている。なお「特徴的」(charakteristisch) という言葉は第八一六節以下において重要な意味をもってくる。

＊179　ひじょうによく表示することができる――次の図式は第六編におけるゲーテの心理的美的な色彩解釈の基盤になっている。なお、暖色および寒色という表現はプラトンがすでに『ティマイオス』(六七E) において用いている。

＊180　この特殊化された対立関係――第五三九節「黄色と青のあいだに」の注146を参照。

＊181　調和というものを示唆している――第七〇八節以下および八〇三節以下を参照。

＊182　物理学者は二つの原色だけを考え……――原色にはマックスウェルの三原色説、ヘリングの四原色説、マンセルの五原色説、ブリュースターの六原色説、オストヴァルトの八原色説などがあるが、二原色説というのはほかにないようである。第六〇節「三つの原色」に関する注66を参照。

＊183　色相環はわれわれの眼前に出現し……――序論の注34「たやすく環状に配列されうる」を参照。

＊184　生理学的実験によって……――色彩調和の根本法則は第一編第五九節の「要求された色彩」においてすでに見出され、第六編におけるゲーテの色彩美学の基盤になっている。

第五編　隣接諸領域との関係

＊185　物理学者に対して……――本節と第七一七節および第七二二節においてゲーテは、哲学者と物理学者の関係を規定しようと試みている。現代において切実な問題である、正確な科学的認識にもとづく包括的な哲学がここで要請されているように思われる。

＊186　派生的なものを根源的なものとみなし……――根源的なものは光であり、派生的なものは色彩である。したがって、物理学が光を色彩から合成されたものと説明するのは、根源的なものを派生的なものから説明しようとすることになる。明らかにニュートンを意識して書かれている。

＊187　無用な言葉のかき集め――『ファウスト』第一部冒頭のモノローグの終わり（三八五行）を思い出させる。

＊188　測定術に依存しない諸領域――これらは質と形態の領域である。現代の精密科学とゲーテの自然研究の本質的なちがいは、ゲーテのこの目標設定からほんらいすでに明らかである。次節に述べられているように、ゲーテは数学を過小評価していたのではなく、測定術に依存しない諸領域に数学を適用することをこの科学の濫用とみなしたのである。

＊189　測定術の助力が願わしいような問題点――たとえば第四一節における網膜の残像の継続時間を測定することなどが考えられる。

＊190　共同研究の習慣――時代を先取りするゲーテの研究態度と言ってよいであろう。なお独創的であろうとすることの弊害については、たとえば遺稿『さらに一言、若い詩人たちのために』におけるゲーテの発言、『ファウスト』第二部六八〇九行以下およびエッカーマンの『ゲーテとの対話』一八三二年二月

十七日付を参照。また『格言風に』の一連の詩における「わしどもの近くに」の警句を参照。

＊191　キュヴィエ――ゲーテ最後の自然科学論文『動物哲学の原理』における所論にもかかわらず、ゲーテがこのフランスの生物学者を高く評価していたことがこれでわかる。

＊192　カステル――イエズス会士 Louis Bertrand Castel（一六八八―一七五七）は特に色彩と音響の関係を研究し、生涯にわたって、いわゆる色彩ピアノの製作を試みた。

＊193　ギューリヒ――Jeremias Fr. Gülich（一七三三―一八〇三）は染色術および漂白術に関する六巻の大著（一七七九／九三年）を著わした。カステルとともに『歴史編』において論評されている。

＊194　方法論的な中心――ゲーテの科学方法論における一つの特徴であるアナロジーの可能性を暗示しており、それは次節以下において分極性の公式として実現される。なおアナロジーについては、『箴言と省察』の「神と自然」を参照。

＊195　合一の可能な根源的分裂――以下の思想の詩的表現が、『西東詩集』の中の有名な「ギンゴ・ビローバ」の詩である。また『ファウスト』第二部一一九六二行の「一つに合わされた二重の自然」(geeinte Zwienatur) という表現もファウストの内部に働く有機的生命の本質を暗示している。

＊196　諸現象のこの系列――第五編において、「まえがき」で言い表わされていた「これらの普遍的な記号、この自然の言語を色彩論にも適用するということ」というゲーテの主要な意図が達成されることになる。

＊197　色彩と音響の関係――ニュートンがスペクトルの七つの色を音階の七つの音に関係させたことを念頭においている。ゲーテは『色彩論』の完成後およそ五年のあいだ音響論を研究し、音響論に関する詳細な図表を、一八二六年九月六日付で音楽家の親友ツェルター宛に送っている。なお第七五六節および第八九〇節を参照。

＊198　近年さらに大きな危険に陥った――ゲーテはおそらくロマン派の自然哲学のことを考えていると思われる。

第六編　色彩の感覚的精神的作用

＊199　眼という感覚およびその仲介により心情に対して……――第六編においてゲーテの『色彩論』は最高潮に達する。ほんらい美術における彩色の問題から色彩研究に入ったゲーテは、第六一節ですでに予告されていたように、色彩現象のあらゆる領域を精緻な観察と統一的な考察によって一巡したのち再び最初の関心事に戻り、色彩が眼と心情に及ぼす美的作用を論ずるのである。ゲーテの色彩論の反対者たちも、ゲーテのこの色彩美学とその基盤になっている生理的色彩研究の成果を認めざるをえなかった。

＊200　有色の宝石には病を癒す力が……――『親和力』第一部第六章のエメラルドを参照。精神病学などにおいて色彩を治療の目的のために使用することは、近年ますます大きな意義をもってきたようである。

＊201　プラス側の色彩――プラス側の色彩は暖色で、マイナス側は寒色である。第六九六節を参照。なおゲーテはこれまで黄赤色（Gelbrot）を橙色と呼んできたが、この節ではこれを赤黄色（Rotgelb）と表示し、これまでの黄赤色を朱色（Mennig Zinnober）と呼んで区別している。

＊202　当該の個所で……――第五〇三節を参照。

＊203　最後の審判の日に天と地をおおう色調――『ヴィルヘルム・マイスターの修業時代』第四巻第一章において狂気の竪琴弾きのうたう四行の詩を参照。

＊204　現実的満足――緑色は暖色と寒色の均衡のとれた色彩である。緑色が現実的満足を与えるのは、眼が

黄色の場合のように活発にされることも、青の場合のように憧憬的にされることもないからである。

＊205　黄色は赤青色を要求し……――第七六四節「プラス側の色彩」についての注において指摘したように、ほんらい色相環のなかで黄色と対立する色彩は菫色ないし青赤色（Blaurot）、青に対立する色彩は橙色ないし黄赤色（Gelbrot）でなければならない。この混乱は、ゲーテが色彩の感覚的精神的作用を論ずるにさいして、色相環の赤と黄および赤と青のあいだに、単純な橙と菫の代わりにそれぞれ黄赤色（Gelbrot）と赤黄色（Rotgelb）および青赤色（Blaurot）と赤青色（Rotblau）の二色を挿入したためと思われる。

＊206　これまで虹を……――虹と色相環の関係について、ゲーテは『ディドロの絵画試論』への注解（一七九九年）の中で論じている。

＊207　特徴のある組み合わせ――特徴的なものは、何かある個別のものが一つの全体から歩み出て、それが現われてくるものに特有の刻印を付与することにある。ゲーテにとって完全な全体性は相対立する互いに要求し合う二つの色彩のあいだに見出されるので、それから歩み出た組み合わせの二つの色彩はそれぞれの特徴をなんらかの形で保持していることになる。

＊208　最も単純なもの――『若きヴェルターの悩み』第二部九月六日付で述べられているヴェルターの「ブルーの無地のフロックコート」と「黄色のチョッキ」は特徴のある組み合わせということになる。また同じく第二部十一月三十日付で描写されている「グリーンの質素な上着を着た」ハインリヒが「黄色い花や青い花や赤い花」を探し求めているのも暗示的である。

＊209　これら四つの組み合わせ――注目すべきことに、六つの可能な特徴のある組み合わせのうちゲーテは緑と橙、緑と菫の組み合わせを無視している。

＊210 前のよりも小さな弦によって……——特徴のある組み合わせを示す色相環の図⑪または図⑨を参照。

＊211 こうして黄色と黄赤色……——ここで色相環において黄色と隣接する橙色は再び黄赤色、青色と隣接する菫色は青赤色と表示されている。

＊212 愚者の色——諺に「青と緑はどんな馬鹿者にも見える」とある。

＊213 いかなる特殊な場合にも……——第八三〇―八三二節においてゲーテは、序論でもうけた原則論への限定（一二二頁）をわずかに踏み越している。

＊214 経験において……——経験においては、これまで展開されてきた色彩調和の諸原則と必ずしも一致しない多くのことが現われてくるということは、これらの諸原則が自然と人間の本性から導き出された理念的なものであることを暗示している。

＊215 雑多な色彩——これまでネガティブな意味で「雑多な色彩」と訳出してきたbunt（多彩な）という言葉はここで初めて通常の意味とは異なる概念規定をされる。第三六九、三七二、三七三、三七五、五六四節および第八九六節以下を参照。『ファウスト』第一部の「復活祭の散歩」においては、buntなものは快活で楽しいものとされている。九一九、九三二、九三六行を参照。なおインディアンふうの色調については『ヴィルヘルム・マイスターの遍歴時代』第一巻第九章を参照。

＊216 衣服を着る場合——『ヴィルヘルム・マイスターの遍歴時代』第二巻第二章の「教育州」の叙述において、色彩は子どもの性質を見抜くための一つの手段とみなされている。

＊217 ヘルクラネウム——古代遺跡ヘルクラネウムは一七一九年いらい発掘され、ゲーテはイタリア旅行中にそこを訪れている。『イタリア紀行』一七八七年三月十八日ナポリを参照。

＊218 「アルドブランディーニの結婚式」——ヴァティカン図書館所蔵のアウグストゥス帝時代の古代絵画。

ハインリヒ・マイアーの描いたコピーがヴァイマルのゲーテ家のいわゆる「ユノの間」にかかっている。

＊219 ポリドロ——Polidoro Caldara（一四九五—一五四三）、イタリアの画家で、別名はダ・カラヴァッジョ。

＊220 パオロ・ウッチェロ——Paolo Uccello（一四〇〇?—七五）、フィレンツェの画家。

＊221 明暗の釣り合い——『イタリア紀行』の「第二次ローマ滞在」一七八七年七月二十二日付「通信」および『詩と真実』第一部第四章に記述されているゲーテの父親の絵の趣味を参照。

＊222 彩色の問題——「歴史編」の「著者の告白」に述べられているように、この問題がゲーテの色彩研究の動機であった。なお晩年のゲーテの有名な肖像画を描いたヨーゼフ・カール・シュティーラー（Joseph Karl Stieler 一七八一—一八五八）宛の一八二九年一月二十六日付の書簡でも、ゲーテは色彩が物理学者の専有物でないことを強調している。

＊223 基本的状態から徹底的に遠ざかっており……——第六六二節「基本的色彩」に関する注を参照。

＊224 特徴的なことは……——彩色における特徴的なものは、以下の叙述からわかるように、二つの色彩の組み合わせにおける特徴的なものと混同されてはならない。これは調和のある組み合わせ（第八八二節）にほかならず、これは彩色全体に対して要求される。「光輝あるもの」とは調和のある組み合わせ（第八八二節）にほかならず、

＊225 たいてい特徴がない——特徴のあることと調和的全体性とは、ある程度まで二律背反的である。なぜなら、特徴的であるためには全体の一部が強調されなければならず、これによって同時に全体性は失われてしまうからである。しかし全体性はとかく画一的になり、特徴のないものになりやすいのである。

＊226 音調あるいはむしろ調性という言葉を……——第八九一節の「色調」（Farbton）という表現が「音調」（Ton）を転用したものであることを暗示している。

＊227　これまで画家たちには……――例外はフィリップ・オットー・ルンゲ（Philipp Otto Runge 一七七七―一八一〇）である。彼は色彩を理論的に考察することの必要性を強調し、ゲーテの色相環とほぼ同じ結論に達した。

＊228　象徴的使用――ゲーテは色相環の象徴的意義を図示したものを三種類遺している。図⑫の統一図としてまとめられた外側の三つの環（一七九九年）、内側の三つの環（一八〇九年）および中心の三角形（一八一六／一七年）がそれである。ゲーテの文学作品のなかに現われてくるいろいろな気質やタイプの人間とその周辺で用いられる色彩の名称とをこの図を参考に関連させて考えるのは、まことに興味深い。たとえば『色彩論』とほとんど並行して執筆された『ファウスト』においては、じつに多種多様なかたちで色彩が象徴的に用いられている。なお象徴性そのものについては、『箴言と省察』の「芸術と芸術家」および美学論文『象徴法について』を参照。

＊229　時代思潮に即した解釈の実例――ロマン主義者たちの自然哲学的傾向を考えていることは疑いを容れない。なおゲーテは本節のあとにルンゲの一八〇六年七月三日付の長い書簡を付録として挿入しているのであるが、ハンブルク版にならいここでは省略した。

結びのことば

＊230　本稿の継続的な編集の仕事――この辺の事情は『年代記』一八〇六年および一八〇七年の項で報告されている。

＊231　芸術家さえディレッタントを……――ディレッタンティズムの問題はゲーテの芸術論における大きな

テーマの一つである。ゲーテの詩集において「芸術家詩」としてまとめられている一連の詩および『箴言と省察』の「芸術と芸術家」を参照。

*232 しばしば素人によって……――雲の形を研究したルーク・ハワードも在野の自然研究者であった。自伝的論文『著者は自らの植物研究の由来を伝える』を参照。

*233 多くの者が生を享《う》けて……――旧約聖書「ダニエル書」第十二章四節の自由な翻訳。ウルガタ訳では、plurimi pertransibunt, et multiplex erit scientia となっている。ゲーテはこの章句をフランシス・ベイコンの著書から引用したとみなされている。

解説　自然科学者としてのゲーテ

自然研究者の諸段階

　ゲーテが詩作とならんで自然研究に没頭したことについては、昔から毀誉褒貶が絶えない。彼自身も、『植物変態論』（一七九〇年）のフランス語訳に添えた一八三一年の論文『著者は自らの植物研究の由来を伝える』の中で次のように述懐している。「半世紀以上もまえから私は祖国でも、たぶんまた外国でも詩人として知られており、詩人としてはかなり認められてもいる。しかし私が大きな注意を払って自然の一般物理的な、また有機的な諸現象を理解しようと熱心に努力し、真剣に行なった種々の観察を絶えず情熱的に追究しているということは、それほど一般には知られていないし、まして注意して考慮されることはなかった。」

　自然科学者としてのゲーテに対するこのような過小評価には、むろん、それなりの理由があった。そこには大別して、ゲーテ自身の研究方法がはらむ問題性と、当時の科学史的状況のある程度までやむをえない無理解と葛藤があったであろう。それはゴットフリート・ベンの論文『ゲーテと自然科学』およびヴェルナー・ハイゼンベルクの論文『現代物理学の光に照らしてみたゲーテとニュートンの色彩論』において専門の自然科学者の立場から詳細に論じられているとおりである。

他方でゲーテの自然科学を不当に過大評価しようとする試みがこれまでなかったわけではない。ゲーテが一七八四年に人間のいわゆる顎間骨を発見したことは有名であり、また彼が植物のメタモルフォーゼや動物の原型という考えによって進化論の先駆とみなされうるような生物学思想を抱いていたことや、彼の生理的色彩研究がその後の斯学の研究に大きな影響を及ぼしたことなどが、しばしばひじょうに強調される。しかしながら、厳密に言えば顎間骨は一七八〇年にフランスの解剖学者ダジール（Felix Vicq d'Azyr）によってすでに発見されていた。またゲーテをラマルクとともに進化論の先駆者に祭り上げたのは、主として十九世紀後半の動物学者かつ哲学者エルンスト・ヘッケルであって、このような見方は専門的なゲーテ研究においてはおおむね否定されている。そして生理的色彩はヨハネス・ミュラー、ヘルマン・ヘルムホルツ、ヴィルヘルム・オストヴァルトなどの偉大な自然科学者たちによって確かに積極的に評価されているとはいえ、それはゲーテが二十年の歳月を費やして完成した大著『色彩論』のほんの一部にすぎない。そのうえ生理的色彩は、たとえゲーテがいなくても、遅かれ早かれ他の自然科学者によって発見されたにちがいないのである。ゲーテも、自分の広範囲な色彩研究の中でこの部分だけが科学的な認識として認められることに、けっして満足しなかったであろう。

ではゲーテにとって自然研究はほんらいどのような意義と目的をもっていたのであろうか。ここで何よりも注意しなければならないのは、当時はまだ自然科学者（Naturwissenschaftler）という表現がなく、ゲーテはつねに自然研究者（Naturforscher）あるいは自然愛好者（Naturfreund bzw. Liebhaber）という言葉を用いていたことである。自然研究とは、ゲーテにとって、自然を友とする人間が愛する対象としての自然をよりよく知ろうとすることにほかならなかった。したがって、自然を知るためには理性ないし悟性といわれる知的能力だけでなく、愛する人間を理解しようとする場合と同様、自然のあらゆる外的な現象からその内的意味を推し測るための鋭敏な感性や豊かな想像力も必要であった。そのうえゲーテにとって自然は、後述するように、神的なものと不即不離の関係にある物質的かつ精神的存在であった。それゆえ、彼の自然研究はつねに同時に深く宗教的な性格を帯びていた。この意味で、彼が自然研究者を次の四つの発展的段階にわけて考えていたことは、自然科学者としてのゲーテを公正に評価するためにきわめて重要である。

利用する人（Die Nutzenden）
知識の人（Die Wißbegierigen）
直観する人（Die Anschauenden）
包括する人（Die Umfassenden）

『植物生理学の予備的研究』の中で詳述されているように、「利用する人」と「知識の人」は、ごく一般的な意味で、現代の科学的技術的研究に従事する人々に相当している。これに対してゲーテ自身は少なくとも「直観する人」であって、自然に関するたんなる個別的知識やましてや経験的利用に満足することなく、生産的な想像力を用いて自然の全体像を把握しようと努力する。しかし彼は自然の利用や知識をけっして拒否しているわけではなく、むしろこれらに直観を付け加えた最高の段階として、さらに「包括する人」を挙げている。「包括する人」とは、自然さえもそれに従わなければならないような理念から出発する自然研究者のことであるが、彼が理念から再び現象ないし経験の領域へ降りていくことは、昇ることが困難であっただけに、それだけ容易になるのである。

ところでゲーテは『箴言と省察』の「認識と学問」の中で、学問ないし科学の歴史を次の四つの時期にわけている。

子どもらしい、すなわち詩的、迷信的な時期。
経験的、すなわち探求的、好奇的な時期。
教義的な、すなわち教示的、衒学的な時期。
理念的な、すなわち方法的、神秘的な時期。

この区別は明らかに先の自然研究者の四つの段階に対応しており、これをさらに適用して、自然科学者としてのゲーテの発展を大きく次の四期にわけて考えることもできる。

ヴァイマル前期（一七七五—八六）
イタリア旅行以後（一七八六—一八一七）
研究成果の集大成期（一八一七—二四）
晩年の自然観照期（一八二四—三二）

すなわちゲーテも自然研究の最初の段階においてはまず必要に迫られて「利用する人」として出発し、次に「知識の人」として多種多様な自然観察を積み重ねたあとで初めて、直観にもとづく自然認識に到達したのである。そして彼が晩年において「直観する人」からさらに「包括する人」へと発展していったとき、彼の自然認識は、詩集『神と世界』におけるように、教示的な論文よりはむしろ抒情的な思想詩ないし世界観詩として言い表わされるようになった。「最高のことは、すべての事実がすでに理論であるということを把握することである。空の青はわれわれに色彩学の根本法則を啓示している。さまざまな現象の背後に何かを探し求めてはならない。それら自らが学理である」というような『ヴィルヘルム・マイスターの遍歴時代』第二巻巻末の「遍歴者のこころにおける省察」からのことばも、個別研究を十分に行なったあとで根源現象を洞察した「包括する人」の発言にほかならない。

自然研究の思想的基盤

現在のふつうの観念をもってすれば、ゲーテの自然研究の第三および第四の時期はどちらかといえば哲学的であって、科学的と呼ぶことができるのは主に第一と第二の時期である。しかし、一七七五年以前のゲーテがいかに深く自然を体験していたかを顧慮するならば、彼の自然研究がヴァイマル移住以前の自然体験にねざし、そこになんらかの思想的基盤をおいているにちがいないことは、容易に考えられる。事実、『ヴェルター』の初稿はもちろんのこと、『ウルファウスト』も一七七五年以前に書かれ、ゲーテの青年時代の自然観を生き生きと反映している。また彼は一七七四年から七五年にかけてチューリヒの牧師ラファーターのいわゆる観相学研究に積極的に協力しているので、当時めざめさせられた骨相ないし容貌と性格、すなわち人間における外面と内面の相関関係に対する興味がヴァイマル前期における彼の骨学研究の基礎をなしていることは疑いを容れない。したがって、彼の自然研究の特質を理解するためには、彼の自然観がいかに形成されたかを時代思潮との関連からまず見ていかなければならない。

ゲーテの幼少年時代の自然体験は自叙伝『詩と真実』にひじょうによく描かれていて、彼の自然観の形成もたんなる暗示以上に明らかにされている。これが執筆時期の晩年の思想の反映であるとしてその信憑性を疑う理由は、今日もはやほとんどなくなっている。青年時代における彼の根本問題は、ルネサンス以降の宗教的傾向をもったすべての思想家たちの場合と同様、「有限なるものの中に無限なるものを見出すこと」であった。思想史的に見れば、それはキリスト教の超越的な神に代わる内在的な神の探求である。キリスト教が直接的な啓示の源としての聖書のほかに、神の被造物としての自然に間接的な啓示の役割を認めていたのに対して、近代の思想家たちはどちらかといえば自然の中に神の直接的な啓示を求めるようになったのである。図式化すれば、中世キリスト教思想の根本概念である神・世界・人間の内的緊張をはらんだ調和は、まず第一に十七世紀の理神論によって崩壊の危機にさらされることになった。なぜなら理神論は、キリスト教的な創造神の存在をまだはっきり否定しないとはいえ、この神の創造以後の被造世界への介入を否定することによって、この世界ないし自然に決定的なしかたで自律性を認める結果を招いたからである。これによって生じたのが、イギリスやフランスの啓蒙主義時代の無神論的、唯物論的な自然観である。しかし神なき世界にあきたらない人々は自然の中に神を探求しつづけ、しかもそこで得られると信じられた神秘的な自然認識をなんらかの形でなお聖書の教えと一致させようと努力した。これがパラケルススをはじめとする汎知学（Pansophie）の思想家たちである。しかし、これらのいわゆる「白い魔術」を研究する神探求者的な錬金術師たちとならんで、自然の神秘な力を現世的な欲望の満足のために濫用しようとする「黒い魔術」の錬金術師たちがいた。そして、これら二種類の錬金術師を截然と区別することは必ずしも容易ではなかった。しかしながら、錬金術がキリスト教の信仰と結び付きえたことは、『詩と真実』第二部第八章に述べられているように、クレッテンベルク嬢をはじめピエティスムスの人々がその研究に熱中したことからも知られる。

神・世界・人間というキリスト教的な三角形の図式はこうして十八世紀のドイツにおいて解消し、神が世界の中に内在する形で直線的に人間と相対することになる。ゲーテの人間形成における自我と世界の交互作用という関係はこのような世界像の変化にもとづいている。彼にとって、自然がほとんど神的な存在として自己を啓示し、自然研究とはこの啓示の言葉を解読することにほかならないことは、『色彩論』第一部「教示編」のまえがきや序論で深い宗教的な愛と畏敬の念をもって語られている。そのさいきわめてゲーテ的なことは、自然の中に神的なものを認めることによって、自然の産物である人間自身の内部にも神的なものが容認されることである。それは有名な次の詩句の中で美しく言い表わされている。

もし眼が太陽のようでなかったら、
どうしてわれわれは光を見ることができるだろうか。
もしわれわれの内部に神みずからの力が宿っていなければ、
どうして神的なものがわれわれを歓喜させることができるだろうか。

森羅万象の調和的一致と外界と内界の照応という古代ギリシア以来のこのような確信は、ゲーテの自然研究にさいして青年時代から終生変わることのないものであった。しかし、彼以後のドイツ思想史においてはこのような宗教的自然観および人間観はしだいに稀薄となり、十九世紀後半の自然科学研究において無神論的な唯物論が再び支配的になったとき、人間は自然の中に神を見失っただけでなく、同時に自己の内部の神的なものが失われていくのを痛切に体験しなければならなかった。ニヒリズムあるいは「中心の喪失」と呼ばれるこの精神史的なできごとは、芸術創造の領域においては、あるいは生産的な作用を及ぼしたかもしれない。また自然科学研究に巨大な技術的発展をもたらしたかもしれない。しかし少なくとも自然認識の面では、ゲーテ的な自然の見方および研究方法とその後の近代自然科学との間に、この解説の冒頭で指摘したのよりもっと深い断絶が生じてしまった。一八八二年、生理学者のエミール・デュ・ボア・レイモンがベルリン大学総長就任のさいに行なった「果てしのないゲーテ」という講演は、自然科学者としてのゲーテに対する無理解と拒絶的な態度の代表例であった。

先に引用した詩句の中でゲーテは、時代思潮に逆行するような自己の自然観が古代ギリシアのイオニア学派やプロティノス以来の神秘主義の伝統にもとづいていることを示唆していたが、『詩と真実』第二部第八章の終わりにおいてさらに、彼の自然観がより包括的な宇宙発生論（Kosmogonie）からの必然的帰結であることを、かなり具体的に明らかにしている。箴言的論文『自然』に対する晩年の注釈に述べられている「物質的あるいは精神的なものとして見られる限りの自然」という観念や、「自然の二大動輪」と呼ばれる分極性と高進性の概念などは、彼のコスモゴニーとの関連からはじめて理解される。このコスモゴニーは基本的には新プラトン主義の流出説にもとづいているとはいえ、キリスト教の神秘主義やユダヤ神秘説カバラーの諸要素を加味した独特の宗教的な世界像である。青年時代のゲーテにこのような世界像の形成をうながすきっかけを与えたのは、とりわけウエリングの『魔術的神秘の書』(一七三五年)や著者不詳の『ホメロスの黄金の鎖』(一七二三年)などの汎知学的書物であった。前者がその可視的な図表によって暗示的であるのに対して、後者は特に「鎖」のイメージによってゲーテの科学方法論における「連続性の原理」と密接な関係があるように思われる。

自伝の一部としての自然科学論文

汎知学的な自然観にささえられていることとならんで、ゲーテの自然研究のもう一つの特徴は、彼の自然科学論文が一種の「信仰告白」(『科学、特に地質学との関係』)であって、その意味でかの「大いなる告白の断片」(『詩と真実』第二部第七章)に属しているということである。彼が自分の個々の研究成果を集大成して『自然科学一般のために』および『形態学のために』と題された二系列の個人機関誌に発表したのは一八一七年から二四年にかけてであるが、これら二つの論文集は、それぞれ「経験・考察・推論、生涯のできごとと結びついて」という副題が添えられていたことからわかるように、広い意味でゲーテの自叙伝の一部である。実際、それらの刊行は、『詩と真実』第一部から第三部までと、『イタリア紀行』第一部と第二部の完成後ただちに始められている。それゆえ、これらの論文集の内容を概観することは、ゲーテの生涯における自然研究の役割を知るための一つの手がかりになるであろう。

いま主なものを列挙すれば、『形態学』誌第一巻第一冊には『形態学序説』の三編の論文、『植物変態論』とこれに関連した諸論文、それにシラーとの出会いを叙述した『幸福なできごと』、第二冊には巻頭の思想詩「始原の言葉・オルフェウスの教え」につづいてカント哲学関係の四編の論文、『骨学にもとづく比較解剖学総序説第一草案』、教訓詩「動物の変態」および顎間骨に関する論文の決定稿など、第三冊には「パラバーゼ」の詩につづいて上記『総序説』の最初の三章に関する論述、第四冊には、『箴言と省察』の「思考と行為」に入っている「わたしたちが神と自然から……」以下の五つの重要なアフォリズムその他、ルーク・ハワードの紹介文などが収録されている。また第二巻第一冊には『種々の問題』や『適切な一語による著しい促進』の論文、第二冊には『頭蓋が六つの椎骨からできていること』および『齧歯類の骨格』などの論文が掲載されている。

『形態学』誌において最も注目に値するのは、ゲーテが第一巻第一冊の巻頭にかかげた旧約聖書「ヨブ記」からの次の引用である。

視よ彼わが前を過ぎ給ふ
然《しか》るに我これを見ず
彼すすみゆき賜ふ
然るに我之を暁《さと》らず

Siehe er geht vor mir über
ehe ich's gewahr werde,
und verwandelt sich
ehe ich's merke.

これらの言葉の出典は、義人ヨブが友人たちの誘惑的な言辞に対して創造主である神の全知全能を語る第九章第十一節である。したがって「彼」と呼ばれている神はもともと汎神論的に漠然とした存在ではなく、真に旧約聖書的に人間のかたわらを歩んでいくように体験されたヤハウェの神であった。ルターのドイツ語訳でも三行めは「通り過ぎ給う」(und wandelt vorbei) となっている。ところが、ゲーテの引用のドイツ語が「姿を変え給う」(und verwandelt sich) と変えられたことによって、旧約の神は著しくプロテウス的なイメージを帯びることになった。それはゲーテにおける神と自然の関係から必然的な変更であるが、たとえ聖書からの引用であっても、彼の自然観がけっしてすぐキリスト教的とは言えないことを示す典型的な例である。

『形態学』誌が植物学・動物学・解剖学・形態学的自然考察の一般的問題に関する諸論考を収録していたのに対して、『自然科学一般』誌には主として地質学・鉱物学・色彩学・気象学関係の論文が収められ、巻頭には、のちに『神と世界』のモットーとされた詩と次の詩句が掲げられた。

みずから学びえなかったことを
私は遍歴によって習得した。

そして第一巻第一冊には、目次のあとに「プロエミオン」の詩が添えられ、つづいて著者のまえがきが付されていた。これによれば、ゲーテの主要な関心事は形態学論集を刊行することであった。しかし、それら以外にも捨てがたい多数の自然科学論文が保存されていたため、別途に印刷されることになったのである。とりわけ地質学関係の論文は、ボヘミア地方各地への旅の機会に数多く執筆されていながら、大部分未発表のままであった。また色彩学の研究は一八一〇年の『色彩論』完成後も依然として熱心につづけられていた。ところが一八一三年、T・J・ゼーベックの実験によっていわゆる分極光線による内視的色彩現象の詳細が知られるに及び、ゲーテは新しい論文を書く必要に迫られていた。彼はこの色彩現象が生ずるさいの諸条件を徹底的に研究し、その成果を『教示編』第二編の「物理的色彩編」に追加したいとさえ考えていた。したがって、色彩学に関する彼の新しい認識がこの『自然科学一般』誌のほとんど各分冊の中で発表されることになった。そのうえ、彼にとって形態学的に把握しようのなかった気象学的現象の認識がハワードの雲の研究によって著しく深められ、彼の積極的な関心を呼びさました。『ハワードによる雲形』の論文および「ハワードの名誉を記念して」の詩は、それぞれ第一巻の第三冊および第四冊に見出される。その他、特にめぼしいものとしては、地質学の論文『エーガー付近のカンマーベルク』が第一巻第二冊に、方法論的にきわめて重要な論文『客観と主観の仲介者としての実験』は思想詩「個と万象」とともに第二巻第一冊に収録されている。

一八二四年に分冊誌の発行が中止された後、ゲーテは自己の精神的遺産を確保するため、最後の決定版全集の編集の仕事に専念した。最初の計画では文学作品だけでなく自然科学論文も収録される予定であった。しかし、それらは結局、彼の死後『遺稿集』の第五〇巻から六〇巻までとして追加されることになった。しかもそれらは、自然科学一般、鉱物学・地質学・気象学、『色彩論』の「教示編」および「歴史編」、植物学・骨学、形態学、『光学への寄与』、『色彩論』の「論争編」、自然科学雑録の順序で十年間にわたって雑然と公表されたため、ゲーテの自然研究の全貌を有機的かつ統一的に伝えるものではなかった。それらはむしろ自然科学者としてのゲーテの形姿をはなはだしく歪めることになり、ゲーテの死後数十年のうちに自然科学的ディレッタントというイメージが、ゲーテの敵対者だけでなく一般の読者のあいだにもでき上がってしまったことは想像に難くない。

科学史における位置付け

これまで述べたことからある程度まで明瞭になったと思われるのは、ゲーテにとって自然研究がたしかに詩人の道楽にすぎないようなものではなかったということである。彼の個々の自然認識は現代科学の立場から見ればあるいは幼稚であったり、あるいは自然哲学的すぎるかもしれない。しかしながら『色彩論』「教示編」の第五編「隣接諸領域との関係」においてゲーテは、物理学者、数学者、哲学者のそれぞれ独自の課題と相互関係を十分に考慮している。ただ彼は物理学者(Physiker)をまだ言葉のほんらいの意味で自然学者として考えており、そのため物理学者の研究範囲を、根源現象を直観によって把握し、他のすべての派生的現象をこの最高原理から導き出す、すなわち演繹的に説明することに限定してしまったのである。(現在では、ゲーテの示唆している哲学こそまさに理論物理学の領域に相当しているのであろう。）彼の自然観が十六、七世紀の汎知学の伝統に深くねざしていたように、彼の自然研究は要するにまだ、錬金術から徐々に近代化学が成立し、占星術から天文学が発達し、本草学から植物学が発展していったあの歴史的過程のさなかにあったのである。

しかし、それだけにいっそう意義深いことは、ゲーテ自身がいかに当時の科学史的状況を体験していたかを知ることである。種々の自然科学論文の中で彼が特に自己の自然研究の歴史を振り返っているのは、『著者は自らの植物研究の由来を伝える』、『動物哲学の原理』および『色彩論』第三部「歴史編」終章の「著者の告白」であるが、そのほかになお、一八二一年四月十一日の日付で『自然科学の発展過程』という図式的な断片が遺されている。編集に関する数行の覚書につづいてそこでまず指摘されているのは、一七五〇年から一八〇〇年に至るゲーテの前半生がちょうど自然科学の勃興期に当たっていたということである。詩人として時代のあらゆる面と密接なかかわりをもっていたゲーテは、自然科学者としても近代科学の成立と発展を身近に体験する機会に恵まれたのである。

前世紀の後半を生き抜いた好運。
種々の大発見と時代をともにした大きな利益。

これらの発見は兄弟・姉妹・親族、そればかりでなく、みずから協力した者には娘や息子とさえみなされる。

特にゲーテの誕生前後には電気の実験がさかんになり、一七五二年にはB・フランクリンが避雷針をつくることに成功した。もとより、『詩と真実』第一部第一章によれば、ゲーテが自然現象に対して強い関心を惹き起こされたのは、何よりも一七五五年十一月一日に起こったリスボンの大地震であった。当時の啓蒙主義者たちのオプティミスティッシュな世界観を震撼させたといわれるこの大事件によって、少年ゲーテは早くもキリスト教の信仰箇条に対する最初の疑惑を抱き、神と自然の関係について思いをめぐらすようになったと言われる。

私の出生直前には電気が新しい興味を喚起していた。
この部門の拡大。
理論的考察の試み。
避雷針の発明。
不安におののいていた人々の喜び。

リスボンの大地震による混乱。
わが家の親しい知人、電気に関心を寄せる。
私の幼稚な努力。

ゲーテと自然との関係においてさらに意義深いことは、彼が幼時から眼という感覚にもとづいてつねに芸術的な視点から自然を眺めていたということである。『ファウスト』第二部第五幕の塔守リュンコイスのように遠くと近くにあるものを明るく澄んだ眼で客観的にみる見方はこの頃からすでに培われ、後年の『色彩論』に記述されているような精緻な色彩現象の観察は多かれ少なかれ幼少年時代からすでに行なわれていたといってもおそらく過言ではない。

やがてすぐ目に見える自然に向かう。
もともと鋭い視覚を欠く。
それゆえ対象を優美に見る資質。
成長する客観性。
日没への注意。

色彩の漸消する明るさ。
有色の陰影。
その他の自然現象。
虹。
ほんらい有色の辺《へり》を伴った暗い円形。

幼少年時代における自然との関係がまだやはり漠然とした宗教感情を中心としたものであったのに対して、ゲーテのライプツィヒ遊学時代（一七六五—六八）から、自然は彼にとって徐々に意識的な研究対象になってきた。ほんらい法律学を学ぶべきであった彼は、初期の詩作にふけるかたわら、大学では主として自然科学関係の講義を聴講していた。とりわけヴィンクラーの物理学は彼にとって興味深いものであった。しかし、彼の根本的な関心事は自然に関する個々の知識ではなく、あくまで自然の本質の統一的な把握であった。彼はファウストのように「世界を奥の奥で統べているもの」をまず究めたいと願い、そのためにフランクフルトにおける病気療養中に錬金術的な実験と考察に熱中した。彼はのちに『色彩論』の「歴史編」において、錬金術師たちの努力を克服された認識段階として見下している。しかしながら、彼の自然観が錬金術的思考といかに密接に結びついていたかは、すでに述べたとおりである。

ライプツィヒでヴィンクラーの物理学。

わが家で錬金術的模索。

長い休止、青春の情熱によって満たされる。

「長い休止」といわれる時期にはシュトラースブルク大学遊学時代（一七七〇―七一）が入っていて、ゲーテはここで医学関係の講義を熱心に聴いている。彼が一七七五年十一月のヴァイマル移住とともに種々の自然観察を始めたことはすでに指摘したが、岩石・植物・動物の標本を採集してそれらを外面的特徴に従って分類記載する伝統的な研究は当時、博物学（Naturgeschichte）と呼ばれていた。これに対して今日の化学と物理学の母胎となる理論的研究は自然学（Naturlehre）と呼ばれて区別されていた。彼が後者の領域の研究成果に多大の関心を寄せていたのは、彼の確立しようとしていた新しい学としての形態学（Morphologie）が基本的には前者にもとづきながら、生理学および解剖学的知見とともに、形態に及ぼす物理化学的作用をも考慮に入れていたからである。

ほんらいの始まり。
ヴァイマルにおいて。
ブーフホルツによって。
その性格。
ほんらいの恩人。
裕福、活動的、野心的。
万事新しいことを発表しようとする名誉心。
有能な薬剤助手をもつ。
ゲットリング。
そのイギリス旅行。
彼イエーナ大学教授となる。
私はハーゲンの化学の側についていた。
プリーストリとその気体論、一七八〇年。
類似のことはつとにヘルモントから知っていた。
フランスの化学。
ゲットリングこれに賛意を表する。

彼の弟子たちの干渉。

連続して起こる認識の大きな利益。

ヴィッテンベルクで出たエルクスレーベンの種々の刊本、決定的な利益。

イタリア旅行（一七八六―八八）から帰国したあとのゲーテは、ヴァイマル公国の文教上の責任者として、イェーナ大学の付属植物園の拡張をはじめ各種の研究施設の充実に力を尽くした。したがって彼は必ずしも大学の外部にいたわけではない。むしろ彼は内外の多くの自然科学者と交流があり、専門的な自然研究の動向につねに精通していた。しかし一般に詩人としてのみ認められることに反発して、彼は自然科学者として絶えず在野意識をもっていたようである。また彼の晩年に多くの若い有能な自然科学者たちが輩出してきたときにも、心して彼らの業績を認めようとしていたようにみえる。それは彼が『形態学』誌および『自然科学一般』誌にC・G・カールス、ゼーベック、ダルトンその他若い世代の学者たちの論評をしばしば取り上げたことにも表われている。しかしながら彼は、F・A・メスマーによって提唱された動物磁気ということに対しては、直観の限界を越えた空想的晦渋趣味の似而非《えせ》科学として懐疑的であった。

ガルヴァーニ電気発見される。
在野であることの利益。
古きを固執し、新しきを拒否したり羨望したりすべきではない。
私はつねに最も単純な現象を知悉することに努め、多様性を他の人々から期待した。
軽気球発見される。
私もこの発見をする寸前であった。
それをみずから発見しなかったことを多少残念に思う。
すぐに慰められる。
磁気現象と電気現象の親近関係を信ずる。
一包の縫針に磁性を起こさせた電光。
アーヒム・フォン・アルニムの努力。
現代に至り遂に発見。
動物磁気に対する私の関係。

ゲーテの図式的断片『自然科学の発展過程』は、一八二一年当時ヴァイマルでも話題になっていた動物磁気に関する言及で終わっている。いまここでは、当然のことながら、彼がその中で触れている電気・磁気・物理学・化学・軽気球その他の新しい発明発見について詳述することはできない。しかしゲーテが自然認識の多様性を専門の科学者にまかせて自らはひたすら自然の統一的理解をめざしたように、歴史的な個々の事実を科学史家にゆだねてしまっても、ゲーテの科学史における位置は以上のことからほぼ明らかになるであろう。そしてそれに伴って、彼の自然研究に対する評価の基準もおのずから定まってくるにちがいない。このような見地に立てば、ゲーテの自然研究を現代の自然科学と直接対比させて、その価値なり意義なりを論ずるのはおそらく誤りである。自然科学者としてのゲーテは狭義の科学史の枠内ではなく、より包括的なヨーロッパ精神史のなかで宗教・哲学・文学その他文化一般との関連の中で初めて正しく理解される。なぜなら、ゲーテはたんなる自然科学者以上のものだからである。

なおゲーテの自然科学論文を研究するための最も重要な原典資料は、戦前までは、ヴァイマル版ゲーテ全集第二部全十三巻（十四冊）であった。しかし、この版は個人で所有することが当時かなり難しかったので、研究用には一般に次の三つの注解付選集版が用いられていた。

(一) ルドルフ・シュタイナー編『ゲーテ自然科学論集』五巻（一九二一年）

(二) ヴィルヘルム・トロル編『ゲーテ形態学論集』(一九二六年)

(三) ハンス・ヴォールボルト編『ゲーテ色彩論』(一九二八年)

これらのほか、次の三つのゲーテ全集に収録されている注解付テクストも、ゲーテの自然科学論文に対する理解を深めるために大いに役立っていた。

(四) ヘンペル版第三三—三六巻(ザロモン・カーリッシャー編、一八七七—七九年)

(五) コッタ記念版第三九—四〇巻(マックス・モーリス編、一九〇五—〇七年)

(六) マイヤー版第二九—三〇巻(ヴィルヘルム・ベルシェ編、一九〇八年)

戦後においては周知のように、ハンブルク版第十三—十四巻(一九五五—六〇年)およびアルテミス版第十六—十七巻(一九四九年)のテクストが用いられるようになったが、一九四七年以来、ハレのドイツ自然研究者アカデミーの依嘱によりヴァイマル版第二部の改訂版というべきレオポルディーナ版が刊行されつつある。このレオポルディーナ版の第一部テクスト版は一九七〇年の第十一巻をもって完結し、第二部の注解版は現在まで九巻が刊行されている。また、R・シュタイナー編『ゲーテ自然科学論集』のうち、『色彩論』の主要部分が一九七九年、三冊のペイパーバック版として復刊され、レクラム文庫にも一九七七年以来ゲーテの自然科学論集の手ごろな選集が収録されている。

本巻に訳出されている諸論文の使用テクストはすべてハンブルク版に依拠し、訳注もむろん、この版に負うところ大きい。『色彩論』の本文中の図表②③④⑤⑥⑦⑧と図表⑨⑫はそれぞれシュタイナー新版およびレオポルディーナ版によっている。ゲーテ自身が著述に添えたモノクロ図版およびカラー図版類は割愛した。

付記

以下に、網羅的なゲーテ研究文献目録ではなく、本書のよりよき理解に役立つと思われる基礎的な邦語・邦訳文献のみ挙げておきたい。現在では、個々のゲーテ研究論文は次のホームページで容易に検索することができる。http://www.seinan-gu.ac.jp/~akao/goethe/

ゲーテ『色彩論――色彩学の歴史』菊池栄一訳（岩波文庫復刻版、一九八七年）
高橋義人編訳・前田富士男訳『ゲーテ　自然と象徴――自然科学論集』（冨山房百科文庫、一九八二年）
ゲーテ『完訳版　色彩論』南大路振一・高橋義人・前田富士男・嶋田洋一郎訳（工作舎、一九九九年）
ゲーテ自然科学の集い編『モルフォロギア』（ナカニシヤ出版、一九七九年～　）

小川政修著『自然科学者としてのゲーテ』（洛陽堂、一九一六年）
ゲオルク・ジンメル『カントとゲーテ』谷川徹三訳（岩波文庫、一九二八年）
日独文化協会編輯『百年祭記念・ゲーテ研究』（岩波書店、一九三二年）
ヘルマン・ジーベック『ゲーテの世界観』橋本文夫訳（理想社、一九三四年）
ポール・ヴァレリイ『ゲーテ頌』佐藤正彰訳（野田書房、一九三五年）
木村謹治著『ゲーテ』（弘文堂、一九三八年）
H・フォン・シュタイン『ゲーテとシラー』郡山千冬訳（大観堂、一九四二年）
カール・G・カールス『ゲーテ』加藤一郎訳（創元社、一九四八年）
カール・G・カールス『ゲーテ——その一そう根本的なる理解のために』奥津彦重訳（桜井書店、一九四八年）
H・ヘルムホルツ『自然科学者としてのゲエテ』勝見勝訳（アルス社、一九四八年）
『ゲーテとシルレル　往復書簡』（上・中）菊池栄一訳（桜井書店、一九四八年）
根良守峯著『ゲーテ事典』（河出書房、一九五〇年）
稲村耕造著『色彩論』（岩波新書、一九五五年）
アルベルト・シュヴァイツァー『ゲーテ』手塚富雄訳（白水社、一九六二年）

W・ハイトラー『科学と人間』岡小天・三木俊子訳（みすず書房、一九六五年）
エッカーマン『ゲーテとの対話』（全三巻）山下肇訳（岩波文庫、一九六八・六九年）
M・デリベレ『色彩』（白水社、クセジュ文庫、一九七一年）
日本ゲーテ協会編『ゲーテ年鑑』第一四巻「ゲーテ自然科学特集」（南江堂、一九七二年）
エルンスト・カッシーラー『自由と形式』中埜肇訳（ミネルヴァ書房、一九七二年）
W・ハイトラー『思索と遍歴』杉田元宜訳（共立出版、一九七五年）
木村直司著『ゲーテ研究――ゲーテの多面的人間像』（南窓社、一九七六年）
エルンスト・カッシーラー『理念と形姿』森淑仁訳（三修社、一九七八年）
エルンスト・カッシーラー『十八世紀の精神』原好男訳（思索社、一九七九年）
ヴェルナー・ハイゼンベルク『自然科学的世界像』田村松平訳（みすず書房、一九七九年）
高橋義人著『形態と象徴――ゲーテと〈緑の自然科学〉』（岩波書店、一九八八年）
芦津丈夫著『ゲーテの自然体験』（リブロポート、一九八八年）
エルンスト・カッシーラー『ゲーテと十八世紀』友田孝興・栗花落和彦訳（文栄堂、一九九〇年）

文庫版あとがき

「多くの者が生を享《う》けて過ぎゆき、知識はいやまさん」。ゲーテは『色彩論』「教示編」を、この旧約聖書「ダニエル書」からの引用句で結んでいる。この著述の訳稿が潮出版社版『ゲーテ全集』第十四巻に収録されて出版されたのは一九八〇年、ゲーテ没後百五十年の二年前のことであったが、それから二十年を閲《けみ》して、ゲーテ生誕二百五十周年の二年後にちくま学芸文庫で再刊されることになったのは、訳者にとってまことに感慨深いものがある。なぜなら、参考文献目録でしばしば挙げられているゲーテ自然科学研究の先達の多くがその間に物故された一方で、一九七九年以来『モルフォロギア』という雑誌を刊行し続けている同学の若い研究者グループの努力により、ゲーテの自然科学に関する知見はわが国において他国に類を見ないほど増大したからである。訳者自身も独文学者としてすでに定年に達し、まもなくドイツの大学で日本語・日本文化の教職に就くことになっているのである。

人文科学や社会科学において、広義の文化史・文学史・思想史などが重要視されるのに対し、自然科学者は一般に学問史や過去の研究成果にあまり関心がないようである。それは自然科学というものが本質的に日進月歩するものであって、原理的な自然法則や定理以外の個々の理論的認識や技術的応用はすぐに新しいものに凌駕され、古臭くなってしまうからである。それゆえ、ゲーテの自然研究の成果が個々の点で時代遅れとみなされるのは当然のことである。奇異に思われるのはむしろ、ドイツ十八世紀の詩人ゲーテのいわゆる自然科学が今日なお世界中で教養ある多くの人々の注目を浴びているという事実である。それも単にゲーテ研究者たちの好事家的趣味からではなく、一部の専門の科学者たちから真剣に見直されているのである。実際、一九九九年のゲーテ生誕二百五十年祭の折には、ドイツのフランクフルト大学とアメリカのイェール大学などで自然科学者ゲーテに関する連続公開講義や内容豊富な展示会が開催されている。

周知のように、ゲーテの自然研究は植物学・動物学・地質学・鉱物学・骨学・色彩学・気象学など多方面にわたっている。そして、それらに共通するものとして彼特有の自然観があり、その根底にはさらに汎知学と呼ばれる十六世紀の神秘的・宗教的宇宙観がある。いま色彩学に限定すれば、偉大な自然科学者アレクサンダー・フォン・フンボルトが最後の博物学者と呼ばれるのと同様な意味で、それは博物学的な性格を有している。すなわち、ゲーテの色彩研究は一種の色彩の博物学であって、多種多様な色彩現象を丹念に収集・観察し、それらを一定の見地から考察し集大成したものなのである。彼はフランス革命軍に対するプロイセン＝オーストリア同盟軍の一七九二年の軍事介入と敗北に際しても、八月三十日や十月最後の記述に見られるように色彩現象の観察と考察を怠らず、自叙伝の第三部とも言うべき『滞仏陣中記』の中で『色彩論』に関し、「私の最初からの原則は、経験を拡大し方法を純化することである」（十月十四日）と明確に書き記している。自伝の補遺『年代記』一七九一年の記述では、プリズムによる主観的実験のために色彩現象を「無限にまで多様化した」とさえ言われている。

先の場合、経験とは色彩現象のことであり、方法とは根源現象からのいわゆる導出の意味である。これらの事柄は科学方法論に関する彼の諸論文において詳細に論じられているが、その際ゲーテが絶えずカントを念頭に置いていたことは、同書十月二十五日の記述からも明らかである。「カントがその『判断力批判』の中で美的判断力に目的論的判断力を対比させるとき、そこから帰結されるのは、カントが暗示しようとしているように、芸術作品は自然作品のように、自然作品は芸術作品のように取り扱われ、それぞれの価値はそれ自身の内から展開され、それ自身において考察されるべきであるということである」。同時にまた、このような芸術作品と自然作品の不即不離の関係から、ゲーテにおける自然研究の意義もおのずから明らかとなる。自然研究、とくに色彩の研究は彼にとって、究極において芸術の理解に資するものだったのである。『イタリア紀行』「第二次ローマ滞在」一七八七年九月六日の項におけるゲーテの有名な古典主義の宣言は、本来こうして行われたものである。

自然と芸術のこの密接な関連は、『色彩論』「教示編」の第六編「色彩の感覚的精神的作用」に言い表わされており、芸術における彩色の問題はさらに「色彩のアレゴリー的、象徴的、神秘的使用」にまで敷衍されていく。この点に注目すれば、文学史的にはロマン主義文学全般との親近関係、美術史的にはルンゲ、カスパル・D・フリードリヒ、ターナーからパウル・クレーにまで及ぶ展望が開けてくる。しかしながら、自然の領域にとどまった場合でも、色彩研究はゲーテの自然科学において中心的な位置を占めていることが判明する。なぜなら、彼がそこで適用している科学方法論は、結局、動植物学をはじめとする他のすべての研究分野にも当てはまるからである。とくにカントの認識論は、「直観的判断力」の論文に見られるように、自然科学者ゲーテにとって決定的な意義をもっている。経験的な自然科学者は反省的推論的判断力にもとづいて個々の分析を行い、人間悟性の限界を越えた直観的規定的判断力による綜合を試みようとはしない。それはカントによれば、神的理性にのみよくなし得る全体的認識だからである。これに対し、自然科学者であるよりも先に詩人であるゲーテは、カントが拒否した「理性の冒険」をあえて行うのである。こうして把握されたプラトン的イデアともアリストテレス的エイドスとも言える先験的理念が、根源現象あるいは原植物と呼ばれるものである。潮出版社版『ゲーテ全集』の解説「自然科学者としてのゲーテ」を本文庫版においてもそのまま再録したのはそのためである。ゲーテの自然科学的認識は巨大な有機的全体であるため、いわゆる形態学ないし色彩論のいずれかを優先的に取り上げても、その氷山の一角は水面下に隠れている共通の基盤を無視して十全に理解することはできないのである。

詩人ゲーテにとって、日は東に昇り西に沈む。そして大地はあくまでも静止している。あるとき彼は馬車で旅をしながら、馬車が街道を走っているのか、止まっている馬車の横を周囲の景色が飛ぶように消え去っていくのか、一瞬分からなくなるのを体験したが、もし通常の人間が日常生活において身のまわりの事物を急に回るように感じ始めたら、それは恐らく狂気の最初の兆候である。もちろん自然科学者としてのゲーテは、アインシュタインの相対性理論をかすかに予感するはるか以前に、地動説が真理であることを知っていた。しかしそれは一つの理念であって、これを理解するためには感覚の世界と立場を異にする高度の抽象能力を必要とするのである。詩と科学を本質的に分かつこの洞察は、『箴言と省察』において、次のように的確に指摘されている。「コペルニクスの体系は、把握することが極めて困難な今もなおわれわれの感覚と矛盾する理念にもとづいている。われわれは、自ら認識することも理解することもないことを口真似しているだけである」。

しかし詩は神話の世界により近く、コペルニクスの体系が近代における人間精神の発展に寄与したのはまさに、古い世界像を打破した自然に即した科学的認識のためであった。ゲーテはその意義を『色彩論』「歴史編」第四編「十六世紀」の最後の中間考察において自然科学者として十分に認めている。「しかしながら、あらゆる発見と確信のなかで、コペルニクスの学説ほど人間精神に大きな作用を呼び起こしたものはないかも知れない。この世界が球形でそれ自身のうちに完結しているということが承認されるや否や、それは宇宙の中心であるという途方もない特権を断念しなければならないことになった。恐らく人類に対するこれ以上に大きな要求がなされたことは、いまだかつてなかったであろう。なぜなら、この事実を承認することによって、計り知れない多くのものが雲散霧消してしまったからである。すなわち、第二の楽園、無垢の世界、詩歌と信心、感覚のあかし、詩的・宗教的信仰の確信などである。なんら怪しむに足らないのは、人々がこれらすべてを手放したがらず、あらゆる方法でこのような学説に抵抗したことである。この学説は、それを受け入れた者に、これまで未知であったばかりではなく予測もできなかったような自由思想と広大無辺な情操を抱くことを正当化し、かつまた要請したのである」。

ゲーテが自然科学者としてよりもむしろ賢者として高く評価しているのは、ヨハネス・ケプラーの功績である。『色彩論』「歴史編」第五編「十七世紀」の中で、彼は天文学者ケプラーをまず人間として称揚している。「ケプラーの生涯を彼の人柄および業績と一緒にして考察すると、喜ばしい驚嘆の念にかられる。真の天才があらゆる障害を克服したことを確信できるからである。彼の人生の始めと終わりは家庭の事情で難渋し、その中間は非常に政情不安な時代に遭遇したにもかかわらず、彼の恵まれた資質は貫徹される。きわめて重大な事柄を彼は明朗闊達に扱い、骨の折れる錯綜した仕事もやすやすと片付けるのである。」このような見方から初めて、『箴言と省察』におけるカントの『実践理性批判』の結語を示唆したゲーテの倫理的な賛美の言葉が理解される。「ケプラーは、私の最高の願いは外部の至るところに見出す神を内面的に私の内部でも知覚することである、と言った。この気高い人は無意識のうちに、まさにこの瞬間に彼の内なる神的なものが宇宙の神的なものと照応関係にあることを感じていたのである」。

ニュートンという人物についても、ゲーテはなるほど「歴史編」の中で冷静かつ敬意をもって語っている。「ニュートンは立派な身体に恵まれた、健康な、安定した情緒の人で、激しい情熱や欲望をもたなかった。彼の精神はきわめて抽象的な意味で構造的な性質であった。それゆえ高等数学は彼ほんらいの器官として与えられていて、これを用いて彼は自分内部の世界を築き上げ、外部世界をきちんと構成しようと努めた」。しかし、こと光学研究となると、ゲーテが罵詈雑言に近い口調でニュートンを執拗に攻撃しているのは常軌を逸していると言わざるを得ない。ゲーテを敬愛するエーバーハルト・ブーフヴァルトのような専門の物理学者が、『色彩論』三部作のうち専らニュートン批判に当てられた「論争編」を最低と評価している以上、人文系の者がその科学的価値をいまさら云々する必要はない。現代の高名なゲーテ学者アルブレヒト・シェーネはその著書『ゲーテの色彩神学』(一九八七年)の中で、ゲーテは宗教思想におけるようにあえて神的光の研究における異端者になろうとしたのだという趣旨のことを述べているが、この主張の当否を検証するのは「ゲーテとニュートン」という独自の研究テーマである。少なくとも訳者には、ゲーテが『色彩論』「歴史編」第六編「十八世紀」第一期においてニュートンを念頭にして言及していることは、彼自身にこそ当てはまるように思われてならない。「自分のであれ他人のであれ、われわれが何かある間違った直観的着想を活発に捉えると、それは次第に固定観念になり、しまいには全く偏った狂気にまで変質してしまうことがあり得る。この狂気が顕著に現われてくる仕方は主に、このような物の見方に都合のよいすべてのものに情熱的に固執し、わずかでも矛盾するすべてのことをあっさりと片付けてしまうだけではなく、相反することが目立つものも自分の都合のいいように解釈してしまうことである」。

ニュートンの研究していたのが光学であるのに対し、ゲーテの研究対象は色彩であり、色彩学は光学とは異なる。ゲーテがこれを誤解したのは誤ったニュートン批判のために致命的であった。しかし、これをシラーとの出会いと対照的な過去の不幸な出来事として度外視すれば、ゲーテの著述のなかで最も浩瀚な『色彩論』は彼の主著とみなして差し支えないほどである。ゲーテはそれを一七九〇年頃から一八一〇年まで二十年間を費やして書き上げたばかりではなく、その出版後も一生のあいだ色彩研究をやめることはなかった。その科学的興味と執筆の努力の根底には、偏執狂的な「間違った直観的着想」ということでは片付けられない特別な動機と発想があったに違いない。『イタリア紀行』一七八八年三月一日の項によれば、世界を色彩の面からよりよく理解したいというのが最初の動機であり、「歴史編」末尾の「著者の告白」に記されているように、「芸術の見地から色彩について何かを獲得しようとするならば、色彩が自然現象であるため、まず自然の側から迫っていかなければならない」というのが、当時のゲーテ的発想であった。

前述のように、この自然に即した色彩研究は、ゲーテにおいて主観と客観、すなわち人間の眼と対象である事物のあいだに観察される多種多様な色彩の現象学というべきものになった。「最高のことは、すべての事実がすでに理論であるということを把握することである。空の青はわれわれに色彩学の根本法則を啓示している。さまざまな現象の背後に何かを探し求めてはならない。それら自らが学理である」とは、『箴言と省察』の中の有名な言葉である。しかしながら、『色彩論』「教示編」の目次に見られる色彩現象の整然たる分類は、この言葉に対する無言の反駁である。事実、ゲーテの自然観と方法論を原理的に述べている「まえがき」にさりげなく、「あらゆる熟視は考察へ、あらゆる考察は思念へ、あらゆる思念は結合へと移行し、それゆえ、われわれは対象世界を注意深く眺めるだけですでに理論化していると言えるのである」と言われているのである。個々の経験ないし現象がそれだけでは無価値であることを指摘した言葉は、『箴言と省察』の中にむしろ数多く見出される。ゲーテが恐れていたのはただ、「理論というものが通常、さまざまな現象をなるべく早く処理してしまって、それらの代わりに比喩や概念ばかりではなく、しばしば単なる言葉を挿入しようとする性急な悟性の無思慮な試みにすぎない」ことであった。そのためにこそ、彼は他者への批判と自戒の念をこめて「客観と主観の仲介者としての実験」という、方法論的にきわめて重要な論文を書いたのである。

なお統一後十年のドイツでは、二〇〇一年がかつてのプロイセン建国三百年にあたり、あれほど盛大に祝われた一九九九年のゲーテ生誕二百五十周年を問題にする人はもはやいない。以前のように「永遠のゲーテ」について語るのは、むろん誤りである。しかし真の古典の本質は、洋の東西を問わず不易流行である。自然科学者ゲーテの真髄を示す本書が、編集長渡辺英明氏のご好意により図らずも「ちくま学芸文庫」の一冊として上梓されることになったのは、訳者として喜ばしい限りである。出版にあたっては、外国にいるため編集者二宮隆洋氏の格別なお世話にあずかった。種々のご配慮に対し厚く御礼申し上げたい。

木村直司

二〇〇一年二月　レーゲンスブルク

本書は一九八〇年五月十五日、潮出版社より刊行された『ゲーテ全集』第十四巻を基にしたものである。

民主主義の革命

エルネスト・ラクラウ／シャンタル・ムフ
西永亮／千葉眞訳

グラムシ、デリダらの思想を摂取し、根源的で複数的なデモクラシーへ向けて、新たなヘゲモニー概念を提示した、ポスト・マルクス主義の代表作。

鏡の背面

コンラート・ローレンツ
谷口茂訳

人間の認識システムはどのように進化してきたのか、そしてその特徴とは。ノーベル賞受賞の動物行動学者が試みた抱括的知識による壮大な総合人間哲学。

ミメーシス(上)

E・アウエルバッハ
篠田一士／川村二郎訳

西洋文学史より具体的なテクストを選び、文体美学を分析・批評しながら、現実描写を追求する。全20章の前半のホメーロスよりラ・サールまで。

ミメーシス(下)

E・アウエルバッハ
篠田一士／川村二郎訳

ヨーロッパ文学における現実描写の流れをすばらしい切れ味の文体分析により追求した画期的文学論。全20章の後半、ラブレーよりV・ウルフまで。

人間の条件

ハンナ・アレント
志水速雄訳

人間の活動的生活を《労働》《仕事》《活動》の三側面から考察し、《労働》優位の近代世界を思想史的に批判したアレントの主著。（阿部齊）

革命について

ハンナ・アレント
志水速雄訳

《自由の創設》をキイ概念としてアメリカとヨーロッパの二つの革命を比較・考察し、その最良の精神を二〇世紀の惨状から救い出す。（川崎修）

暗い時代の人々

ハンナ・アレント
阿部齊訳

自由が著しく損なわれた時代を自らの意思に従い行動し、生きた人々。政治・芸術・哲学への鋭い示唆を含み描かれる普遍的人間論。（村井洋）

責任と判断

ハンナ・アレント
ジェローム・コーン編
中山元訳

思想家ハンナ・アレント後期の未刊行論文集。人間の責任の意味と判断の能力を考察し、考える能力の喪失により生まれる〈凡庸な悪〉を明らかにする。

政治の約束

ハンナ・アレント
ジェローム・コーン編
高橋勇夫訳

われわれにとって「自由」とは何であるのか——。政治思想の起源から到達点までを描き、政治的経験の意味に根底から迫った、アレント思想の精髄。

プリズメン
Th・W・アドルノ
渡辺祐邦／三原弟平訳
「アウシュヴィッツ以後、詩を書くことは野蛮である」。果てしなく進行する大衆の従順化と、絶対的物象化の時代における文化批判のあり方を問う。

スタンツェ
ジョルジョ・アガンベン
岡田温司訳
西洋文化の豊饒なイメージの宝庫を自在に横切り、愛・言葉そして喪失の想像力が表象に与えた役割をたどる。21世紀を牽引する哲学者の博覧強記。

事物のしるし
ジョルジョ・アガンベン
岡田温司／岡本源太訳
パラダイム・しるし・哲学的考古学の鍵概念のもと、「しるし」の起源や特権的領域を探求する。私たちを西洋思想史の彼方に誘うユニークかつ重要な一冊。

アタリ文明論講義
ジャック・アタリ
林昌宏訳
歴史を動かすのは先を読む力だ。混迷を深める現代文明の行く末を見通し対処するにはどうすればよいのか。「欧州の知性」が危難の時代を読み解く。

時間の歴史
ジャック・アタリ
蔵持不三也訳
日時計、ゼンマイ、クオーツ等。計時具から見えてくる人間社会の変遷とは？ J・アタリが「時間と暴力」「暦と権力」の共謀関係を大柄に描く大著。

風水
エルネスト・アイテル
中野美代子／中島健訳
中国の伝統的思惟では自然はどのように捉えられているのか。陰陽五行論・理気二元論から説き起こし、風水の世界を整理し体系づける。（三浦國雄）

コンヴィヴィアリティのための道具
イヴァン・イリイチ
渡辺京二／渡辺梨佐訳
破滅に向かう現代文明の大転換はまだ可能だ！ 人間本来の自由と創造性が最大限活かされる社会をどう作るか。イリイチが遺した不朽のマニフェスト。

メディアの文明史
ハロルド・アダムズ・イニス
久保秀幹訳
粘土板から出版・ラジオまで。メディアの深奥部に潜むバイアス＝傾向性が、社会の特性を生み出す。大柄な文明史観を提示する必読古典。（水越伸）

重力と恩寵
シモーヌ・ヴェイユ
田辺保訳
「重力」に似たものから、どのようにして免れればよいのか……ただ「恩寵」によって。苛烈な自己無化への意志に貫れた、独自の思索の断想集。ティボン編。

工場日記
シモーヌ・ヴェイユ　田辺保訳

人間のありのままの姿を知り、愛し、そこで生きたい――女工となった哲学者が、極限の状況で自己犠牲と献身について考え抜き、克明に綴った、魂の記録。

青色本
L・ウィトゲンシュタイン　大森荘蔵訳

「語の意味とは何か」。端的な問いかけで始まるこのコンパクトな書は、初めて読むウィトゲンシュタインとして最適な一冊。（野矢茂樹）

法の概念〔第3版〕
H・L・A・ハート　長谷部恭男訳

法とは何か。ルールの秩序という観念でこの難問に立ち向かい、法哲学の新たな地平を拓いた名著。批判に応える「後記」を含め、平明な新訳でおくる。

生き方について哲学は何が言えるか
バーナド・ウィリアムズ　森際康友／下川潔訳

倫理学の中心的な諸問題を深い学識と鋭い眼差しで再検討した現代における古典的名著。倫理学はいかに変貌すべきか、新たな方向づけを試みる。

思考の技法
グレアム・ウォーラス　松本剛史訳

知的創造を四段階に分け、危機の時代を打破する真の思考のあり方を究明する。『アイデアのつくり方』の源となった先駆的名著、本邦初訳。（平石耕）

ポパーとウィトゲンシュタインとのあいだで交わされた世上名高い10分間の大激論の謎
デヴィッド・エドモンズ／ジョン・エーディナウ　二木麻里訳

このすれ違いは避けられない運命だった？　二人の思想の歩み、そして大激論の真相に、ウィーン学団の人間模様やヨーロッパの歴史的背景から迫る。

言語・真理・論理
A・J・エイヤー　吉田夏彦訳

無意味な形而上学を追放し、〈分析的命題〉か〈経験的仮説〉のみを哲学的に有意義な命題として扱う。初期論理実証主義の代表作。（青山拓央）

大衆の反逆
オルテガ・イ・ガセット　神吉敬三訳

二〇世紀の初頭、《大衆》という現象の出現とその功罪を論じながら、自ら進んで困難に立ち向かう《真の貴族》という概念を対置した警世の書。

啓蒙主義の哲学（上）
エルンスト・カッシーラー　中野好之訳

理性と科学を「人間の最高の力」とみなし近代を準備した啓蒙主義。「浅薄な過去の思想」との従来評価を覆し、再評価を打ち立てた古典的名著。

啓蒙主義の哲学（下）
エルンスト・カッシーラー
中野好之訳
啓蒙主義を貫く思想原理とは何か。自然観、人間観から宗教、国家、芸術まで、その統一的結びつきを鋭い批判的洞察で解明する。（鷲見洋一）

近代世界の公共宗教
ホセ・カサノヴァ
津城寛文訳
一九八〇年代に顕著となった宗教の〈脱私事化〉。五つの事例をもとに近代における宗教の役割と世俗化の意味を再考する。宗教社会学の一大成果。

死にいたる病
S・キルケゴール
桝田啓三郎訳
死にいたる病とは絶望であり、絶望を深く自覚し神の前に自己をすてる。実存的な思索の深まりをデンマーク語原著から訳出し、詳細な注を付す。

世界制作の方法
ネルソン・グッドマン
菅野盾樹訳
世界は「ある」のではなく、「制作」されるのだ。芸術・科学・日常経験・知覚など、幅広い分野で徹底した思索を行ったアメリカ現代哲学の重要著作。

新編 現代の君主
アントニオ・グラムシ
上村忠男編訳
労働運動を組織しイタリア共産党を指導したグラムシ。獄中で綴られたそのテキストから、いま読み直されるべき重要な29篇を選りすぐり注解する。

孤島
ジャン・グルニエ
井上究一郎訳
「島」とは孤独な人間の謂。透徹した精神のもと、話者の綴る思念と経験が啓示を放つ。カミュが本書との出会いを回想した序文を付す。（松浦寿輝）

ウィトゲンシュタインのパラドックス
ソール・A・クリプキ
黒崎宏訳
規則は行為の仕方を決定できない――このパラドックスの懐疑的解決こそ、『哲学探究』の核心である。異能の哲学者によるウィトゲンシュタイン解釈。

ハイデッガー『存在と時間』註解
マイケル・ゲルヴェン
長谷川西涯訳
難解をもって知られる『存在と時間』全八三節の思考を、初学者にも一歩一歩追体験させ、高度な内容を読者に確信させ納得させる唯一の註解書。

色彩論
ゲーテ
木村直司訳
数学的・機械論的近代自然科学と一線を画し、自然の中に「精神」を読みとろうとする特異で巨大な自然観を示した思想家・ゲーテの不朽の業績。

倫理問題101問　マーティン・コーエン　榑沼範久訳

何が正しいことなのか。医療・法律・環境問題等、私たちの周りに溢れる倫理的なジレンマから101の題材を取り上げて、ユーモアも交えて考える。

哲学101問　マーティン・コーエン　矢橋明郎訳

全てのカラスが黒いことを証明するには？　コンピュータと人間の違いは？　哲学者たちが頭を捻った101問を、譬話で考える楽しい哲学読み物。

解放されたゴーレム　ハリー・コリンズ／トレヴァー・ピンチ　村上陽一郎／平川秀幸訳

科学技術は強力だが不確実性に満ちた「ゴーレム」である。チェルノブイリ原発事故、エイズなど7つの事例をもとに、その本質を科学社会的に繙く。

存在と無（全3巻）　ジャン゠ポール・サルトル　松浪信三郎訳

人間の意識の在り方（実存）をきわめて詳細に分析し、存在と無の弁証法を問い究め、実存主義を確立した不朽の名著。現代思想の原点。

存在と無Ⅰ　松浪信三郎訳

Ⅰ巻は、「即自」と「対自」が峻別される緒論「存在の探求」から、「対自」としての意識の基本的在り方が論じられる第二部「対自存在」まで収録。

存在と無Ⅱ　ジャン゠ポール・サルトル　松浪信三郎訳

Ⅱ巻は、第三部「対他存在」を収録。私と他者との相剋関係を論じた「まなざし」論をはじめ、愛、憎悪、マゾヒズム、サディズムなど具体的な他者論を展開。

存在と無Ⅲ　ジャン゠ポール・サルトル　松浪信三郎訳

Ⅲ巻は、第四部「持つ」「為す」「ある」を収録。この三つの基本的カテゴリーとの関連で人間の行動を分析し、絶対的自由を提唱。（北村晋）

公共哲学　マイケル・サンデル　鬼澤忍訳

経済格差、安楽死の幇助、市場の役割など、私達が現代の問題を考えるのに必要な思想とは？　ハーバード大講義で話題のサンデル教授の主著、初邦訳。

パルチザンの理論　カール・シュミット　新田邦夫訳

二〇世紀の戦争を特徴づける「絶対的な敵」殲滅の思想の端緒を、レーニン・毛沢東らの《パルチザン》戦争という形態のなかに見出した画期的論考。

政治思想論集
カール・シュミット
服部平治／宮本盛太郎訳
現代新たな角度で脚光をあびる政治哲学の巨人が、その思想の核を明かしたテクストを精選して収録。権力の源泉や限界といった基礎もわかる名論文集。

神秘学概論
ルドルフ・シュタイナー
高橋巖訳
宇宙論、人間論、進化の法則と意識の発達史を綴り、シュタイナー思想の根幹を展開する——四大主著の一冊、渾身の訳し下し。（笠井叡）

神智学
ルドルフ・シュタイナー
高橋巖訳
神秘主義的思考を明晰な思考に立脚した精神科学へと再編し、知性と精神性の健全な融合をめざしたシュタイナーの根本思想。四大主著の一冊。

いかにして超感覚的世界の認識を獲得するか
ルドルフ・シュタイナー
高橋巖訳
すべての人間には、特定の修行を通して高次の認識を獲得できる能力が潜在している。その顕在化のための道すじを詳述する不朽の名著。

自由の哲学
ルドルフ・シュタイナー
高橋巖訳
社会の一員である個人の究極の自由はどこに見出されるのか。思考は人間に何をもたらすのか。シュタイナー全業績の礎をなしている認識論哲学。

治療教育講義
ルドルフ・シュタイナー
高橋巖訳
障害児が開示するのは、人間の異常性ではなく霊性である。人智学の理論と実践を集大成したシュタイナー晩年の最重要講義。改訂増補決定版。

人智学・心智学・霊智学
ルドルフ・シュタイナー
高橋巖訳
身体・魂・霊に対応する三つの学が、霊視霊聴を通じた存在の成就への道を語りかける。人智学協会の創設へ向け最も注目された時期の率直な声。

ジンメル・コレクション
ゲオルク・ジンメル
北川東子編
鈴木直訳
都会、女性、モード、貨幣をはじめ、取っ手や橋・扉にまで哲学的思索を向けた「エッセーの思想家」の姿を一望する新編・新訳のアンソロジー。

私たちはどう生きるべきか
ピーター・シンガー
山内友三郎監訳
社会の10％の人が倫理的に生きれば、政府が行う社会変革よりもずっと大きな力となる——環境・動物保護の第一人者が、現代に生きる意味を鋭く問う。

自然権と歴史
レオ・シュトラウス
塚崎智／石崎嘉彦訳
自然権の否定こそが現代の深刻なニヒリズムをもたらした。古代ギリシアから近代に至る思想史を大胆に読み直し、自然権論の復権をはかる20世紀の名著。

生活世界の構造
アルフレッド・シュッツ／トーマス・ルックマン
那須壽監訳
「事象そのものへ」という現象学の理念を社会学研究で実践し、日常を生きる「普通の人びと」の視点から日常生活世界の「自明性」を究明した名著。

哲学ファンタジー
レイモンド・スマリヤン
高橋昌一郎訳
論理学の鬼才が、軽妙な語り口ながら、切れ味抜群の思考法で哲学から論理学まで広く論じた対話篇。哲学することの魅力を堪能しつつ、思考を鍛える！

ハーバート・スペンサーコレクション
ハーバート・スペンサー
森村進編訳
自由はどこまで守られるべきか。リバタリアニズムの源流となった思想家の理論の核が凝縮された論考を精選し、平明な訳で送る。文庫オリジナル編訳。

ナショナリズムとは何か
アントニー・D・スミス
庄司信訳
ナショナリズムは創られたものか、それとも自然なものか。この矛盾に満ちた心性の正体を、世界的権威が徹底的に解説する。最良の入門書、本邦初訳。

日常的実践のポイエティーク
ミシェル・ド・セルトー
山田登世子訳
読書、歩行、声。それらは分類し解析する近代的知が見落とす、無名の者の戦術である。領域を横断し、秩序に抗う技芸を描く。（渡辺優）

反解釈
スーザン・ソンタグ
高橋康也他訳
《解釈》を偏重する在来の批評に対し、《形式》を感受する官能美学の必要性をとき、理性や合理主義に対する感性の復権を唱えたマニフェスト。

ウォールデン
ヘンリー・D・ソロー
酒本雅之訳
たったひとりでの森の生活。そこでの観察と思索の記録は、いま、ラディカルな物質文明批判となり、精神の主権を回復する。名著の新訳決定版。

声と現象
ジャック・デリダ
林好雄訳
フッサール『論理学研究』の綿密な読解を通して、「脱構築」「痕跡」「差延」「代補」「エクリチュール」など、デリダ思想の中心的〝操作子〟を生み出す。

歓待について
ジャック・デリダ
アンヌ・デュフールマンテル序論
廣瀬浩司訳

異邦人＝他者を迎え入れることはどこまで可能か？ギリシャ悲劇、クロソウスキーなどを経由し、この喫緊の問いにひそむ歓待の（不）可能性に挑む。

省察
ルネ・デカルト
山田弘明訳

徹底した懐疑の積み重ねから、確実な知識を探り世界を証明づける。哲学入門者が最初に読むべき、近代哲学の源泉たる一冊。詳細な解説付新訳。

哲学原理
ルネ・デカルト
山田弘明／吉田健太郎／久保田進一／岩佐宣明訳・注解

『省察』刊行後、その知のすべてが記された本書は、デカルト形而上学の最終形態といえる。第一部の新訳と解題・詳細な解説を付す決定版。

方法序説
ルネ・デカルト
山田弘明訳

「私は考える、ゆえに私はある」。近代以降すべての哲学は、この言葉で始まった。世界中で最も読まれている哲学書の完訳。平明な徹底解説付。

社会分業論
エミール・デュルケーム
田原音和訳

人類はなぜ社会を必要としたか。社会はいかにして発展するか。近代社会学の嚆矢をなすデュルケーム畢生の大著を定評ある名訳で送る。（菊谷和宏）

公衆とその諸問題
ジョン・デューイ
阿部齊訳

大衆社会の到来とともに公共性の成立基盤は衰退した。民主主義は再建可能か？　プラグマティズムの代表的思想家がこの難問を考究する。（宇野重規）

旧体制と大革命
A・ド・トクヴィル
小山勉訳

中央集権の確立、パリ一極集中、そして平等を自由に優先させる精神構造――フランス革命の成果は、実は旧体制の時代にすでに用意されていた。

ニーチェ
ジル・ドゥルーズ
湯浅博雄訳

〈力〉とは差異にこそその本質を有している――ニーチェのテキストを再解釈し、尖鋭なポスト構造主義的イメージを提出した、入門的な小論考。

カントの批判哲学
ジル・ドゥルーズ
國分功一郎訳

近代哲学を再構築してきたドゥルーズが、三批判書を追いつつカントの読み直しを図る。ドゥルーズ哲学が形成される契機となった一冊。新訳。

基礎づけるとは何か
ジル・ドゥルーズ
國分功一郎／長門裕介／西川耕平編訳
より幅広い問題に取り組んでいた、初期の未邦訳論考集。思想家ドゥルーズの「企画の種子」群を紹介し、彼の思想の全体像をいま一度描きなおす。

スペクタクルの社会
ギー・ドゥボール
木下誠訳
状況主義——「五月革命」の起爆剤のひとつとなった芸術＝思想運動——の理論的支柱で、最も急進的かつトータルな現代消費社会批判の書。

論理哲学入門
E・トゥーゲントハット／U・ヴォルフ
鈴木崇夫／石川求訳
論理学とは何か。またそれは言語や現実世界とどんな関係にあるのか。哲学史への確かな目配りと強靭な思索をもって解説するドイツの定評ある入門書。

ニーチェの手紙
茂木健一郎編・解説
塚越敏／眞田収一郎訳
哲学の全歴史を一新させた偉人が、思いを寄せる女性に綴った真情溢れる言葉から、手紙に残した名句まで——書簡から哲学者の真の人間像と思想に迫る。

存在と時間（上）
M・ハイデッガー
細谷貞雄訳
哲学の根本課題、存在の問題を、現存在としての人間の時間性の視界から解明した大著。刊行時すでに哲学の古典と称された20世紀の記念碑的著作。

存在と時間（下）
M・ハイデッガー
細谷貞雄訳
第一編で「現存在の準備的な基礎分析」をおえたハイデッガーは、この第二編では「現存在と時間性」として死の問題を問い直す。（細谷貞雄）

「ヒューマニズム」について
M・ハイデッガー
渡邊二郎訳
『存在と時間』から二〇年、沈黙を破った哲学者の後期の思想の精髄。「人間」ではなく「存在の真理」の思索を促す、書簡体による存在論入門。

ドストエフスキーの詩学
ミハイル・バフチン
望月哲男／鈴木淳一訳
ドストエフスキーの画期性とは何か？《ポリフォニー論》と《カーニバル論》という、魅力にみちた二視点を提起した先駆的著作。（望月哲男）

表徴の帝国
ロラン・バルト
宗左近訳
「日本」の風物・慣習に感嘆しつつもそれらを〈零度〉に解体し、詩的素材としてエクリチュールとシーニュについての思想を展開させたエッセイ集。

書名	著訳者	内容紹介
エッフェル塔	ロラン・バルト 宗左近／諸田和治訳	塔によって触発される表徴を次々に展開させることでその創造力を自在に操る、バルト独自の構造主義的思考の原形。解説・貴重図版多数併載。
エクリチュールの零度	ロラン・バルト 伊藤俊治図版監修	哲学・文学・言語学など、現代思想の幅広い分野に怖るべき影響を与え続けているバルトの理論的主著。詳註を付した新訳決定版。
映像の修辞学	ロラン・バルト 森本和夫／林好雄訳註	イメージは意味の極限写真、そして映画におけるメッセージの記号を読み解き、意味を探り、自在に語る魅惑の映像論集。広告写真や報道写真、そして映画における記号を自在に読み解く、林好雄
ロラン・バルト モード論集	ロラン・バルト 蓮實重彥／杉本紀子訳	エスプリの弾けるエッセイから、初期の金字塔『モードの体系』に至る記号学的モード研究まで、45年ぶりのバルトの才気が光るモード論考集。オリジナル編集・新訳。
呪われた部分	ジョルジュ・バタイユ 山田登世子編訳	「蕩尽」こそが人間の生の本来の目的である！思想界を震撼させ続けたバタイユ思想の主著、45年ぶりの待望の新訳。沸騰する生と意識の覚醒へ！
エロティシズム	ジョルジュ・バタイユ 酒井健訳	人間存在の根源的な謎を、鋭角で明晰な論理で解きつくす、バタイユ思想の核心。禁忌とは、侵犯とは何か？ 待望久しかった新訳決定版。
宗教の理論	ジョルジュ・バタイユ 湯浅博雄訳	聖なるものの誕生から衰滅までを、文学、芸術、哲学、そして人間にとって宗教の〈理論〉とは何なのか。根源的核心に迫る、バタイユ思想の核心。
純然たる幸福	ジョルジュ・バタイユ 酒井健編訳	著者の思想の核心をなす重要論考20篇を収録。文庫化にあたり『シュルレアリスムと神をめぐる対論――ヘーゲル弁証法の基底への批判』「シュブサルによるインタビュー」を増補。
エロティシズムの歴史	ジョルジュ・バタイユ 湯浅博雄／中地義和訳	三部作として構想された『呪われた部分』の第二部。荒々しい力〈性〉の禁忌に迫り、エロティシズムの本質を暴く、バタイユの真骨頂たる一冊（吉本隆明）

ちくま学芸文庫

色彩論《しきさいろん》

二〇〇一年三月七日 第一刷発行
二〇二五年三月五日 第十八刷発行

著者 J・W・ゲーテ
訳者 木村直司（きむら・なおじ）
発行者 増田健史
発行所 株式会社 筑摩書房
東京都台東区蔵前二―五―三 〒一一一―八七五五
電話番号 〇三―五六八七―二六〇一（代表）
装幀者 安野光雅
印刷所 株式会社精興社
製本所 株式会社積信堂

乱丁・落丁本の場合は、送料小社負担でお取り替えいたします。
本書をコピー、スキャニング等の方法により無許諾で複製することは、法令に規定された場合を除いて禁止されています。請負業者等の第三者によるデジタル化は一切認められていませんので、ご注意ください。
© NAOJI KIMURA 2001 Printed in Japan
ISBN978-4-480-08619-8 C0110